Faszination
der
Bühne

Die Deutsche Bibliothek – CIP-Einheitsaufnahme

Faszination der Bühne : barockes Welttheater in Bayreuth ; eine Dokumentation der Ausstellung des Grundkurses Theatergeschichte am Gymnasium Christian-Ernestinum, Bayreuth ; [barocke Bühnentechnik in Europa] / Hrsg.: Klaus-Dieter Reus. – (2., unveränd. Aufl.). – Bayreuth :

Rabenstein, 2001

ISBN 3-928683-25-X

Gymnasium Christian-Ernestinum, Bayreuth
http://gce.bayreuth.org/faszination

Gesamtherstellung: Druck & Medien Heinz Späthling, Weißenstadt

ISBN 3-928683-25-X

GYMNASIUM CHRISTIAN-ERNESTINUM, BAYREUTH

Klaus-Dieter Reus (Hrsg.)
Markus Lerner (Gestaltung)

Barockes Welttheater
in Bayreuth

Barocke Bühnentechnik
in Europa

Verlag C. u. C. Rabenstein

PROJEKT „BAROCKE BÜHNENTECHNIK“

Ausstellung
1995 und 1998

Faszination der Bühne
Barockes Welttheater in Bayreuth
in der Kreissparkasse Bayreuth

Gesamtleitung
Klaus-Dieter Reus

An diesem Projekt wirkten mit...

Pluskurs Theatergeschichte 1993 / 1994 und Grundkurs Theatergeschichte 1994 / 1995

Büttner, Annette
Händler, Ralf
Hartmann, Felix
Kröber, Stefanie
Mantz, Barbara
Maul, Thorsten
Manderla, Christian
Pietsch, Yvonne
Rosenschon, Alexander
Schneider, Hella
Seifert, Juliane
Skawantzos, Christian
Walthierer, Sebastian
Wessels, Jochen
Wessels, Ute
Zeilinger, Andreas
Zöller, Christine

Produktion eines Videofilmes zur Ausstellung 1995: „Technik der Träume“

Hartmann, Felix
Walthierer, Sebastian
Zöller, Christine

Grundkurs Theatergeschichte 1996 / 1997

Abt, Agnes
Becher, Anna-Lisa
Fischer, Till
Fricke, Carolin
Kämpf, Thomas
Kupper, Florian
Nebel, Rodrigo
Nols, Carmen
Pich, Christian
Rosenschon, Katharina
Roth, Christopher
Schmid, Franz-Gregor
Schmidt, Daniel
Skawantzos, Nikolas
Teichmann, Bernd
Vogel, Matthias

Pluskurs Theatergeschichte 1997 / 1998

Alt, Andreas
Eismann, Johannes
Fischer, Thomas
Gabel, Franz
Grelich, Jan Philipp
Konrad, Oliver
Lattermann, Lena
Lerner, Markus
Nünighoff, Leonie
Ponnath, Stefanie
Schulz, Armin

Grundkurs Theatergeschichte 1999 / 2000

Baumgärtner, Christina
Dörr, Andrea
Fricke, Julian
Klein, Christoph
Krämer, Johannes
Lauterbach, Agnes
Pantke, Corinna
Pfeiffer, Anna
Reus, Barbara
Schmid, Clemens
Wiedemann, Florian
Wieland, Monika

Produktion der Druck-Publikationen und Internet (http://gce.bayreuth.org/faszination)

Internet
(Design)
Lerner, Markus

Ausstellungskatalog
(Layout & Photos)
Fischer, Thomas
Lerner, Markus
Pich, Christian

Inhalt

Faszination der Bühne

Barockes Welttheater in Bayreuth

Barockes Welttheater in Europa

Barocke Bühnentechnik in Europa

Grusswort der Frau Staatsministerin

„Vorhang auf ...“ für die zweite Auflage der Dokumentation „Faszination der Bühne – Barockes Welttheater in Bayreuth“. Schülerinnen und Schüler des Gymnasiums Christian-Ernestinum haben gemeinsam mit ihrem Mentor Klaus-Dieter Reus eine viel beachtete Leistung vollbracht: Sie haben eine hoch informative Materialsammlung geschaffen, die weit über die Darstellung des Markgräflichen Opernhauses in Bayreuth hinausgeht. 3000 Exemplare der Ausstellungsdokumentation sind bereits vergriffen. Ich wünsche der zweiten Auflage, dass sie den großartigen Erfolg wiederholen kann.

Bertolt Brecht beschrieb die Anforderungen an das Theater mit den Worten: „Das Theater darf nicht danach beurteilt werden, ob es die Gewohnheiten seines Publikums befriedigt, sondern danach, ob es sie zu ändern vermag.“ Das moderne Theater und die Schule haben hier etwas gemein. Auch die Schule will keine passiven Zuschauer, sondern die Eigentätigkeit und Selbstständigkeit der Schüler fördern. Schule bildet nicht nur, sie erzieht und bereitet auf die Herausforderungen des Lebens vor.

Drei Schülerjahrgänge des Gymnasiums Christian-Ernestinum haben bewiesen, dass Schule mehr ist als ein Ort der Wissensvermittlung. Sie ist Lebens- und Schaffensraum, der in vielfältiger Weise interessenbezogene Aktions- und Arbeitsfelder bietet. Die Schüler haben in siebenjähriger Arbeit dem barocken Theater in Bayreuth wieder Leben eingehaucht. In dieser langen Zeit waren sie mit Spaß und Begeisterung bei der Sache.

Die Projektgruppe zeigte Beharrlichkeit und Ausdauer - Tugenden, die nicht nur in Theater und Schule, sondern auch auf der Bühne des Lebens benötigt werden. Aber das Projekt setzt noch weitere Wünsche, Forderungen und Zielsetzungen um, die heute allgemein an Schule herangetragen werden, denn hier arbeiten Schüler eigenständig und eigenverantwortlich, problemorientiert und erkennen die praktische Relevanz ihrer Arbeit. Das Gymnasium Christian-Ernestinum verwirklicht damit bereits seit Jahren Anforderungen der inneren Schulentwicklung und trägt den veränderten Rahmenbedingungen schulischen Lehrens und Lernens Rechnung. Schulleitung, Lehrer, Schüler und die beteiligten Unternehmen aus der Wirtschaft geben ein richtungsweisendes Beispiel für eine gemeinsame Ausgestaltung modernen Unterrichts.

Ich danke allen Beteiligten, die durch ihr bemerkenswertes Engagement zum Gelingen des Projektes und der Dokumentation beigetragen haben. Besonders hervorzuheben ist der Einsatz der vielen Schülerinnen und Schüler, die das Projekt über lange Jahre am Leben erhalten haben. Den nachfolgenden Jahrgangsstufen wünsche ich den gleichen engagierten Einsatz, den bereits ihre Vorgänger gezeigt haben. Ich bin sicher, dass die Dokumentation „Faszination der Bühne“ weiterhin zahlreiche Interessenten haben wird.

München, im April 2001

Monika Hohlmeier

Monika Hohlmeier

Bayerische Staatsministerin
für Unterricht und Kultus

VORWORT

Diese Dokumentation gibt in überarbeiteter Form die Texte und Bilder der Ausstellung „Faszination der Bühne – Barockes Welttheater in Bayreuth“ wieder, die der Grundkurs Theatergeschichte des Gymnasium Christian-Ernestinum 1998 in der Kreissparkasse Bayreuth gestaltet hat. Sie sollte verstanden werden als Präsentation von Ergebnissen schulischer Projektarbeit und nicht als streng wissenschaftliche Fachpublikation. Ich bitte deshalb den kundigen Leser um Nachsicht, wenn nicht immer alle Quellen belegt wurden und vielleicht in dem einen oder anderen Fall verdeckt zitiert wurde. Die Projektarbeit erstreckte sich über sieben Jahre und beschäftigte drei Jahrgänge von Schülern. So war es leider beim Nachrecherchieren der Texte nicht in jedem Fall möglich, die Quellen von Zitaten oder Abbildungen zu belegen. Da die Mehrzahl der Texte bereits vor der Rechtschreibreform abgefaßt wurde, haben wir die alte Rechtschreibung beibehalten.

Die Ausstellung 1998 war der Beitrag des Gymnasium Christian-Ernestinum zum Jubiläum des Markgräflichen Opernhauses, das am 27. September 1748, 250 Jahre zuvor, feierlich eingeweiht worden war.

Das Projekt hatte sich zum Ziel gesetzt, die barocke Bühnentechnik wieder lebendig werden zu lassen, die leider im Markgräflichen Opernhaus nicht mehr vorhanden ist. Die letzten Reste der alten Bühnenmaschinerie waren 1962 ausgebaut worden, ohne daß man sie dokumentarisch für die Nachwelt festgehalten hätte. Nur wenige Hinweise auf das Aussehen der Theatermaschinen existieren noch. Man darf aber sicher annehmen, daß auf der damals größten Bühne Europas aufwendigste Bühnentechnik installiert war.

Sechs Jahre beschäftigten sich Schüler des Gymnasium Christian-Ernestinum unter meiner Leitung mit der barocken Bühnentechnik. Den Anstoß dazu hatte der Aufsatz „Bühnenzauber des Barock“ von Manfred Eger gegeben. Exkursionen führten die Schüler und Lehrer zu den wenigen Theatern in Europa, an denen die Bühnentechnik noch vorhanden ist und teilweise noch bespielt wird. Nach dem Vorbild dieser Bühnen und nach den Skizzen barokker Theaterarchitekten versuchten die Schüler in einer Ausstellung zu rekonstruieren, wie die Bühnentechnik des Markgräflichen Opernhauses ausgesehen haben könnte.

Die Ausstellung präsentierte zum Teil Schülerarbeiten, die bereits 1995 in der Kreissparkasse Bayreuth zu sehen waren. Neue Modelle und Nachbauten rundeten die Darstellung barocker Aufführungspraxis ab (s. S. 132 ff).

Attraktive Leihgaben werteten die Ausstellung auf. Modelle stellten die Theater von Drottningholm, Gotha und Bad Lauchstädt und deren Bühnentechnik vor. Eine originelle Souffleur-Muschel von 1770 wurde vom Ekhof-Theater Gotha zur Verfügung gestellt. Höhepunkt der Ausstellung war die Replik des sogenannten Dalbergschen Bühnenmodells (um 1800) aus der Theatersammlung des Reiss-Museums in Mannheim.

Wertvolle Leihgaben aus der Universitätsbibliothek Bayreuth veranschaulichten die Entwicklung des Theaterlebens in der Markgrafenzeit.

Zahlreiche von den Schülern konzipierte Ausstellungstafeln gaben Einblicke in die politischen, gesellschaftlichen und wirtschaftlichen Verhältnisse der Markgrafenzeit, in das Welt- und Menschenbild der Barockzeit und stellten die Vorbilder unserer Rekonstruktion der Bühnentechnik vor.

Farbenprächtige Barockkostüme, von Schülerinnen unter der Anleitung von Frau Roider geschneidert, bereicherten die Ausstellung.

Ergänzt wurde die Ausstellung durch zahlreiche Modelle aus dem Kunstunterricht. Schüler der Unter- und Mittelstufe fertigten unter der Leitung von Frau Schmidhuber Bühnenmodelle zu barocken Themen wie *„Himmel und Hölle“* an, Schüler der Mittelstufe gestalteten Kulissenbühnen unter Einsatz der Farb- und Luftperspektive.

Vorliegende Dokumentation will die Ergebnisse des Projektes festhalten. Sie enthält auch in verkürzter und überarbeiteter Form die Facharbeiten von Till Fischer (S. 10 ff), Ralf Händler (S. 15 ff) und Alexander Rosenschon (S. 42 ff) Christian Pich legte mit seiner Facharbeit die Grundlage des Layouts für einen Teil der Broschüre. Besondere Anerkennung verdient das Engagement von Markus Lerner. Überzeugend und profihaft gestaltete er in fast zweijähriger Arbeit das Layout der Dokumentation.

Daß die Dokumentation überhaupt erscheinen kann, verdanken wir dem Hauptsponsor unseres Projektes, der Kreissparkasse Bayreuth-Pegnitz unter ihrem Vorstandsvorsitzenden Herrn Schiminski. Die großzügige Förderung ermöglichte erst unsere außergewöhnliche Arbeit.

Neben den Mitwirkenden (s. S. 2) möchte ich ganz herzlich der alten und der neuen Schulleitung, Herrn Dr. Ponader, Herrn Lang und Herrn Scheick, sowie den Kollegen danken, ohne deren Unterstützung die Ausstellung, die Eröffnungsfeier und diese Dokumentation nicht realisierbar gewesen wären. Besonderen Dank schulde ich Herrn Seuß und Herrn Haaß für das Korrekturlesen des Manuskriptes.

Für die Leihgaben zur Ausstellung und für die großzügig zur Verfügung gestellten Informationen und Materialien bedanke ich mich bei folgenden Institutionen und Personen: **Eckhof-Theater Gotha:** Frau Dobritzsch, Herr Roewer, Herr Rothe, Herr Weis • **Schloßtheater Ludwigsburg:** Herr u. Frau Krüger, Frau Stratmann • **Schloßtheater und Theatermuseum Drottningholm:** Frau Striboldt, Herr Forsström • **Arena Theatre Institute Sweden:** Herr Edström • **Ceský Krumlov:** Herr Dr. Slavko, Fřau Kutkova • **Schloßverwaltung Versailles:** Herr Gousset • **Schloßtheater Compiègne:** Herr Kuhnmunch • **Schloßtheater Litomyšl:** Frau Slepickova • **Ostankino-Theater Moskau:** Frau Lepskaya, Frau Osminskaya, Frau Rakina, Herr Dubinin • **Bad Lauchstädt:** Herr Heimühle, Frau Dr. Reisener, Frau Kühn • **Reiss-Museum Mannheim:** Frau Homering • **Universitätsbibliothek Bayreuth:** Herr Dr. Kiel • **Stadtmuseum Bayreuth:** Herr Engelbrecht • **Theatermuseum München:** Frau Dr. Balk, Frau Jäckl • **Bayerische Verwaltung der staatlichen Schlösser, Gärten und Seen:** Herr Dr. Krückmann, Herr Dr. Wöhler, Frau Killing.

Ein außergewöhnlicher Dank gebührt meiner Familie. Ohne ihr Verständnis und ihre aktive Mitarbeit hätte ich dieses siebenjährige Projekt nicht verwirklichen können.

Klaus-Dieter Reus

Für Wilhelmine ist
ein „Düngerhaufen“ und

Entsetzen bei der Ankunft in Bayreuth

Als Wilhelmine am 22. Januar 1732 in Bayreuth ankommt, ist sie völlig entsetzt und schockiert. Ihre Vorahnungen bestätigen sich, werden sogar übertroffen.

Ihre Gemächer beschreibt sie in ihren Memoiren folgendermaßen: *„Es führte ein langer, mit Spinnweben überzogener Korridor hin, der so schmutzig war, daß es einem ganz übel wurde. Ich trat in ein großes Zimmer, dessen Decke die Hauptzierde bildete; die oberen Wandfriese mußten einmal, glaub ich, sehr schön gewesen sein, aber sie waren jetzt so alt und verblichen, daß man nur mit Hilfe des Mikroskops klug daraus werden konnte.“*[1]

Das Hofleben charakterisiert sie: *„Alle ohne Ausnahme sind unerträgliche Leute, eher Bauern als Hofleuten ähnlich“.* Ihren Schwiegervater bezeichnet sie als Trunkenbold. *„Das Essen“* ist für sie *„ungenießbar, alle Speisen mit essigsaurem Wein, großen Zwiebeln und dicken Rosinen gewürzt. ... eine Übelkeit nach weniger als der Hälfte war unvermeidlich.“*[2]

Die Stadt Bayreuth nennt sie einen *„Düngerhaufen“*, ein *„Schwalbennest“*[3]. Selbst die Landschaft wirkt auf sie bedrückend.

Kaum nennenswerte repräsentative Gebäude

Neben dem Alten Schloß gibt es kaum nennenswerte repräsentative Gebäude. Die einzige Ausnahme bildet die Vorstadt St. Georgen. Hier hatte Markgraf Georg Wilhelm an einem künstlich geschaffenen See eine eigene Stadt anlegen lassen, die alle Merkmale eines barocken Hofes enthielt: Ein repräsentatives Schloß, Theater und Kirche, Kaserne und Zuchthaus, Adels- und Bürgerhäuser, Parkanlagen und zwei Manufakturen. Mittelpunkt der Anlage war aber der große See, der die Bühne für prunkvolle höfische Feste, für Opernaufführungen, Seegefechte, Feuerwerke und Maskeraden bildete.

Heirat nach Bayreuth ein Opfer

Ihre Heirat nach Bayreuth empfindet Wilhelmine als Opfer, das sie pflicht- und standesgemäß für ihre Familie auf sich nimmt. In ihren Memoiren beschreibt sie die Situation, als ihr die Nachricht überbracht wird, den Bayreuther Erbprinzen Friedrich zu heiraten:

„Wir haben den Auftrag, Ihnen nun den Prinzen von Bayreuth vorzuschlagen. Sie können gegen diese Partie nichts einwenden. ... Da Sie zwar in der Aussicht auf eine größere Machtstellung auferzogen wurden und eine Krone zu tragen hofften, mag Ihnen der Verzicht sicher schwerfallen; allein die großen Fürstinnen sind dazu geboren, **dem Wohle des Staates geopfert zu werden ...** *geben Sie uns eine Antwort,* **die den Frieden in Ihrer Familie** *wieder herstellt ... wenn Sie aber all diesen Vernunftsgründen zum Trotze und wider Erwarten auf Ihrer Weigerung beharren, so haben wir Sie auf Befehl des Königs unverweilt nach der Festung Memel in Litauen zu bringen“.*[4]

Auch droht man ihr, gegen ihren Bruder Friedrich und gegen ihre Dienerschaft mit äußerster Härte vorzugehen.

Wilhelmine fügt sich: *„Mein Entschluß ist gefaßt, ich willige in all Ihre Vorschläge ein;* **ich opfere mich für meine Familie.** *Ich mache mich auf viel Kummer gefaßt, aber die Lauterkeit meiner Gesinnung wird*

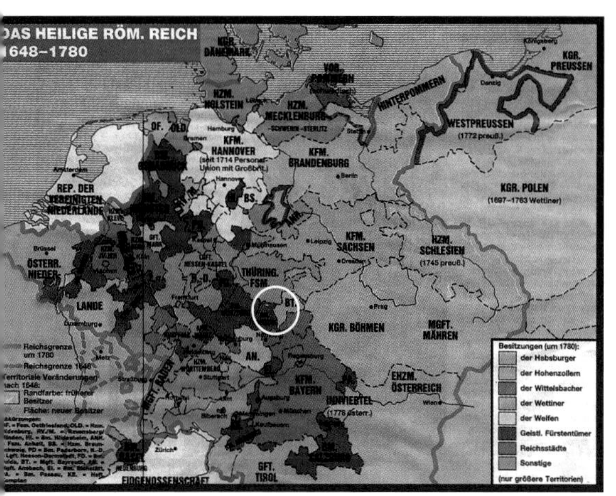

Bayreuth ist die Hauptstadt eines kleinen und unwichtigen Fürstentums im damaligen Deutschen Reich

Bayreuth um 1720 – Die Provinzstadt weist noch dörflichen Charakter auf

UM 1732

die Residenzstadt ein „*Schwalbennest*“

ihn mich geduldig ertragen lassen.“[5]

Sie empfindet ihr Leben in Bayreuth als Exil, das sie, sich für die Familie aufopfernd, annimmt.

Provinzstadt Bayreuth

Bayreuth besteht aus ungefähr 200 Häusern innerhalb der Stadtmauern und hat insgesamt ca. 7000 Einwohner. Die Provinzstadt weist dörflichen Charakter auf. Viele Bürger besitzen kleinere Gärten, Wiesen und Felder und dürfen einen begrenzten Bestand an Vieh, z.B. zwei Schweine, halten.

Über Jahrhunderte hinweg bleibt die Zahl der Häuser von Bayreuth konstant. Die Stadtmauer umschließt glockenförmig die Altstadt und verhindert eine Ausbreitung.

Unbedeutendes, kleines Fürstentum

Bayreuth ist die Hauptstadt eines kleinen und unwichtigen Fürstentums im damaligen Deutschen Reich. Mit dieser unbedeutenden politischen Rolle muß sich Wilhelmine erst einmal abfinden, sie, die nach dem Willen ihrer Mutter eigentlich Königin des englischen Weltreiches hätte werden sollen. So legt Wilhelmine als Markgräfin in Protokollfragen großen Wert auf ihre königliche Herkunft. Bezeichnenderweise finden wir im Markgräflichen Opernhaus zweimal die Darstellung der preußischen Königskrone, nirgends aber die Abbildung des Markgrafenhutes.

Das Fürstentum Bayreuth zählt bei der Ankunft Wilhelmines nicht einmal 100000 Einwohner und besitzt lediglich eine Fläche von 65 Quadratmeilen.

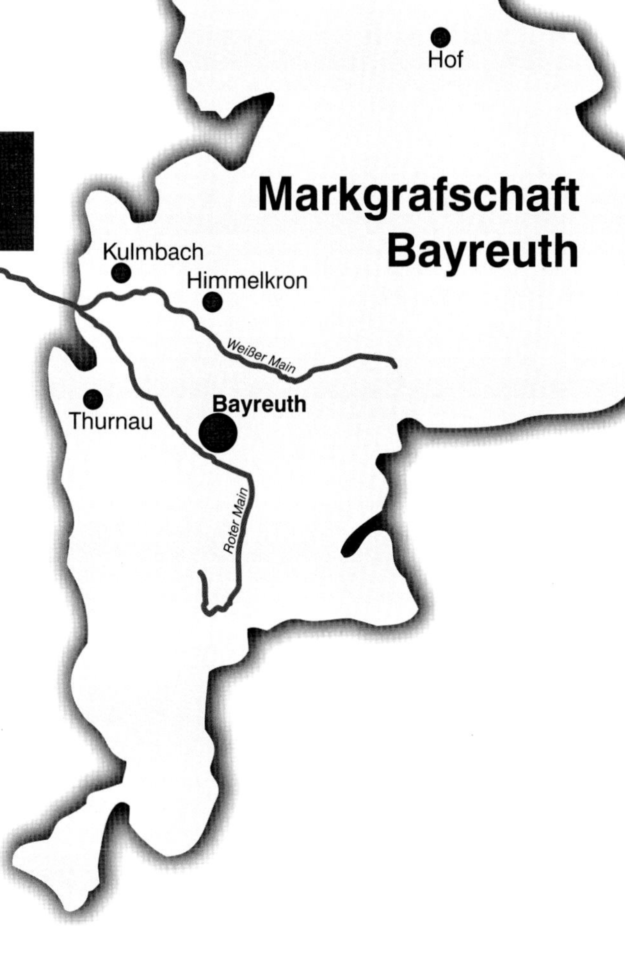

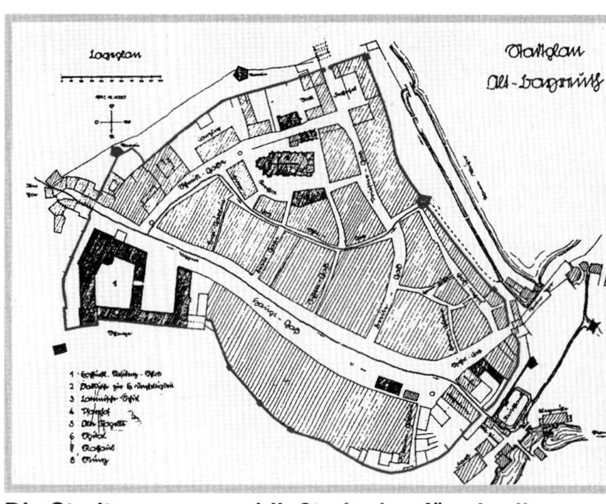

Die Stadtmauer umschließt glockenförmig die Altstadt und verhindert eine Ausbreitung

DER IDE

Markgräfin Wilhelmine

Ausbau der Stadt zu einer repräsentativen Residenz

Unter der Regierung von Markgraf Friedrich und seiner Frau Wilhelmine beginnt der Aufschwung der Stadt Bayreuth.

Wie alle Regenten der Barockzeit fangen sie an, nach dem Vorbild von Versailles die Stadt zu einer repräsentativen Residenzstadt auszubauen. Durch Bereitstellung von Baugrund und Baumaterialien, durch Steuerbefreiung und andere Anreize fördert Friedrich die private Bautätigkeit. Die Fachwerkhäuser werden durch zweigeschossige Steinbauten ersetzt, das Stadtbild wird durch neu angelegte Straßen, Brunnen und Laternen geprägt. Auf Anregung Wilhelmines werden neue Repräsentativbauten errichtet, sie schafft sich auch städtebaulich einen „idealen Hof". So entstehen das neue Schloß mit dem Hofgarten und das Opernhaus. Sie gestaltet die Eremitage aus und baut Sanspareil. Der Ausbau der Friedrichs- und Ludwigstraße wird zu einem Lieblingsprojekt des Markgrafen.[1]

Kultureller Aufschwung

Vor allem der Initiative Wilhelmines ist der kulturelle Aufschwung Bayreuths zu verdanken. Sie macht Bayreuth zu einem Kulturzentrum des Deutschen Reiches von europäischem Rang. Künstler aus ganz Europa schaffen die Bauten und Kunstwerke, berühmte Komponisten, Musiker und Schauspieler werden nach Bayreuth gerufen.

Voltaire beschreibt Bayreuth nach seinem Besuch 1743 so: *„Ich habe einen Hof gesehen, wo alle Freuden der Gesellschaft und alle Genüsse der Geister versammelt sind"* oder 1752: *„ehedem mußten Künstler, Dichter und Musiker nach Paris, Rom und Neapel wallfahren, jetzt ist ihr Reiseziel Bayreuth."*[2]

Das markgräfliche Opernhaus

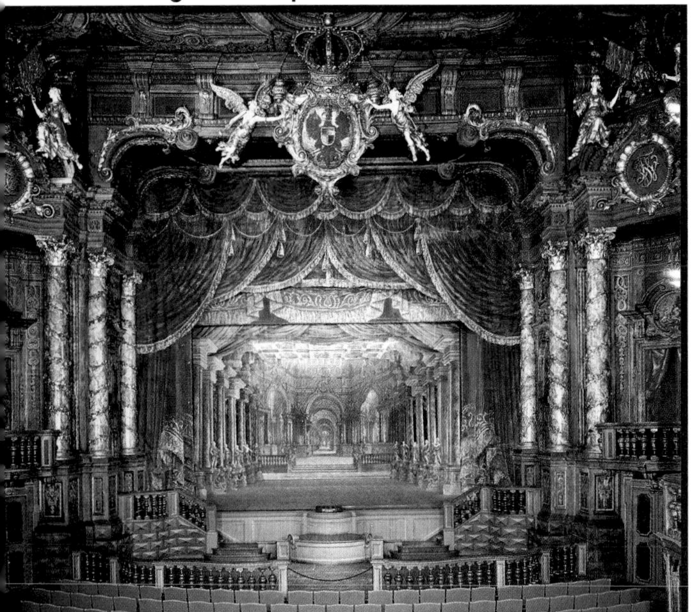

Markgraf Friedrich

ALE HOF

Riediger-Plan von 1745

Neue Heimat

Nachdem sich Wilhelmine städtebaulich und kulturell ihren „idealen Hof" geschaffen hat, beginnt sie auch mehr und mehr, Bayreuth als neue Heimat anzunehmen und ihren Aufenthalt in Bayreuth nicht mehr als Exil, als Opfer zu begreifen. Diesen Weg der Selbstfindung kann man nach Krückmann in der unterschiedlichen Ausgestaltung der Räume Wilhelmines in der Eremitage vom Audienzzimmer (Opfermotiv) bis zu ihrem Arbeitszimmer (innere Ruhe) nachvollziehen.

Stadterweiterung

Der Riediger-Plan von 1745 zeigt 10 Jahre nach Regierungsantritt die Stadterweiterungen unter Wilhelmine und Friedrich. Dieses Dokument ist eine der Hauptquellen zur baugeschichtlichen Entwicklung Bayreuths im 18. Jahrhundert. Es zeigt die Stadt St. Georgen am Brandenburger See, die Eremitage sowie die Vororte Rodersberg, Laineck, Eremitenhof, Moritzhöfen, Birken, den Neuen Weg und die Hammerstadt.[3] Im Stadtzentrum ist die Friedrichstraße deutlich als neue Prachtstraße zu erkennen. *„Sie zählt städtebaulich und innerhalb der Profanbaukunst zu den reifsten, charakteristischsten Schöpfungen im markgräflichen Bayreuth"*[4]. Architektonisch gestaltet wird sie unter anderen von Joseph Saint-Pierre, Carl Philipp von Gontard und Friedrich Jakob Grael.[5] Durch die bereits erwähnten Fördermaßnahmen leistet Friedrich finanzielle Unterstützung für das Bauprojekt. Im Gegenzug müssen aber alle Pläne dem Markgrafen, der über weitreichende Architekturkenntnisse verfügt, zur „Approbation" vorgelegt werden.[6]

Die Betonung der Residenz bei der Stadtplanung zeigt sich am Alten Schloß, dem Hofgarten, der Rennbahn sowie den Kasernen.[7] Noch nicht begonnen sind das Opernhaus und das Neue Schloß. ■

Die Eremitage

Aus der Perspektive der Bauern und Bürger

Es besteht die Gefahr einer Verfälschung des Geschichtsbildes des 18. Jahrhunderts, wenn man bei der Betrachtung der absolutistischen Barockzeit, perspektivisch einseitig, nur an das kulturelle Erbe denkt, das die adelige Herrscherklasse in Form von Literatur, prachtvollen Bauwerken, Musik und Kunst hinterlassen hat.

Hierbei können die gesellschaftlichen Verhältnisse, die solche finanziell aufwendigen Kulturleistungen erst möglich machten, sehr leicht übersehen werden.

Zu einer abgerundeten und objektiven historischen Betrachtung gehört auch die Frage, inwieweit die breiten niedrigeren Schichten, durch Abgaben und Steuern oder Dienstleistungen, an den Prunkbauten beteiligt waren, beziehungsweise welche finanzielle Belastung dies für sie bedeutete.

Um der Gefahr der Verklärung des 18. Jahrhunderts zu entgehen und um ein einseitiges Bild der Geschichte zu vermeiden, muß die Entwicklung auch aus der Perspektive der Bauern beschrieben werden.

Die größten Leidtragenden: Die Bauern

Die Bauern waren die größten Leidtragenden der absolutistischen Ständegesellschaft. Sie hatten vielfältige Abgaben zu entrichten, die in ihrer Gesamtheit eine erhebliche Belastung ausmachten. „*Steuern an den fürstlichen Hof, d. i. für die fürstliche Hofhaltung bis zur Aussteuer für Prinzessinnen, sodann für das Landschafts-Collegium, d. i. für alles, was im ganzen Land finanziert werden mußte, bis zu den militärischen Ausgaben und der Besoldung der zahlreichen Verwaltungsbeamten und -bediensteten waren in Geld festgelegt.*“[1] Nicht selten machten diese Auflagen über dreißig Prozent der bäuerlichen Bruttoerträge aus.

„*Im Bedarfsfall verhängte die Herrschaft auch ohne Zögern hohe Sondersteuern.*“[2] Immer wieder wurden, aufgrund des chronischen Geldmangels und der Prunksucht, neue Umlagen und Kopfsteuern eingetrieben, Schloßbaugelder und ähnliche Auflagen ausgeschrieben. Die 1754 für den Bau der beiden Schlösser eingeführte Kopfsteuer wurde zwar wieder aufgehoben, aber „*zum Ersatz wurde die Biersteuer, das Bierumgeld, um 1 Pfg. pro Maß erhöht.*“[3]

„*Überhaupt macht sich die Abhängigkeit der Bauern vor allem in finanziellen Leistungen geltend, in besonderen Zuschlägen zu von allen Untertanen zu entrichtenden Steuern, z. B. der Nachsteuer. Das Hauptrecht verwandelte sich im Laufe der Zeit in einen besonderen Zuschlag zur Erbschaftssteuer.*“[4]

Ferner gab es außerdem „*den Todt- und lebenden Zehnten, Lehen- und Handlohnsgelder, Salz-Pacht und das Wein-, Bier- und Brandweinumgeld, welches auf Märkten und an den Stadttoren erhoben wurde.*“[5]

Die große Masse der Bauern, bis auf wenige „Freibauern“, mußte Frondienste leisten bzw. als Ersatz dafür besondere Ausschlagsgelder zahlen.

Diese ständigen Hand- und Spanndienste waren für den bäuerlichen Alltag bestimmend. Sie waren zusätzlich zur selbständigen Bewirtschaftung des eigenen Grund und Bodens zu absolvieren.

Nicht nur, daß „*die Leute von launischen Herren und deren Verwaltern schikaniert wurden*“[6], aus Bauakten geht hervor, daß die Belastungen zur Zeit bestimmter Bauvorhaben derartig groß waren, daß der Landmann seinen eigenen Boden mit Sicherheit nicht mehr hinreichend intensiv bebauen konnte.

In einem Kostenvoranschlag aus dem Februar 1745 werden die notwendigen Fuhren für drei gleichzeitig in Angriff genommene Bauprojekte hochgerechnet. Der Verfasser veranschlagt für den Bau des neuen Opernhauses, des Glashauses in St. Georgen und des reformierten Pfarrhauses in Bayreuth, „*2.812 Fuhren*“, für die die unglaubliche Zahl von „*11.528 Stück Anspann*“[7] nötig war. Bedenkt man, daß die genannten Maßnahmen nur einen Teil der Stadterweiterung darstellten, so wird die Belastung vorstellbar.

Die wenigen Bauern des Bezirks Emtmannsberg und Creußen mußten im Rahmen dieser Bauvorhaben 160 Fuhren Holz von der „*Försterey Emtmannsberg*“ übernehmen, wie aus einem Schreiben vom 17. April an den Markgraf Friedrich hervorgeht.

„*[...] obschon die Emtmannsberger Fronbahren Unterthanen, seit der Herrschafts-Gütter Vererbung das gesetzte Frohn-Geld alljährlich bezahlen müssen, hierzu willig finden lassen, dergestalt, daß nach der bereits gemachten Repartition Creußen zwey Drittel und Emtmannsberg ein Drittel zu fuhren übernommen; [...] Es sind nach dem gemachten Überschlag zu Fortschaffung derer sämtlicher Stämme groß und klein, bey 160 Fuhren nötig.*“[8]

Wenn man die Entfernung nach Emtmannsberg und Creußen sowie die zu damaliger Zeit sehr schlecht befestigten Wege bedenkt, so waren von Emtmannsberg vielleicht zwei und von Creußen höchstens eine Fuhre am Tag möglich. Das bedeutet, daß die Creußener Bauern insgesamt ca. 106 Tage und die Emtmannsberger ca. 27 Tage mit ihrem Frondienst beschäftigt waren. Ein enormer Zeitaufwand, der vermutlich, wie oben erwähnt, eine Vernachlässigung der Bewirtschaftung des eigenen Bodens bedeutete.

Für ihre Dienste versprach der Markgraf ihnen lediglich Verpflegung, wie dasselbe Schreiben veranschaulicht. „*Beede Beamten berichten unterthänigst, daß die Amtsuntergebenen, die in der Emtmannsberger Waldung liegenden Baumstämme gegen Reichung von Trunck und Brod beyzuführen sich erklärt haben.*“[9]

Die Bauern zeigten sich über jene „*Ergötzlichkeit an Bier und Broodt*“[10] nicht recht zufrieden, wie dieses Bittschreiben an Friedrich zeigt.

„*[...] wär ohne alle Maßgab für sehr diensam und beförderlich, wann Euer Hochfürstliche Durchlaucht gnädigst geruhen mögten, auf jedes Wagen etwas gewisses an Geld statt Bier und Brods zu assignieren und die Bauern zu desto prompterer Liefferung zu encouragieren*“.[11]

Es läßt sich annehmen, daß dieser Bitte aufgrund der angespannten Finanzlage des markgräflichen Haushalts wohl nicht entsprochen werden konnte.

Ein Problem für die Emtmannsberger Bauern stellten auch die schlechten Straßenverhältnisse dar, die den Transport des Baumaterials verzögerten. In obengenannten Bittschreiben wird neben der Geldforderung auch um zeitlichen Aufschub für die noch zu leistenden Holzlieferungen gebeten.

„*Also haben wir solches hierdurch unter-*

thänigst berichten und dabey erwehnen wollen, wie die Leute nur noch 4 Wochen Aufschub darum verlanget, weilen dermahlen der Weg noch allzu schlimm, und sie meistentheils mit jungen, schlechten Viehe versehen, mit welchem sie anjetzo in Ermangelung des Futters nicht fortkommen könnten."[12]

Diese Verzögerungen waren wohl auch der Grund für ein Schreiben des Markgrafen Friedrich an das Hofkastenamt vom 25. 2. 1746.

„*Nachdem die unterthänigste Anzeige geschehen, daß von dem in der Försterey Emtmannsberg geschlagenen zu Erbauung des Glas-Hauses zu St. Georgen am See* [und des] *Opern-Hauses allhier erforderliche Bau-Holtzes zur Zeit noch kein Stamm zum Bau-Amt angefahren worden.* [...] *wann die Herbeyführung jetzo nicht möglich seyn sollte, solches zum wenigsten nur aus dem Wald heraus schleiffen zu lassen habt.*"[13]

Zum Bau des Opernhauses war noch eine ganze Reihe anderer verschiedener Fronfuhren aus der ganzen Umgebung notwendig. Zur Herstellung der Logen benötigte man beispielsweise größere Mengen Lindenholz, wie man aus einem Schreiben vom 8. Dezember 1747 ersehen kann.

„*Zur Herstellung sämtlicher Logen im neuen Opera-Bau dahier, sind* [...] *alllda 14 Linden-Dohlen,* [...] *verkauft worden. Wann nun zu deren baldigen anhero transportierung eine Frohn-Fuhr mit 4 Stücken bespannt, erforderlich, daß wird ein Hochfürstliches Cammer-collegium gnädigst geruhen, hierumfalls das hierzu erforderliche Frohn Patent an das Amt Streitberg baldigst ergehen zu lassen, damit von dort aus die Beyfuhr schleunigst anhero geschehen möge*".[14]

Es ist also ersichtlich, daß die große Anzahl von Bauvorhaben, die zum Teil sogar zeitgleich durchgeführt wurden, auf dem Rücken der ländlichen Bevölkerung ausgetragen wurden. Im scharfen Kontrast dazu muß man die hohen Gagen der Schauspieler, Sänger und Tänzer sehen, deren Höhe weder im Verhältnis zur Finanzsituation des Staates noch zur daraus resultierenden Abgabenlast der Bauern standen.

Ein Kammer- und Hofmusiker verdiente im Jahre 1762 zwischen 1.000 und 1.500 Reichsthaler, Spitzensänger erhielten sogar bis zu 7.000 Florin (Gulden) im Jahr, während die Bauern zum Teil am Rande des Existenzminimums lebten und 1740 von einer wahren Hungersnot im Lande die Rede war.[15]

Aufschwung für das bürgerliche Handwerk

Obwohl die bürgerliche Schicht natürlich auch von der großen Abgabenlast betroffen war, muß man die Baumaßnahmen für sie positiv bewerten.

„*Das Städtische Bürgertum wurde in einem wesentlichen Kern vom Handwerk repräsentiert*".[16]

Daraus ergibt sich, daß die enorme Nachfrage des Staates, die durch den Ausbau der Infrastruktur und der Stadterweiterung sowie durch den Bau von Prunkbauten, dem Großteil der Stadtbevölkerung Hochkonjunktur bescherte. Einheimische Maurer, Zimmerleute, Tüncher, Dachdecker usw. fanden Arbeit.

„*Im Vergleich zu anderen Bereichen kommt zweifellos dem Bausektor eine herausragende Bedeutung zu.* [...] *in einer Zeit, in der der Einsatz menschlicher Arbeitskraft ganz andere Dimensionen hatte als heute, bedeutete jeder Straßenbau, jede Straßenpflasterung, die Errichtung von Repräsentativbauten etc. Beschäftigung und Nahrung für viele Menschen*".[17]

Speziell der Opernhausbau war für die hiesigen Künstler wie Maler oder Stukkateure interessant, die unter der Anleitung namhafter, ausländischer Kunsthandwerker und Architekten arbeiten konnten.

„*Den Baukörper schuf Saint-Pierre, die Gestaltung des Innenraums leistete Guiseppe Galli-Bibiena, unterstützt von seinem Sohn Carlo. Guiseppe war ein gefragter Spezialist, der hohe Honorare verlangen konnte und auch erhielt.*"[18]

Jener Guiseppe Galli-Bibiena galt als „bedeutendster Theaterarchitekt seiner Zeit", und die Zusammenarbeit mit ihm mußte wohl sehr bereichernd gewesen sein.

Auch die Beschäftigung von Kupferstechern, Goldschmieden, Uhrmachern oder Möbelschreinern durch höfische Auftraggeber stellte einen Gewerbeaufschwung dar.

Grundsätzlich läßt sich also sagen, daß das Bürgertum durch den Aufstieg Bayreuths zu einer „Kulturhauptstadt", der im Wesentlichen durch jene Repräsentativbauten erfolgt war, wirtschaftlich profitierte.

Das Großbürgertum begann sich immer mehr am Lebensstil des Adels zu orientieren und es zeichnete sich bereits der Übergang von der Ständegesellschaft zur Besitzklassengesellschaft ab. ■

„Hoffentlich wird dieses Spiel bald ein Ende haben!"

Das absolutistische Herrschaftssystem der Markgrafenzeit

Die Landstände sind Untertanen des Landesherrn

Durch die Reformation wurde die Eigenständigkeit des Territorialfürstentums gegenüber der kaiserlichen Zentralgewalt gestärkt.

„[...] *die Markgrafen waren Landesherren mit allen damit verbundenen Besitzungen, Rechten und Pflichten geworden. Den Einfluß der Stände konnten die Markgrafen relativ früh ausschalten. Durch die Landeskirchenordnung im Gefolge der Reformation waren die Geistlichen aus der Ständeorganisation ausgeschieden, die Ritterschaft hatte sich nach der Privilegierung durch den Kaiser von der Ständeversammlung zurückgezogen, als Repräsentanten des Landes blieben allein die Vertreter der Städte übrig.*"[1]

Diese Städtevertretung war mehr oder minder das einzige Gegengewicht gegenüber der Herrschaft der Fürstenpersönlichkeiten; von einer richtigen Repräsentation des Landes kann also kaum gesprochen werden. Außerdem verloren selbst die ständisch gegliederten Landstände nach 1648 mehr und mehr an Bedeutung.

„*Bis zum Dreißigjährigen Kriege bildeten die Landstände eine starke Körperschaft, die Landschaft, die die Interessen der Untertanen dem Fürsten gegenüber vertrat. Ihr Hauptprivileg war das Steuerbewilligungsrecht. Seit 1648 aber war ihre Bedeutung in einer ständigen Abwärtsbewegung begriffen.*"[2]

Aufgrund des Versuches der kleinen Fürsten, dem großem Vorbild Versailles nachzueifern, und durch die Kosten des Militärs entstanden im Staatshaushalt große Löcher.

Um all dies finanzieren zu können, war die Ständevertretung zur Genehmigung von Geldern und immer neuen Steuern nötig.

„*Die Landstände machten aber bei Geldbewilligungen immer Schwierigkeiten, so daß die Fürsten sich ihrer allmählich zu entledigen suchten.*"[3] Dieser Umstand und der Ausgang des Dreißigjährigen Krieges, der eine „*[...] gewaltige Stärkung des deutschen Territorialfürstentums bedingte*"[4], waren Ursachen dafür, daß es in Bayreuth seit 1673 und in Ansbach seit 1701 keinen allgemeinen Landtag mehr gegeben hat.

Es wurde stattdessen aus der reduzierten Ständeversammlung ein Ausschuß gebildet: Das Landschaftskollegium.

Dessen Zusammensetzung war in Ansbach, zur Zeit Carl Wilhelm Friedrichs, alleinige Angelegenheit des Fürsten, und zudem wurde es 1752 mit seiner Hofkammer zu einer markgräflichen Behörde vereinigt. Somit entledigte er sich auch der letzten eigenständigen Vertretung.

Etwas stärker war die Stellung der Landstände in Bayreuth. Hier waren die Städte und das flache Land, in einem weiteren, einem mittleren und einem engeren Ausschuß vertreten.

Der engere Ausschuß umfaßte Bürgermeister und Rat der sechs Hauptstädte Bayreuth, Erlangen, Kulmbach, Hof, Wunsiedel und Neustadt a. A., der mittlere Ausschuß Bürgermeister und Rat der sechs Hauptstädte und der zwei Nebenstädte Münchberg und Creußen. Der weitere Ausschuß umfaßte neben den Vertretern des mittleren noch Bürgermeister und Rat der übrigen kleinen Marktflecken und je einen Deputierten aus jedem Dorf.

Seit Markgraf Georg Friedrich Karl wurde allerdings nur noch der engere Ausschuß einberufen. Auf diese Weise wurde die ständische Vertretung, deren Mitglieder der Markgraf auch noch selbst ernennen konnte, in Bayreuth im Laufe des 17. Jahrhunderts immer nachgiebiger. Sie hat die Regierungszeit Friedrichs zwar überlebt, „*war aber in erster Linie Erfüllungsgehilfe des Markgrafen, der stets neue Steuern bewilligt bekommen*"[5] wollte und wurde nur zur „*Conservation des Landschaftlichen Kredits*"[6] beibehalten.

„*Die Landstände sind Untertanen des Landesherrn und sie sind nicht Teilhaber an der Regierung; ihr Recht gründet sich allein darauf, daß sie gegen die Kränkung ihrer Rechte sprechen dürfen.*"[7]

Das geheime Ratskollegium: willfährige Diener

Die oberste Behörde war bis 1749 das geheime Ratskollegium unter dem Vorsitz des geheimen Ratspräsidenten, über ihr stand nur der Fürst. Zuständig war sie vornehmlich für außenpolitische Fragen, Reichs- und Kreispolitik.

Zudem war der geheime Rat innenpolitisch die höchste Instanz für alle Verwaltungs- und Gerichtsfragen. Darunter stand die Regierung, die diesen Namen erst seit 1737 führt und früher „*Hofratsstuben*" bzw. „*Hofratskollegium*" genannt wurde, sowie Kammer und Landschaft mit ihren Kassen.

Justiz und Verwaltung waren nicht getrennt, sondern meist mit anderen Ämtern verbunden; und es gab keine strenge Ressortteilung.

Der Geheime Rat erlebte unter Friedrich eine interessante Wandlung. Während er 1739 noch aus 9 Personen bestand, zog sich einer nach dem anderen von den alten Räten zurück, bis nur noch „*zwei willfährige Diener übrig blieben, die alles taten, was die Hofpartei forderte und der Fürst wünschte, v. Lauterbach und v. Ellrodt*"[8].

Beide bekleideten fast all jene höchsten Ämter, die nicht von Franzosen besetzt waren. (Bayreuth stand damals stark unter französischem Einfluß.) So war Lauterbach Bergwerksdirektor, Präsident des Hofgerichtes und Landschaftskollegiums, während Ellrodt die Markgrafenschaft nach außen hin vertrat.

Ellrodt, der bürgerlicher Abstammung war, übte den größeren Einfluß aus. Seine spätere Ernennung zum Leiter des Finanzwesens ermöglichte erst die Aufbringung jener riesigen Gelder, die „*das Kulturniveau Bayreuths begründeten und erhalten konnten, freilich oft nur durch rücksichtslose Auferlegung von Steuern.*"[9]

Ellrodt, der später auch zum Kammerpräsidenten ernannt und geadelt wurde, war aufgrund dieser rücksichtslosen Finanzpolitik Feind der Stände und kurzzeitig sogar auf der Plassenburg inhaftiert. „*Er* [Ellrodt] *wußte in den dringendsten Bedürfnissen Rat zu schaffen und die Vorstellungen der Landschaftlichen und Kammerkassen über die sie drükkende Schuldenlast niederzuschlagen.*"[10]

Unübersichtliche Verwaltung

Die Verwaltung war aufgrund der Überschneidung von Zuständigkeitsbereichen von alten Ämtern und neuen Institutionen völlig unübersichtlich.

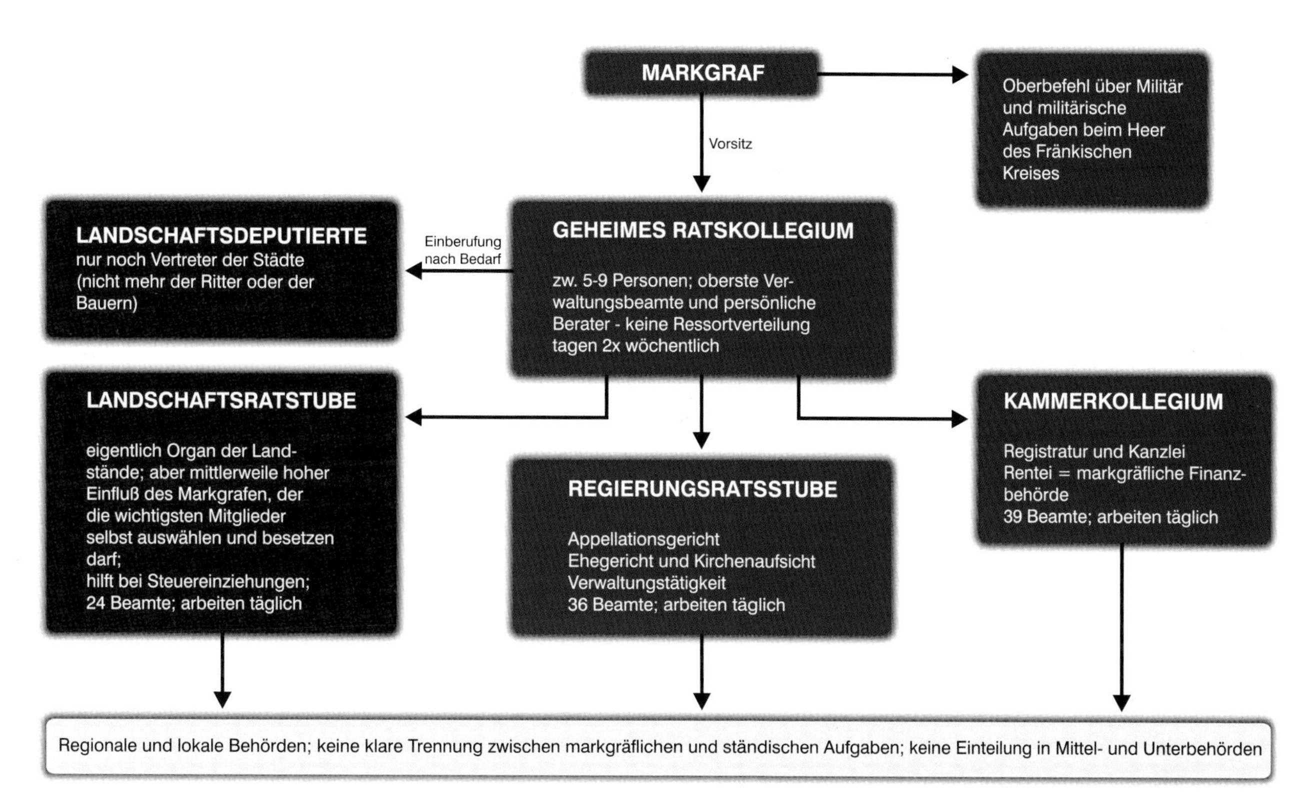

❶ Die Verwaltung des Markgrafentums um 1740[11]

„Ämterhäufung, das Fehlen von Kompetenzabgrenzungen und klaren Weisungsbefugnissen waren kennzeichnend für die Verwaltungsstruktur. Es gab keine klare Trennung zwischen ständischen und markgräflichen Aufgaben.“[12]

Auf diese Weise konnte der Markgraf *„durch Druck, Belohnungen und gegebenenfalls auch durch Intrigen seinen persönlichen Willen durchsetzen.“*[13]

Die Beamtenschaft war maßgeblich von Vetternwirtschaft, moralischer Haltlosigkeit und menschlicher Trägheit bestimmt.

Gründe hierfür waren in erster Linie eine mangelnde Identifikation mit dem Staat, *„was ja bei den kleinen Verhältnissen unserer Fürstentümer kein Wunder ist“*[14], sowie die schlechte Bezahlung und die Unfähigkeit der fürstlichen Führung. Im Territorium Bayreuth gab es nie eine durchgreifende Reform. (Grafik ❶)

Zusammenfassend läßt sich sagen, daß die Stände in der Markgrafenzeit kaum Einfluß auf die Regierung hatten und damit auch kein Mitspracherecht bei deren aufwendigen Bauprojekten.

Die Finanzwirtschaft unter Markgraf Friedrich

„Es ist das Verhängnis der deutschen Kleinstaaten geworden, daß ihre Fürsten seit dem Ende des 17. Jahrhunderts kein anderes Ziel mehr hatten, als es an äußerem Glanze den großen Fürstenhöfen bis hinauf zu Ludwig XIV. gleichzutun, ohne doch die Mittel dazu zu haben.“[15]

Eines der mit Sicherheit unerfreulichsten Kapitel während der Herrschaft Friedrichs (1735 - 1763) ist wohl das der Finanzwirtschaft. Auch in Bayreuth versuchte man sich seit dem letzten Drittel des 17. Jahrhunderts, mit glanzvollen Festen, aufwendigen Kulturbauten, Musik und Theaterleben und großem Hofstaat am französischen Vorbild zu orientieren. Man wollte seinen Herrschaftsanspruch vor dem gemeinen Volk durch bombastische Repräsentation und Zeremonien verdeutlichen und gleichzeitig dadurch der eigenen Hybris Genüge tun. So wurde der Staat in eine mehr als mißliche Finanzsituation gebracht. *„Keine großen, fehlgeschlagenen wirtschaftlichen Unternehmungen, wie sie sich aus den Zeitströmungen wohl erklären ließen, bilden den Grund der schlechten Finanzlage, sondern das Wirtschaften aus dem Vollen, die Leidenschaften und Begehrlichkeiten absoluter Fürsten und, wenn wir milde urteilen, die Liebe zur Kunst.“*[16]

Liebe zur Kunst empfanden auch Friedrich und seine Gattin Wilhelmine. Vor allem Wilhelmine erreichte mit prunkvollen Bauten wie dem Opernhaus die Befriedigung, sich *„selbst eine ihr wesensgemäße und adäquate Umgebung in Bayreuth geschaffen zu haben.“*[17] Sie empfand speziell eben jenen Opernhausbau als eine Art Selbstverwirklichung, da die einmalige Möglichkeit bestand, daß hier eine Fürstin nicht nur als *„Bauherrin und Mäzenatin auftrat, sondern auch selbst die künstlerische Leitung ausübte, daß hier, in diesem Opernhaus, ihre eigenen Schauspieldichtungen und Kompositionen zur Aufführung kamen.“*[18] Diese kostenintensive künstlerische Befriedigung war einer der Gründe, daß in Bayreuth die Schuldenlast zehnmal höher war als die Einnahmen. Bereits als Friedrich sein Amt antrat, übernahm er schon kein leichtes Erbe, und *„Wilhelmines Worte an ihren Bruder, kurz vor dem markgräflichen Regierungsantritt, 'wir werden ein abgewirtschaftetes Land finden', treffen nur allzu sehr zu.“*[19]

Schon seit Christian Ernst war von den markgräflichen Herrschern, eine immense „Vorarbeit“ geleistet worden. Dessen Verschwendungssucht war beispielsweise so groß, daß er *„ein Perlenhalsband für 90.000 Gulden erwarb, das sind drei volle Jahresetats.“*[20]

Obwohl ihm seine Vorgänger eine schon derart desolate Finanzsituation hinterließen, *„schwoll unter Friedrich das Ausgabenbudget an. 1737 waren es*

Einnahmen *234.603 Gulden*
Ausgaben *331.983 Gulden,*
so daß ein ungedeckter Rest verblieb von 97.429 Gulden.“[21]

„1762 beliefen sich die Gesamtschulden auf etwa 3 800 000 fl.“[22] (Florin = Gulden)

Neben dem Hofstaat, er umfaßte 1755 bereits „600 Personen“[23], spielte auch das Militär unter Friedrich, finanziell gesehen, eine große Rolle, ohne daß es jedoch einmal zum Einsatz kam. Ständig baten die Stände um Einschränkung der Militärausgaben, ganz besonders als 1743 der Militäraufwand 130.000 Gulden ausmachte, während die *„ganzen Einnahmen der Landschaft 200.000 Gulden betrugen.“*[24] 1750 sicherte man den Ständen zu, daß mit dem Jahr 1751 das Militär an die Landschaft übergehen sollte, was allerdings nicht geschah.

Das *„Bauvolumen der Markgrafen in Bayreuth erreichte seine Spitze in der Ära Friedrichs mit durchschnittlich 50.000 fl. im Jahr.“*[25] Die *„Kosten der Eremitage betrugen während der ersten beiden Baujahre 32.346 fl., und für den Sonnentempel waren 94.000 Reichstaler veranschlagt.“*[26] Zudem muß bedacht werden, daß die Frondienste der Bauern, die vor allem bei der Bereitstellung und beim Transport des Materials beteiligt waren, praktisch umsonst in Anspruch genommen werden konnten.

Das Finanzwesen

„Den Kernpunkt der markgräflichen Verwaltungspolitik bildete das Finanzwesen“[27], was angesichts solcher Finanzprobleme nicht verwunderlich war.
Die Regelung der Einnahmequellen war nämlich durch einen Wust von Regeln und Gesetzen bestimmt, so daß diese *„für Außenstehende kaum durchschaubare Organisation des Finanzwesens half, den schlimmen Zustand der Staatsfinanzen zu verschleiern und die Kreditfähigkeit zu erhalten.“*[28]

„Die Einkünfte teilten sich in Kameral-, Landschafts und Blankeinkünfte und flossen in zwei Hauptkassen, die Rentei und Obereinahme. Daneben gab es noch die fürstliche Schatull und die Bank, beide mit der Rentei verbunden.“[29]

Einen Eindruck von jenem nicht sehr transparenten System gibt Grafik ❷.

Man erhielt also bewußt ein chaotisches, kompliziertes Finanzsystem aufrecht, um einen deutlichen Einblick in die Staatsfinanzen gezielt zu verhindern, und war andererseits überhaupt nicht fähig, Reformen an diesem maroden Beamtenapparat durchzuführen. *„Eine Neuorganisation des Finanzwesens, eine Offenlegung der Staatsfinanzen mußte auf jeden Fall vermieden werden, da sonst der Staatsbankrott offenbar gewesen wäre.“*[30] Die Einnahmen der Kammer waren festgelegt, und nur die Einkünfte der Landschaft waren flexibel. Diese Tatsache hatte zur Folge, daß die Landschaft im ständigen Kampf mit der Kammer lag, die natürlich versuchte, alle Schulden auf diese abzuwälzen. Außerdem hatte die Landschaft, wie eingangs erwähnt, das Steuerbewilligungsrecht. Um also nicht auch dieses letzte Mitspracherecht zu verlieren, war die Ständevertretung immer wieder bereit, immer neue, aus steigender Not verordnete, zum Teil rechtswidrige Steuern und Abgaben der Kammer bzw. Friedrichs zu legitimieren.

Und trotzdem, beim *„Tode Friedrichs waren in der Rentei keine 40 fl., und in der Obereinnahme keine 100 fl. Bares Geld“*[31]. ■

❷ Verpflichtungen der Landschaftskasse in Bayreuth um 1740[32]

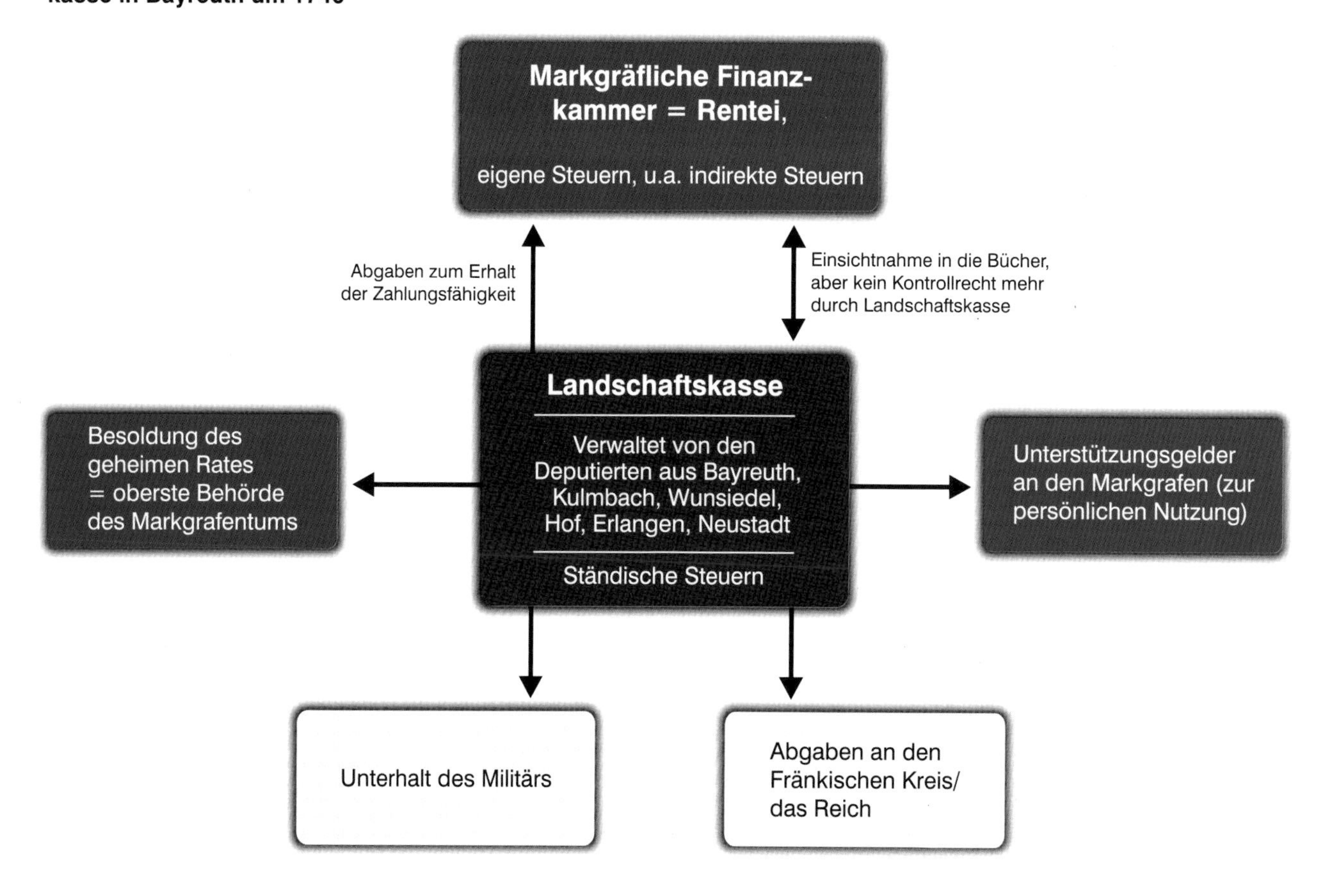

DIE ENTWICKLUNG DES THEATERLEBENS IN BAYREUTH

Die Bayreuther Markgrafen

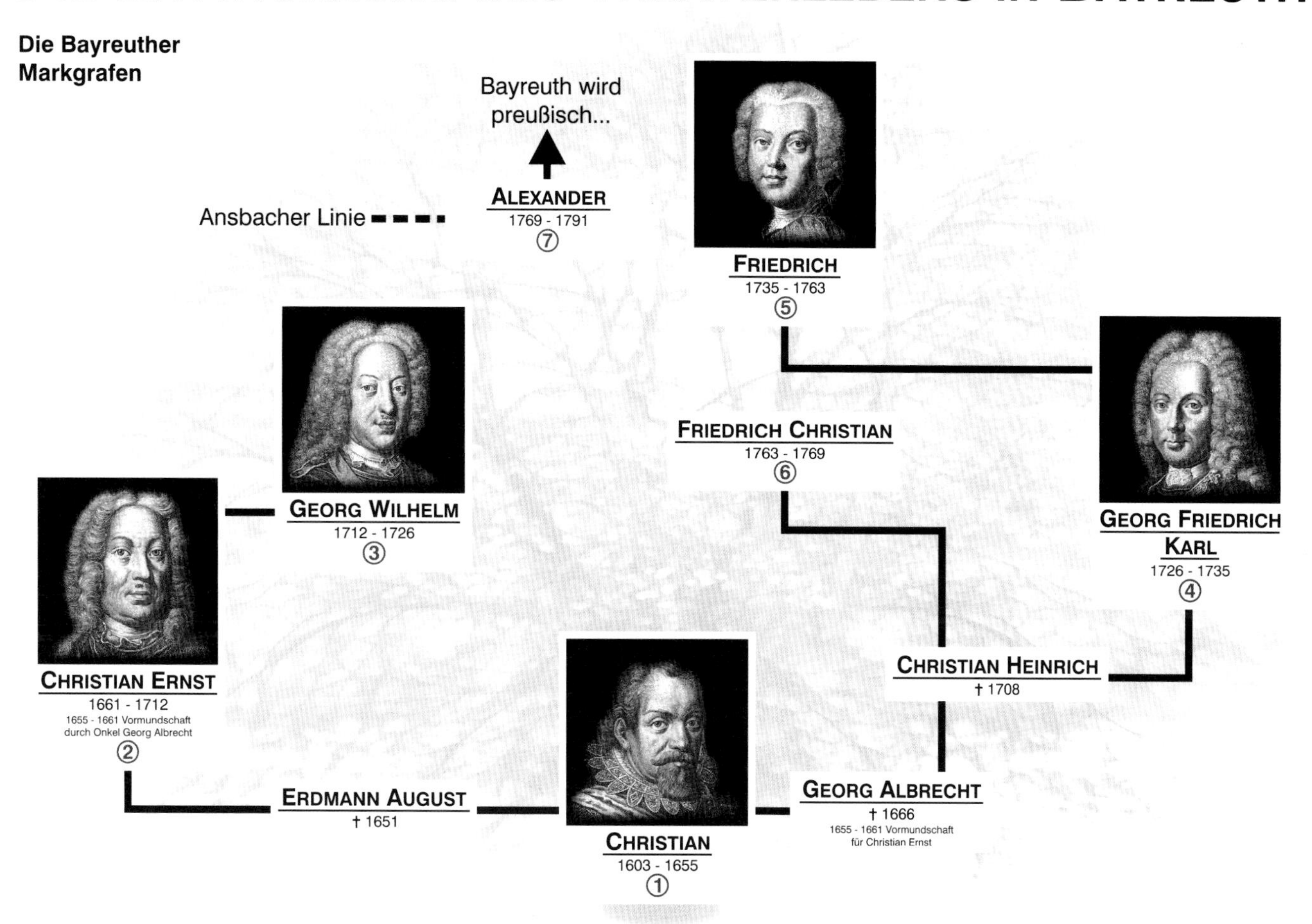

Beginn des Theaterlebens unter Markgraf Christian

Mit der Verlegung der Residenz nach Bayreuth 1603 begann das höfische Kulturleben sich in der Stadt zu entwickeln. Markgraf **Christian** galt zeit seines Lebens als Musikliebhaber. Doch wurde er, bedingt durch den Dreißigjährigen Krieg, gezwungen, sich mehr der Politik und seinem Fürstentum als den Musen und der kulturellen Entwicklung Bayreuths zu widmen.

Dennoch hielt der Markgraf sich immerhin zwei Organisten an seinem Hof: Bis 1616 Johann Staden, der dem Landesherren eine Sammlung weltlicher Lieder, das „Venuskräntzlein", widmete, und ab 1620 Tobiassen Droitlin.

Bei notwendigen festlichen Anlässen wurden von Markgraf Christian viele Musiker und Komponisten aus der benachbarten Reichsstadt Nürnberg an den Bayreuther Hof geholt.

Man kann davon ausgehen, daß unter Christians Regierungszeit ein großer, hoher Saal des Schlosses für musikalische und höfische Festlichkeiten ausreichend war.

Förderung des Theaterlebens durch Markgraf Christian Ernst

Auch Christians Enkel, **Christian**

CHRISTIAN
1603 - 1655

Das Fürstentum von Brandenburg-Kulmbach wurde nach dem Tod des Markgrafen **Georg Friedrich** in zwei Markgrafenschaften aufgeteilt.
Die eine, Brandenburg-Ansbach, erhielt Joachim Ernst, die zweite, Brandenburg-Kulmbach, sein Bruder **Christian**. Christians Residenzsitz war zunächst die **Kulmbacher Plassenburg**, bevor er seine **Residenz ins Bayreuther Schloß** verlegte.
Zwei Stadtbrände, 1605 und 1621, die einen Großteil der Innenstadt Bayreuths zerstörten, erforderten den Wiederaufbau und verhinderten den Ausbau der Residenzstadt.

Das bestimmende Ereignis während der Regierung Christians war der **Dreißigjährige Krieg, der von 1618 - 1648** wütete. Christian betrieb zunächst eine Neutralitätspolitik, schloß sich aber 1631, als die Schweden im Anmarsch auf Süddeutschland waren, dem **evangelischen Bund unter Führung des Schwedenkönigs Gustav Adolf** an. Von 1632 - 1642 wurde die Stadt sowohl von schwedischen als auch von gegnerischen kaiserlichen Truppen in Mitleidenschaft gezogen. Nach Ende des Krieges widmete sich Christian ganz dem Wiederaufbau seines Residenzsitzes. ■

CHRISTIAN ERNST
1655/61 - 1712

Nach dem Tod von Markgraf Christian übernahm 1655 eine Übergangsregierung die Staatsgeschäfte im Markgrafentum Brandenburg-Bayreuth. Erbprinz Erdmann August war bereits 1651 verstorben. Christians Enkel, **Christian Ernst**, der das Erbe seines Großvaters antreten sollte, war zu diesem Zeitpunkt gerade elf Jahre und noch unmündig. 1661 entließ man ihn aus der Vormundschaft seines Onkels Georg Albrecht, und Christian Ernst wurde Bayreuther Markgraf.

Seine besondere Vorliebe galt dem Militär und der Befestigungskunst. Als Kreisobrist des Fränkischen Reichskreises befreite er 1683 Wien von den Türken, 1704 erreichte er die höchste militärische Würde seiner Zeit: er wurde evangelischer Reichsgeneralfeldmarschall. Doch sein militärischer Ehrgeiz und die verschwenderische Hofhaltung verschlangen große Summen und führten das Markgrafentum in den Ruin. Er machte über eine Million Gulden Schulden, und die Untertanen mußten Steuern bis zu 41 % auf Vermögen und Einkommen entrichten.

Seine letzten Lebensjahre verbrachte Christian Ernst in seiner Zweitresidenz in Erlangen. ■

Ernst, genoß eine hervorragende musikalische Ausbildung. Auf seinen Kavaliersreisen in seiner Jugend hatte Christian Ernst außerdem das Musikleben an europäischen Höfen kennengelernt.

Ein Jahr nach seinem Regierungsantritt, 1662, fanden im Riesensaal des Dresdener Schlosses die Vermählungsfeierlichkeiten mit Prinzessin Erdmutha Sophie statt.

Zu diesem Anlaß wurden ein Ballett, eine italienische Oper und eine Komödie aufgeführt. Das Markgrafenpaar war von diesen Darbietungen derart angetan, daß es sich zum Ziel setzte, die Theater- und Opernentwicklung in seinem Markgrafentum Brandenburg-Bayreuth zu fördern. Nach der Rückkehr aus Dresden wurden die Jungvermählten mit einem deutschsprachigen Singspiel „Sophia“ und dem „Ballett der Natur“, beide verfaßt von Siegmund von Birken, in Bayreuth geehrt.

Trotz des gewachsenen Interesses an Opern- und Ballettaufführungen standen in Bayreuth weder eine geeignete Bühne noch ein Theaterraum zur Verfügung. Daher faßte Markgraf Christian Ernst den Entschluß, im Schloß eine Theaterbühne bauen zu lassen. Der markgräfliche Hofbaumeister Elias Gedeler war wohl mit dem Erweiterungsbau des Schlosses beschäftigt. Im Jahr 1670/71 errichtete er die neue Bühne, *„die in dem nicht mehr erhaltenen Flügel* [an Stelle des Gontard-Hauses] [...] *unmittelbar neben der Schloßkirche* [...] *gewesen sein soll“*[1]. Diese Bühne könnte mit dem „Großen Theatro“ identisch sein.

Seit Errichtung der neuen, „richtigen“ Bühne im Schloß gelang es Christian Ernst, ausländische, vor allem italienische, Künstler an den Hof zu verpflichten.

Bühnenwirksame Zurschaustellung höfischen Theaterlebens unter Markgraf Georg Wilhelm

Mit dem Regierungsantritt von Markgraf **Georg Wilhelm** wurde zunächst das künstlerische Personal am Hof verringert. Dagegen veranlaßte er die Bayreuther Beamtenschaft und auch durchreisende Sänger und Schauspieler zur Mitwirkung an Aufführungen. Selbst die Hofgesellschaft und Markgräfin übernahmen Rollen. Erst 1718 setzte der Markgraf den Brauch seines Vorgängers fort, mit verschiedenen Höfen Musiker und Sänger auszutau-

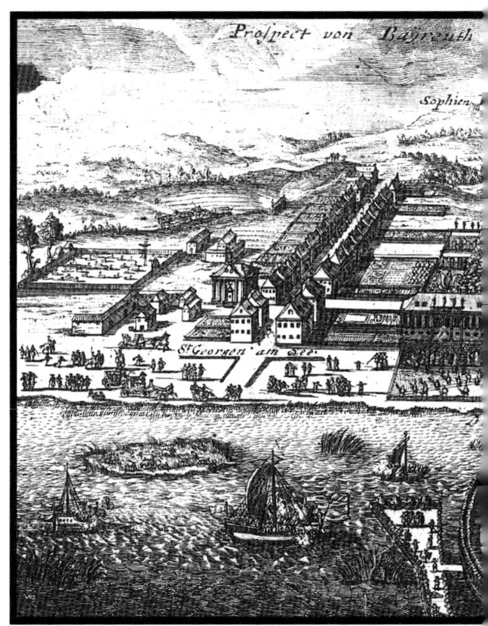

Brandenburger Weihe

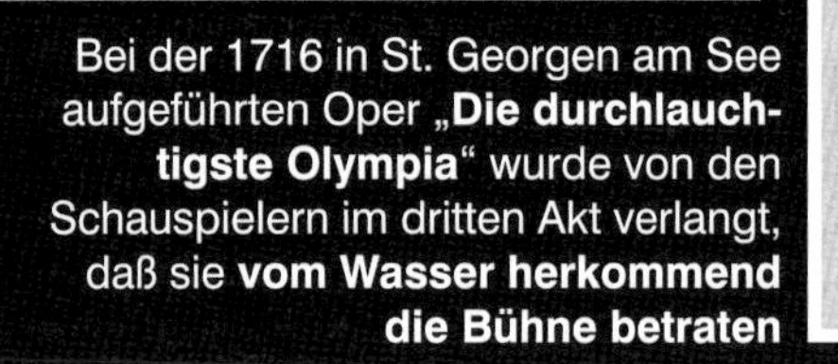

Die
Durchläuchtigste OLYMPIA,
Wurde
Bey höchst-erfreulicher Gegenwart
Der Durchlauchtigsten Princeßin/
Princeßin
Johan. Wilhelminen/
Herzogin zu Sachsen/ Jülich/ Cleve und Berg/ Engern und Westphalen/ Landgräfin in Thüringen/ etc.
An dem Höchst-erwünschten
Hohen Nahmens-Feste
Des
Durchlauchtigsten Fürsten und Herrn/
HERRN
Georg Wilhelms/
Marggrafens zu Brandenburg/ in Preussen zu Magdeburg/ etc. etc. Herzogens/ etc. etc.
Auf gnädigsten Befehl
Der Durchlauchtigsten Fürstin und Frauen/
Frauen Sophien/
Marggräfin zu Brandenburg/ in Preußen/ zu Magdeburg/ etc. etc. Herzogin/ etc. etc.
Auf dem Theatro zu St. Georgen am See
vorgestellet.
Bayreuth/ gedruckt bey Joh. Lobern/ Hoch-Fürstl. Brandenburg. Hof-Buchdruckern/ 1716.

ACTVS III.
Scen. I.
Nachdem Admetus nebst Perynto und Antenor zu Schiffe angeländet/ steigen sie zu Land. Admetus erfreuet sich/ daß die Reise glücklich zu Ende gebracht worden / und sehnet sich seine geliebte Princeßin zu sehen. Perynto und Antenor gratuliren zu bevorstehender Vermählung / worauf Admetus seine Ankunfft dem König notificiren will.

Bei der 1716 in St. Georgen am See aufgeführten Oper „**Die durchlauchtigste Olympia**“ wurde von den Schauspielern im dritten Akt verlangt, daß sie **vom Wasser herkommend die Bühne betraten**

mit Schloß St. Georgen und Theater

schen oder zu empfehlen. Nicht nur deutsche, sondern auch italienische und französische Künstler gastierten seitdem wieder am Markgrafenhof.

In nur 14 Regierungsjahren gelang es Georg Wilhelm, *„mehr als 50 Opern und Serenaden aufführen* [zu] *lassen“*[2]. Hauptsächlich wurden in Bayreuth zur Unterhaltung und Belustigung des Hofes Opern, Schäferspiele, Dramen per musica, Tragödien und Komödien geboten. Ab 1723 wurden vorzugsweise deutsche Stücke, besonders Schäferspiele, aufgeführt.

Auch verweilten am Bayreuther Markgrafenhof zwei zur damaligen Zeit sehr berühmte und begehrte Komponisten: Georg Philipp Telemann und Konrad Friedrich Hurlebusch. Telemann hatte ab 1723 vom Markgrafen eine Bestallung als Kapellmeister erhalten. Dafür mußte er jährlich eine Oper und von Zeit zu Zeit „Instrumental-Musiken“ liefern. Von den in Bayreuth aufgeführten Opern sind „Stilico“ und „Adelheid“ bekannt.

Hurlebusch komponierte die Opern „Dorinda“, „Etearchus“ und „Gunderich“, die im Karneval 1726 am Bayreuther Hof aufgeführt wurden.

Für so viele Opern- und Theateraufführungen mußten natürlich geeignete Bühnen geschaffen werden. Die meisten Darbietungen wurden in dem von Christian Ernst errichteten **Theater in der Schloßresidenz, dem „Großen Theatro“** gezeigt, andere im **„Fürstlichen Hofsaal“ des Schlosses.** „Die beglückte Schäferin Belinde“ wurde 1718 im **„Theatro zu Himmelkron“** gezeigt. 1714 erbaute der Markgraf am Fuße des Schloßberges ein **Komödien- und Redoutenhaus**, wo meist Karnevalsveranstaltungen und Schauspiele stattfanden.

Einen der großartigsten und spektakulärsten Schauplätze für Opern und andere Festlichkeiten errichtete der Markgraf am Brandenburger Weiher in der von ihm gegründeten Stadt St. Georgen am See. Auf dem See inszenierte er bühnengerechte Schaustellungen höfischen Lebens. Er ließ eine Flotte von sechs Schiffen von unterschiedli-

Georg Wilhelm

1712 - 1726

Der 34jährige Sohn von Markgraf Christian Ernst, **Georg Wilhelm**, wurde nach dessen Tod neuer Markgraf in Bayreuth. Trotz der trostlosen Finanzlage, die er bei seinem Regierungsantritt vorfand, lag es nicht in seinem Sinn, sich durch Sparsamkeiten bei der Bautätigkeit, den Vergnügungen und in der Hofhaltung einzuschränken. Seine ganz besondere Vorliebe galt Bauvorhaben, wie z.B. dem **Bau des Jagdschlößchens Thiergarten und der ersten Eremitage** und der **Gründung von St. Georgen am See**. Noch als Erbprinz baute Georg Wilhelm das nur aus Holz bestehende Schloß in St. Georgen, das direkt am Brandenburger Weiher lag, aus und errichtete dort seine Erbprinzenresidenz. Seine **Liebe zur See** hatte er schon als Erbprinz auf seinen Reisen nach Holland und England entdeckt. Deshalb ließ Georg Wilhelm den im 16. Jahrhundert künstlich angelegten kleinen See vertiefen und vergrößern. ■

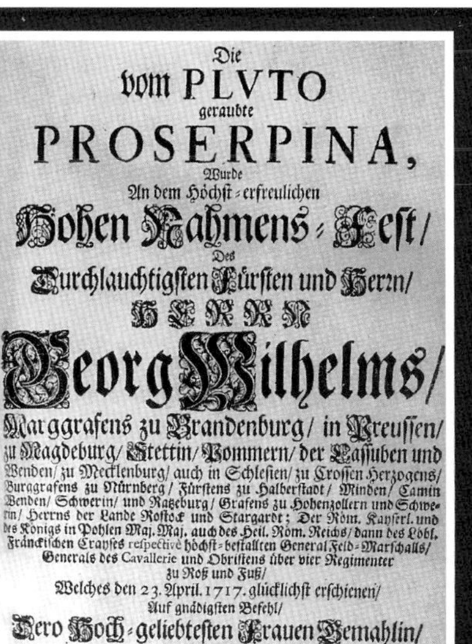

Die
vom PLUTO
geraubte
PROSERPINA,
Wurde
An dem Höchst-erfreulichen
Hohen Nahmens-Fest/
Des
Durchlauchtigsten Fürsten und Herrn/
HERRN
Georg Wilhelms/
Marggrafens zu Brandenburg/ in Preussen/
zu Magdeburg/ Stettin/ Pommern/ der Cassuben und
Wenden/ zu Mecklenburg/ auch in Schlesien/ zu Crossen Hertzogens/
Burggrafens zu Nürnberg/ Fürstens zu Halberstadt/ Minden/ Camin
Wenden/ Schwerin/ und Ratzeburg/ Grafens zu Hohenzollern und Schwerin/ Herrns der Lande Rostock und Stargardt; Der Röm. Kayserl. und
des Königs in Pohlen Maj. Maj. auch des Heil. Röm. Reichs/ dann des Löbl.
Fränckischen Crayses respective höchst-bestallten General-Feld-Marschalls/
Generals des Cavallerie und Obristens über vier Regimenter
zu Roß und Fuß/
Welches den 23. April. 1717. glücklichst erschienen/
Auf gnädigsten Befehl/
Dero Hoch-geliebtesten Frauen Gemahlin/
Der
Durchlauchtigsten Fürstin und Frauen/
Frauen Sophien/
Marggräfin zu Brandenburg in Preussen/ etc.
Hertzogin etc. etc.
In einer Musicalischen OPERA
Auf dem Theatro zu St. Georgen am See/
unterthänigst vorgestellet.
Bayreuth/ gedruckt bey Joh. Lobert/ Hoch-Fürstl. Brandenb. Hof- und Cantzley-Buchdruck.

Bei der Aufführung von **„Die von Pluto geraubte Proserpina“** lautete die **Regieanweisung für den ersten Akt:**

Erster Auftritt.

Das *Theatrum* ist geöffnet / und *Pluto* kommt vom Wasser auf einer *Machine*, und tritt auf das *Theatrum*.

PLVTO, STYX.

Plut. Auf! auf! Ihr Höllen-Geister/
Seht euren Gott erstaunend an.
Wie? was? wer hat mir denn gethan?
Ich bin gantz ausser mir.

Styx. Mein Herr! wie ist euch denn/
Ich glaube schier/
Der kleine Schalck hat euch
Aus seiner Mutter Schooß so hart getroffen/
Daß ihr vor Schmertzen Euch nicht mehr besinnt?

Plut. Cupido ach! O! Göttin Venus du
Hast nunmehr deinen Zweck erreichet.

Georg Friedrich Karl

1726 - 1735

Im Jahr 1726 starb Markgraf Georg Wilhelm ohne männliche Nachkommen. Als neuer Markgraf wurde der aus einer Nebenlinie stammende **Georg Friedrich Karl** bestimmt. Dem vierten Bayreuther Markgrafen ging es in erster Linie darum, den **hohen Schuldenstand seiner beiden Vorgänger abzubauen**. Aufgrund seiner pietistischen Einstellung fiel es ihm leicht, dies durch **drastische Sparmaßnahmen** in der Hofhaltung, Verkleinerung des Hofstaates, Auflösung der Bürgerwehr und des Theaterlebens zu erreichen.

Seine Finanzpolitik war so erfolgreich, daß der **Staat schuldenfrei** wurde. Er erwirtschaftete sogar einen jährlichen Überschuß, der dem Allgemeinwohl zugute kam.

Die **Errichtung eines Waisenhauses** nach dem Vorbild von Halle war sein großes Verdienst für die Stadt. Zusätzlich war in diesem Gebäude eine **Armenschule** untergebracht, in der bald 150 Kinder unentgeltlich unterrichtet wurden.

Kurz vor seinem Tod erließ Georg Friedrich Karl **Verfügungen zur Gründung der Kanzlei- oder geheimen Ratsbibiliothek.** Erst sein Nachfolger konnte diesen Plan verwirklichen. ■

cher Größe bauen und hielt manöverartige Spiele und Seeschlachten ab.

Seit 1706 widmete sich Erbprinz Georg Wilhelm hauptsächlich dem **Theaterbau in St. Georgen**. Die Giebelseite des Theaters schloß sich in nördlicher Richtung an den See an, das Theater selbst lag auf der westlichen Seite des Schlosses. Besonderheit des Theaters war, daß der hintere Bühnenprospekt geöffnet und der Brandenburger See somit als natürliche Kulisse in das Spiel einbezogen werden konnte.

Drastische Sparmaßnahmen des Markgrafen Georg Friedrich Karl

Nach Georg Wilhelms Tod wurde unter seinem Nachfolger **Georg Friedrich Karl** aus Sparsamkeitsgründen die Operntradition am Bayreuther Hof unterbrochen. Die Theater in Bayreuth und St. Georgen wurden geschlossen, die Sänger und Schauspieler entlassen. Trotz seiner pietistischen Lebensanschauung liebte der Markgraf die Kultur und die Musik. *„Georg Friedrich Karl war Musikfreund, der Instrumentalmusik zugetan“*[3]. Aus seiner Privatkasse finanzierte der Markgraf Orchesterspieler, die er teils von seinem Vorgänger übernahm, teils neu hinzugewann. Er gestattete auch dem Erbprinzenpaar Friedrich und Wilhelmine, namhafte Musiker an den Hof zu verpflichten.

Die Blütezeit des Theaterlebens unter Markgraf Friedrich

Mit dem Regierungsantritt **Friedrichs** wurde die Opern- und Theatertradition am Hof wieder aufgenommen. So wurde *„in Bayreuth zumindest zeitweise jede Woche eine Oper gegeben“*[4]. Der Bayreuther Stadthistoriker Heinritz bemerkte in diesem Zusammenhang: *„In der Regel wurde die Woche dreimale gespielt. Fast täglich waren Proben.“*[5] Für die Aufführungen wurden die vorhandenen Theaterbauten der Vorgänger des Markgrafen benutzt, wie z.B. das „Große Theatro“ im Alten Schloß oder das Theater in St. Georgen am See.

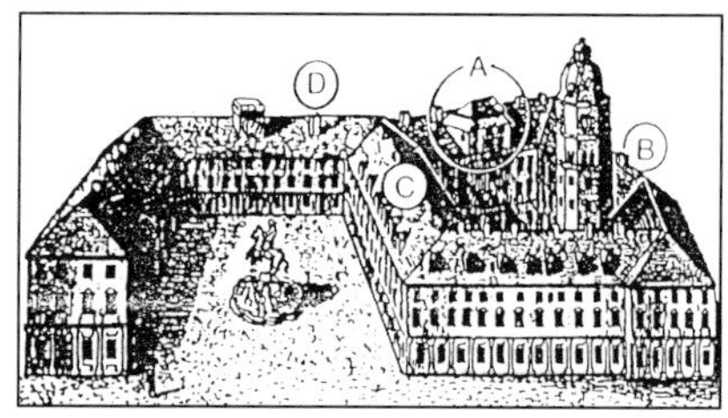

Altes Schloß vor dem Brand 1753

A Pavillon von Markgraf Friedrich
B Schloßkirche
C Mittelflügel
D Komödienflügel

Die rege Theatertätigkeit machte es notwendig, in den 40er Jahren des 18. Jahrhunderts im Westflügel des Alten Schlosses einen **neuen Theatersaal für Komödien zu errichten.** Diese Bühne wurde mit neuen Bildtafeln als Kulissen versehen. Mit der von Wilhelmine selbstkomponierten Oper „Argenore“ wurde dieser Theatersaal eröffnet. 1743 wurde in diesem Theater Friedrich der Große, als er in Begleitung Voltaires Bayreuth besuchte, mit Racines Schauspiel „Bajazet“ geehrt.

1735 machte Friedrich seiner Gemahlin die **Eremitage** zum Geschenk. Vorrangig wurden hier Eremiten- und Schäferspiele aufgeführt. Schäferspiele waren die große Leidenschaft der Markgräfin.

1743 gab die Markgräfin dem Hofbaumeister Joseph Saint-Pierre den

Ruinentheater in der Eremitage

Felsentheater in Sanspareil

Auftrag zum Bau eines **Freilichttheaters als Ruine**. Dieses sollte zwischen dem Eremitenhaus und dem Alten Schloß errichtet werden. Saint-Pierre plante fünf Steinbögen, welche sich als Kulissen über die Bühne wölbten. Dorische Säulen, an die Kulissenbögen gesetzt, sollten den Eindruck eines römischen Theaters erwecken. *„Saint-Pierre* [...] [bediente] *sich dabei nicht aus dem antiken Repertoire, er* [...] [holte] *sich seine Vorbilder im 16. und 17. Jahrhundert, für seine Zeit eine ebenso bewußte wie ungewöhnliche Anleihe."*[6] Durch die Verengung der hinteren Kulissenbögen wurde der Bühne perspektivisch Tiefe verliehen. Der Zuschauerraum war verhältnismäßig klein, ähnlich einem Amphitheater in drei Stufen ansteigend angelegt. In dieser Form ist er heute nicht mehr vorhanden.

Um eine weitere Bühne zu besitzen, beauftragte die Markgräfin 1746 Saint-Pierre mit dem Bau eines **Felsentheaters in „Sanspareil"**. Unterhalb der Burg Zwernitz verwirklichte Wilhelmine einen Traum aus Fels und Natur. Die Markgräfin verwandelte den bizarr gestalteten Felsenhain, 30 km westlich von Bayreuth gelegen, in ihr „Ohnegleichen" = „Sanspareil" mit Morgenländischem Bau, Naturpark und Felsentheater.

Für das Felsentheater wurden von Saint-Pierre natürliche Steinkulissen unaufdringlich in eine künstliche Bühnenarchitektur eingebunden. Vier gleich große Kulissenbögen mit abschließender Rückwand wurden errichtet, wobei der dritte Bogen oben nicht geschlossen worden war. Die Ku-

Zur Hochzeit von Wilhelmines Schwester Luise Ulrike mit dem schwedischen Erbprinzen 1744 wurde **in diesem Ruinentheater ein italienisches Singstück mit Balletten und eine französische Komödie aufgeführt**

FRIEDRICH
1735 - 1763

Friedrich trat 1735 nach dem Tod seines Vaters Georg Friedrich Karl dessen Nachfolge als Markgraf an. Seit 1731 war Friedrich **mit der preußischen Prinzessin Friederike Sophie Wilhelmine verheiratet,** die als eine der geistvollsten Frauen ihrer Zeit galt und die Lieblingsschwester Friedrich II., König von Preußen, war.

Durch das **Neue Schloß** – erbaut nach dem Brand des Alten Schlosses 1753 –, das **Opernhaus**, die **Friedrichstraße** und die **Förderung privater Repräsentationsbauten** wurde das Stadtbild entscheidend geprägt. Außerdem wurde die **Eremitage erweitert** und der **Felsengarten in Sanspareil angelegt.**

Durch die enge Verbindung mit Preußen wurde Friedrich während des **Siebenjährigen Krieges (1756 - 1763)** in einen Zwiespalt gestürzt. Eine Unterstützung Preußens war unmöglich, da aufgrund der geopolitischen Lage des Fürstentums mit einem Einmarsch Österreichs zu rechnen war. Deshalb bemühte sich Friedrich um Neutralität, duldete aber dennoch preußische Werber in seinem Land. ■

lissen standen jede einzeln für sich und wurden auf beiden Seiten von Treppendurchgängen unterbrochen. Die Zuschauer saßen, von mächtigen Felsen umgeben, in einer Art Grotte.

Durch den Pflanzenbewuchs und den Tuffsteinbau paßte sich das Theater der Umgebung im Felsengarten bestens an. Auch auf dieser Naturbühne ließ die Markgräfin Schäferspiele aufführen.

Sowohl das Römische Theater in der Eremitage als auch das Felsentheater in Sanspareil dienten Wilhelmine zum Rückzug und Vergessen von politischen Geschäften.

1753 brannte das Alte Schloß ab, und damit fiel auch der Komödienflügel den Flammen zum Opfer. Im von Saint-Pierre 1754 am Rennweg errichteten **Neuen Schloß** wurde ebenfalls ein **Schauspielhaus** erbaut. Vermutlich führte man auf dieser Bühne französische Schauspiele auf. Lang bestand dieses Theater nicht. Bereits 1761 wurde es schon wieder abgetragen. Heute sind davon nur noch die Tormauern neben der früheren Reithalle (heute Stadthalle) sichtbar.

Diese Reithalle wurde später zu einem **„hochfürstlichen Theater“** umgestaltet, mit Parterre, Logen und Galerie und 1785 feierlich eröffnet.

Tor-Rest des ehemaligen Komödienhauses am Neuen Schloß,
links das Haus des markgräflichen Bühnenmaschinisten Dietrich Spindler

Weitere Spiele im Freien fanden in **St. Georgen am See** statt. Heinritz beschrieb die Aufführung eines solchen Theaters zum Geburtstag der Markgräfin 1745. Dabei bildete die Insel im Weiher den Hauptschauplatz. Die eingeladenen Gäste mußten sich als Schiffer verkleiden. *„Mitten in der Insel befand sich ein großer Salon von 16 freistehenden Säulen, deren Kuppel oben eine Krone zierte, innen eine Tafel von 70 Gedecken; an jeder Seite eine große Cascade, 30 Schuhe hoch, 40 lang und 24 breit; aus deren Obertheil unter dem Gesims sich ein Spiegelwasser aus 3 Delphin-Köpfen auf 6 Abfällen in ein Bassin ergoß, aus welchem wieder 7 Strahlen 20 Schuh hoch in die Höhe stiegen; auf denen vier andern Seiten der Insel standen kleinere Cascaden die, eben so wie jene große, mit Grottenwerk, Vasen, Delphinen geschmückt waren, Orangerie-Bäume an der Seite; den Fußboden erleuchteten bunte Glaskugeln, den ganzen Rand aber Pyramiden mit Lampen. Auch der Rand des Seehafens war illuminiert und mit 26 großen Bildern umgeben, zwischen welchen Delphine auf eine große Menge Feuer in das Wasser auswarfen. Bei der Ausfahrt des Hafens befand sich ein auf Schiffen errichtetes Theater 76 Schuh lang und 46 breit von 12 Coulissen, die 6 vorderen waren mit Cascaden versehen, aus welchen rothe und schwarze Adler das Wasser herabgossen, die 6 hintern bestanden aus Grottenwerk, der Hinterprospekt stellte einen von Seepferden gezogenen Triumphwagen, mit Neptun und der Galathee besetzt, vor; vor demselben befand sich ein Amphitheater, dabei ein großes Schiff.*

Unter 3maliger Abfeuerung von Kanonen schifften sich die Herrschaften ein; ihnen nahete sich die verkleidete Hof-Kapelle, am Theater stieg man aus; die französische Comödie begann.

Bei der Rückfahrt nach der Insel erfolgte ein Auswurf aller See-Ungeheuer, dabei stieg aus der Mitte des Theaters der Name der Fürstin hinter einem Felsen in einem Feuer von bunten Strahlen auf, hinter solchen wälzten sich Feuerräder, Lustkugeln und Raqueten.“[7]. Diese Feuerwerke müssen von außerordentlichem Aufwand und ungewöhnlicher Pracht gewesen sein.

Da die vorhandenen Theaterbauten in Bayreuth den hohen Ansprüchen der Markgräfin nicht mehr genügten, forderte sie im November 1743 von ihrem Bruder, Friedrich dem Großen, die Pläne für das von Knobelsdorff neu geschaffene Opernhaus in Berlin an. Hierin bestand wohl die erste Initiative für die Errichtung eines neuen Opernhauses (→ ⑧ Die Baugeschichte des Markgräflichen Opernhauses, Seite 23) in Bayreuth.

1758 starb Markgräfin Wilhelmine und mit ihr auch die Bayreuther Oper. Es blieben nur noch die französischen Schauspieler, doch auch diese verließen nach dem Tode Friedrichs 1763 den Hof.

Damit war das höfische Theaterleben in Bayreuth beendet.

Ende des Theaterlebens

Der Nachfolger Friedrichs, Markgraf **Friedrich Christian**, übernahm eine sehr hohe Schuldenlast. Deshalb mußten die Akteure, bis auf die Musiker der Hofkapelle, entlassen werden. Doch auch deren Tätigkeit war schließlich bald beendet.

Als er ohne einen Sohn als Nachfolger starb, übernahm der Ansbacher Markgraf Alexander 1769 in Personalunion das Fürstentum Bayreuth. Bedingt durch die Aufklärung brach auch in Bayreuth eine neue Zeit an. Der Aufstieg des Bürgertums begann. Es gastierten deutsche Wandertruppen mit hervorragenden Schauspielern in Bayreuth. So kamen Molières „Der eingebildete Kranke“, Shakespeares „Hamlet“ in deutscher Sprache, Schillers „Kabale und Liebe“ und „Die Räuber“ und Lessings „Minna von Barnhelm“ zur Aufführung.

Wilhelmines Tochter, Friederike, die bislang deutsche Schauspiele ablehnte, besuchte die Aufführung einer Wandertruppe und fand Gefallen an deutscher Schauspielkunst. Bald lud sie Schauspieler zu sich ein. Von diesem Zeitpunkt an erhielten Bürgerliche *„Zutritt und Einladungen der besten Kreise, was ‚bisher noch nie geschehen‘ war.“*[8]

In der Folgezeit traten in Bayreuth vorrangig Wandertruppen auf. ■

Das Markgrafen-Theater Erlangen

Markgraf Georg Wilhelm und seine theaterfreudige Gemahlin Sophie von Sachsen-Weißenfels planten das Theater als Erweiterung der Schloßanlage neben einem Redoutensaal und dem Marstallgebäude. 1719 war der Bau fertiggestellt. Am 10. Januar 1719 wurde das Theater in Anwesenheit des Bayreuther Hofstaates mit der Oper „Argenis und Poliarchus" eröffnet.

Neugestaltung durch Markgräfin Wilhelmine

Markgräfin Wilhelmine ließ das Innere des Theaters 1743 grundlegend umgestalten. Fünf Jahre vor der Eröffnung des Bayreuther markgräflichen Opernhauses mit seinem damals bereits überholten, schweren italienischen Spätbarock schuf der venezianische Theaterarchitekt Giovanni Paolo Gaspari einen Zuschauerraum mit leichten Rokoko-Verzierungen. Er konzipierte ein dreirangiges, hufeisenförmiges Logentheater. Die Hofloge, die sich über zwei Ränge erstreckt, ist vergleichsweise bescheiden ausgeschmückt. Zwei Karyatiden tragen einen zeltartigen Baldachin. Die Farben Meergrün, Purpur und Gold prägen den Innenraum des Markgrafentheaters. Die Decke des Zuschauerraumes ist nicht mehr erhalten.

Im 19. Jahrhundert setzte der Verfall des Theaters ein, den auch einige Renovierungen nur kurzzeitig stoppen konnten. Nach Schließung des Theaters 1956 wegen Baufälligkeit wurden 1958/59 der Zuschauerraum und 1980 bis 1985 das Bühnenhaus völlig saniert. Dabei konnte die Rokokoausstattung des Zuschauerraumes erhalten werden, die barocke Bühnenmaschinerie ging aber völlig verloren, ohne daß man sie dokumentarisch festgehalten hätte. Nachdem keine Pläne zur barocken Bühnenausstattung mehr vorhanden sind, lassen sich auch keine gesicherten Feststellungen mehr treffen. Eine Handskizze von 1945 zeigt fünf Kulissengassen. Ob deren Anordnung auf das 18. Jahrhundert zurückgeht, ist aber ungewiß. Der Bühnenfundus von 1719 vermerkt lediglich, daß zu einem Bühnenbild 18 Kulissen gehörten. Davon könnten vier bis sechs Kulissen als Schiebekulissen den Hintergrundprospekt gebildet haben, so daß sich dann sechs oder sieben Kulissengassen für die Bühne in der Markgrafenzeit ergeben würden. ■

← **J. D. Hohmanns Stich** aus dem Jahre 1721

SIRACE
ein musicalisches Schauspiel
in Erlang auf dem berühmten neuen THEATRO
Des Durchlauchtigsten Fürsten und Herrn,
Herrn Friederichs
Marggrafens zu Brandenburg-Culmbach,
in Preussen, zu Schlesien, Magdeburg, Cleve, Jülich, Berg, Stettin, Pommern, der Cassuben und Wenden, zu Meklenburg und zu Crossen Herzogens. Burggrafens zu Nürnberg. Fürstens zu Halberstadt, Minden, Camin, Wenden, Schwerin, Ratzeburg und Mörs. Grafens zu Hohenzollern, der Mark, Ravensberg und Schwerin. Herrns zu Ravenstein, wie auch der Lande Rostok und Stargard rc. Des Löblich-Fränkischen Creises bestalten General-Feldmarschalls und Obristens über drey Regimenter zu Roß und Fus rc.
und
Deroselben würdigster Frauen Gemahlin,
Königlichen Hoheit, Frauen,
Frauen,
Frideriken Sophien Wilhelminen,
Gebohrnen Königlichen Prinzeßin in Preussen, vermählter Marggräfin zu Brandenburg-Culmbach, rc.
auf Deroselben gnädigsten Befehl
von denen Cammer-Musicis
in dem Carneval des 1744 Jahres vorgestellet.
Die Poesie ist von Herrn Andreas Galletti, Sr. Hochfürstlichen Durchlaucht bestalten Poeten verfertiget worden.
Bayreuth gedruckt bey dem Hochfürstlich-Brandenburgischen privilegirten Hof-Canzeley und des Gymnasii Buchdruckern Friederich Elias Dietzel.

→ **Neueröffnet** wurde das Theater mit dem **musikalischen Schauspiel „Sirace"**

Bühnenbreite Portal	8,50 m
Bühnenportalhöhe	4,70 m
Bühnentiefe	11 m
Bühnenfall	keiner
Zuschauer	heute ca. 600
Theater in die Schloßanlage integriert	
heutige Nutzung	Gastspiele, Eigenproduktionen, ganzjährig bespielt

Die Markgräfin Wilhelmine als Komponistin und Intendantin

Daß es Markgräfin Wilhelmine gelungen ist, in ihrer Bayreuther Zeit aus einem Provinznest eine europäische Kulturstadt zu machen, die sich hinter glanzvollen Namen wie Prag, München, Wien oder Dresden nicht zu verstecken brauchte, ist hinlänglich bekannt. Seit 1737 hatte sie die Oberleitung der Bayreuther Oper.

Mit großem Engagement holte sie Künstler aus Italien und Frankreich an ihren Bayreuther Hof.

Diese Extravaganz ließ sich die ehrgeizige Markgräfin auch einiges kosten: am Ende machten die Gagen ihrer angestellten Künstler über die Hälfte aller im Fürstentum gezahlten Löhne aus. Immer wieder kam es deswegen auch zu Streit zwischen den hochbezahlten Ausländern und den knapp gehaltenen einheimischen Künstlern. Ihre Theaterbegeisterung führte auch zur Einrichtung eines neuen Theatersaals in ihrem Schloß (1740); später veranlaßte sie dann sogar den Bau des markgräflichen Opernhauses. Wilhelmine war aber stets auch selbst künstlerisch aktiv. So übernahm sie mit großer Freude Theaterrollen und inspirierte und motivierte ihren gesamten Hofstaat dazu, desgleichen zu tun.

Als Innenarchitektin prägte sie das „Bayreuther Rokoko“.

Zu Markgraf Friedrichs Geburtstag wurde am 10. Mai auf Befehl seiner Gemahlin das **Singspiel Amarillis** aufgeführt

AMARILLIS
wurde
bey feyerlicher Begehung
Des höchsterfreulichsten Geburtsfests,
De[illegible] Durchlauchti[illegible]sten Fürsten und Herrn,
Herrn Friederichs,
Marggrafens zu Brandenburg,
in Preussen, zu Schlesien, Magdeburg, Cleve, Jülich, Berg, Stettin, Pommern, der Cassuben und Wenden, zu Mecklenburg und zu Crossen Herzogens, Burggrafens zu Nürnberg, Fürstens zu Halberstadt, Minden, Camin, Wenden, Schwerin, Razeburg und Mörs, Grafens zu Hohenzollern, der Mark, Ravensberg und Schwerin, Herrns zu Ravenstein, der Lande Rostock und Stargardt rc. Des Löblich-Fränkischen Creyses bestalten General-Feldmarschalls und Obristens über drey Regimenter zu Roß und Fuß rc.
auf gnädigsten Befehl
Ihro Königlichen Hoheit,
Der Durchlauchtigsten Fürstin und Frauen,
Frauen
Friderika Sophia Wilhelmina,
Gebohrnen Königlichen Prinzeßin in Preussen, vermählter Marggräfin zu Brandenburg-Culmbach rc. rc.
in einem Schäfergedicht und Singspiel
vorgestellet.

Bayreuth bey dem Hof-Canzley- und des Collegii Christian-Ernestini privilegirten Buchdruckern Friederich Elias Dietzel gedrukt, 1746.

In ihrer Funktion als Frau des Markgrafen fand sie stets ausreichend Zeit, sich auch auf anderen Gebieten der Kunst zu präsentieren. Auf dem Sektor der Malerei blieb es jedoch beim Versuch: ihre Pastelle, die Cleopatra, Lucretia, Pero oder den Vesuv zeigen, waren schlichtweg erbärmlich und wurden selbst von ihrem Bruder Friedrich dem Großen nur belächelt, obwohl dieser sonst nur gut über seine „Lieblingsschwester“ sprach.

Mehr Talent bewies sie dagegen als Musikerin: sie spielte von Jugend an sehr gut Violine und Klavier und nahm schließlich sogar Kompositionsunterricht beim Bayreuther Hofkapellmeister Johann Pfeiffer. Daraufhin entstand ein qualitativ hochwertiges Cembalokonzert, das vor den Werken zeitgenössischer Komponisten keineswegs zurückstehen mußte, und die einzige Oper der Markgräfin, „Argenore“, die zwar nach einem gängigen Kompositionsschema konstruiert war, innerhalb der gebotenen Freiheiten aber durchaus innovative und originelle Ansätze hatte. „Argenore“ wurde schließlich zum Geburtstag des Markgrafen im Theatersaal des Schlosses 1740 uraufgeführt.

Außerdem schrieb Wilhelmine einige wenige Libretti, also Operntexte, von denen „Semiramis“ von einem italienischen Komponisten vertont und 1753 auf der Bayreuther Seebühne erstmals gespielt wurde, jedoch zur großen Unzufriedenheit der Markgräfin. Inspiriert zum Semiramis-Sujet wurde sie durch ein Treffen mit dem französischen Philosophen Voltaire, dessen Bekanntschaft sie 1743 machte. Zwei Arien ihres Opernlibrettos „L´Huomo“ setzte sie selbst in Musik und gliederte sie der Oper ein. Ebenso verfaßte sie ausgesprochen geistreiche Memoiren, die auch heute noch ein interessantes Zeitzeugnis darstellen.

Wilhelmine war auf vielen Gebieten sehr talentiert. Nachdem sie jedoch auch viele politische Funktionen zu erfüllen hatte, konnte oder wollte sie ihre Fähigkeiten auf einem bestimmten Sektor nie vertiefen. Für eine „Hobbykünstlerin“ waren die von ihr erzielten Ergebnisse jedoch in fast allen Bereichen erstaunlich. ■

1756 verfaßte Wilhelmine das Libretto zu dem **Singspiel „Amalthea“**

Die Baugeschichte des Markgräflichen Opernhauses

Der Plan

Um ihre Theaterleidenschaft voll entfalten zu können, fehlte Markgräfin Wilhelmine noch ein entsprechendes Theater. Zwar hatte sie erst 1740 ein neues Theater mit Redoutensaal am Fuße des Schloßberges errichten lassen, aber dieses reichte für ihre Ansprüche noch nicht aus. Ihre Konzeption des idealen Hofes verlangte nach einem repräsentativen Ort für pompöse Ausstattungsopern und aufwendige Hoffeste.

Angeregt durch den Bau des Berliner Opernhauses durch ihren Bruder Friedrich II., wünschte sie sich auch für ihren Bayreuther Hof ein neues, größeres Opernhaus. Sie war von dem nach den Plänen des berühmten Architekten Knobelsdorff errichteten und 1743 vollendeten Berliner Opernhaus begeistert: *„Es soll ein Meisterwerk und eines der größten Theater in Europa sein." „Der Plan des Opernhauses ist ohnegleichen."*[1] Sie bat deshalb im gleichen Jahr noch ihren Bruder, ihr die Pläne von Knobelsdorff zuzusenden. Im Februar 1744 erhielt Wilhelmine die Baupläne, und anläßlich der Verlobung ihrer Tochter Elisabeth Friederike Sophie mit Prinz Carl Eugen von Württemberg am 21. 2. 1744 wurde der Bau des Opernhauses beschlossen.

Der Bauplatz

Als Bauplatz wurde das Gelände neben dem Theater mit dem Redoutenhaus (dem heutigen Schloßcafé) ausgesucht. Für diese Wahl sprachen mehrere Gründe:

Zahlreiche Theaterbrände hatten dazu geführt, daß man Theaterneubauten nicht mehr in die Schloßanlagen integrierte, sondern freistehend zwar in der Nähe des Schlosses, aber doch in einer vor Funkenflug sicheren Entfernung errichtete. Die Angst vor Bränden war berechtigt, erhellten doch Hunderte, manchmal sogar Tausende von Kerzen oder Öllichtern den Zuschauerraum, die Bühne, die Kulissen und teilweise sogar die Soffitten.

Einen weiteren Vorteil bot die Nachbarschaft zum alten Redoutengebäude. *„Mit der Errichtung des monumentalen Opernhauses entstand hier – in Verbindung von Opern-, Theater- und Redoutengebäude – ein für die verschiedensten Hoffeste geeigneter Architekturkomplex [...] So konnte der Hof [...] sehr rasch und unmittelbar von einer Gattung des Festes und der Zeremonie zur anderen wechseln."*[2]

Der Bau des Opernhauses fügte sich auch gut ein in die Bestrebungen des Markgrafen Friedrich, die Stadt zu erweitern. Außerhalb der mittelalterlichen Stadtgrenzen entstand mit der heutigen Opern-, Ludwigs- und Friedrichstraße ein Gürtel repräsentativer Neubauten. Damit wurde auch das städtebauliche Ziel Wilhelmines, der ideale Hof, verwirklicht. Mit dem Neuen Schloß, den dazugehörenden Parkanlagen und dem Opernhaus besaß sie nun ihr Versailles, das ihr das Leben „im Exil" erträglich machte und ihr als preußischer Königstochter ein standesgemäßes Leben ermöglichte.

Die **„Carte speciale"**, die Riediger im Sommer 1745 zeichnet, zeigt noch **das mit Obstbäumen bestandene Baugrundstück**

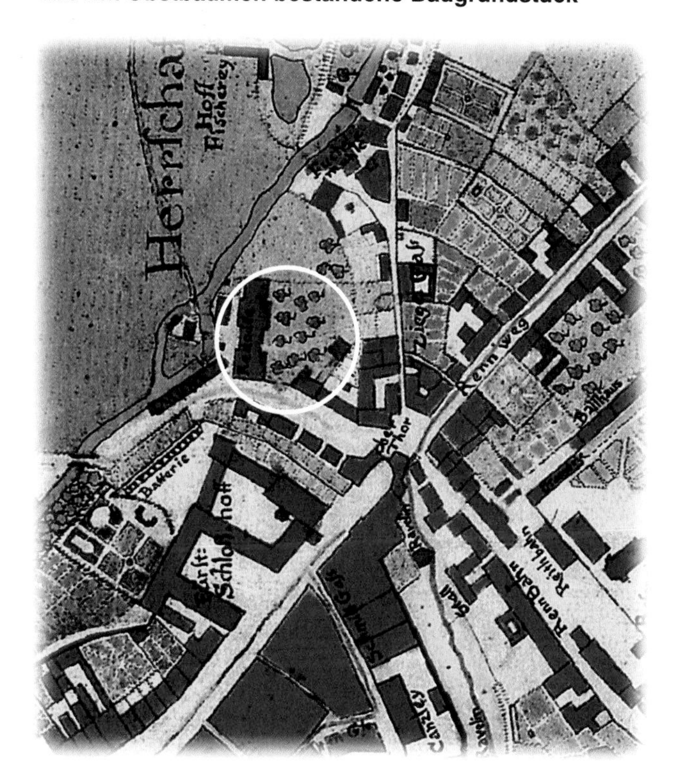

Ein **Modell im Stadtmuseum Bayreuth** zeigt die **Opernstraße nach Vollendung der Baumaßnahmen**

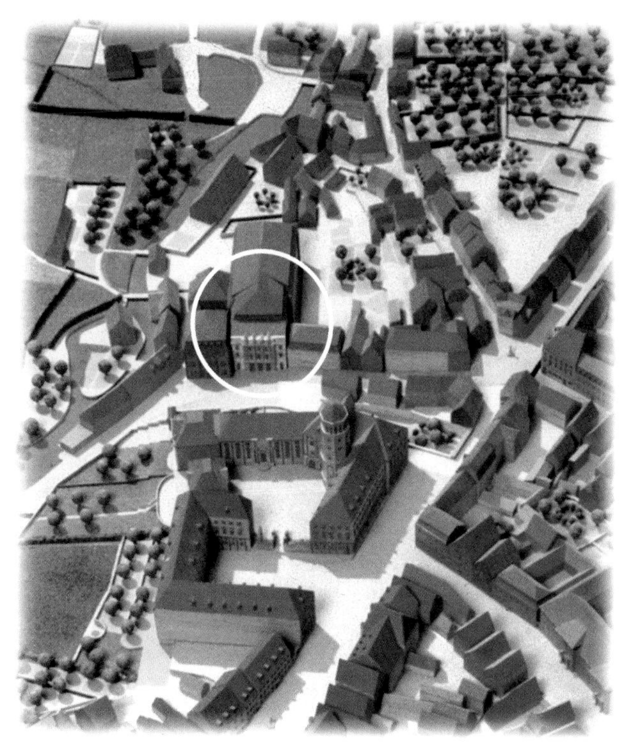

Die Einweihung

Am 13. September 1748 begannen mit dem Eintreffen der beiden *„Königlich-Preußischen Prinzen"*, zwei Brüder der Markgräfin Wilhelmine, die Feierlichkeiten der Hochzeit von Elisabeth Friederike Sophie mit dem Herzog Carl Eugen von Württemberg. Eine *„Ausführliche Beschreibung, des zu Bayreuth im September 1748 vorgegangenen HochFürstlichen Beylagers"*[11] verdanken wir dem fürstlichen *„Ober-Hof-Marschallen-Amts-Sekretarius"* Wilhelm Friedrich Schönhaar, der minutiös *„das wohl größte barocke Fest, das Franken je erlebt hat"*[12], auf 144 Seiten beschrieben hat. Auffallend ist aber, welch geringen Platz er bei seiner Schilderung dem Opernhaus einräumt, das doch eigens für diese Hochzeit errichtet worden war: *„Mit Rezensionen über aufgeführte Komödien oder Opern gab er sich nicht ab – obwohl da unter anderem eine für Bayreuth wahrlich hochbedeutsame Premiere zu vermelden gewesen wäre: nämlich die Eröffnung des neuerbauten Markgräflichen Opernhauses, das er ungeziemend beiläufig erwähnt."*[13] Am 18. September trifft der Herzog in Bayreuth ein, und Schönhaar berichtet über den Freitag, den 20. September, von einer ersten Theateraufführung: *„Abends war Französische Comödie, die den Titul le Grondeur & les Vacances hatte, und mit einigen Baletts aufgeführt wurde."*[14] Da das neue Opernhaus mit keinem Wort erwähnt wird, ist anzunehmen, daß diese Aufführung im alten Theater stattfand. Eröffnet wurde das neue Opernhaus mit Hasses *„Triomfo d´Ezio"* am 23. September: *„Abends wurde in dem prächtigen Opern-Hauß die Italiänische Opera il Triomfo d´Ezio aufgeführt: nach deren Endigung man um 11.Uhr zur Tafel kam."*[15] Mehr als dieser eine Satz ist Schönhaar die Einweihung des neuen Opernhauses nicht wert. Bereits am nächsten Tag fand eine weitere Aufführung statt: *„Abends war auf dem neuen Theatro Französische Comödie, Polixene genannt. Dabey wurde zuletzt ein kleines Feuerwerk angezündet, welches unter andern den Namen des Durchleuchtigsten Herrn Bräuti-*

1743

In Berlin wird das neue Opernhaus vollendet. Am 19. November schreibt Wilhelmine an ihren Bruder: *„Darf ich Dich bitten, mir den Plan Deines Opernhauses zu senden? Es soll ja ein vollkommenes Opernhaus sein."*[3] Baron von Pöllnitz soll den Plan nach Bayreuth bringen.

1744

Wilhelmine kann es nicht erwarten, den Plan Kobelsdorffs zu sehen. *„Den Plan des Opernhauses erwarte ich mit Ungeduld. Es soll ein Meisterwerk und eines der größten Theater in Europa sein."*[4] Nachdem sie den Plan erhalten hat, schwärmt sie am 3. Februar: *„Der Plan des Opernhauses ist ohnegleichen. Das Äußere ist von edlem, reinen Geschmack, und das Innere gut angeordnet und eingerichtet."*[5]

Am 21. Februar wird der Bau des Opernhauses bei der Verlobung der Tochter Wilhelmines beschlossen, aber von April 1744 bis Mai 1746 gefährdet ein Streit zwischen Wilhelmine und ihrem Bruder das Bauvorhaben. Der Markgräfliche Neutralitätskurs zwischen Preußen und Österreich verärgert Friedrich. 1745 trifft sich Wilhelmine sogar mit der österreichischen Kaiserin Maria Theresia, als diese auf dem Weg zur Kaiserkrönung ihres Mannes durch Bayreuth reist. Sicher hätte Wilhelmine Kobelsdorff mit dem Bau des Opernhauses beauftragt, zumal dieser Bayreuth von einigen Besuchen her gut kannte.

Der Geschwisterstreit zwingt Wilhelmine, den französischen Architekten Josef Saint-Pierre mit dem Bau zu betreuen, der seit 1743 in markgräflichen Diensten steht. Interessant ist allerdings in diesem Zusammenhang auch, daß Giuseppe Galli-Bibiena, dem später die Inneneinrichtung des Opernhauses übertragen wird, 1744 Entwürfe und Detailzeichnungen für die Außenfassade anfertigt. Leider wissen wir nicht, aus welchem Grund der Entwurf Galli-Bibienas nicht verwirklicht wurde.

1745

Am 30. Januar wird der Kostenvoranschlag des Hofbauamtes vorgelegt. Der Baubeginn verzögert sich aber. Die *„Carte speciale"*, die Riediger im Sommer 1745 zeichnet, zeigt noch das mit Obstbäumen bestandene Baugrundstück. Vielleicht schon ab 1745, sicher aber ab Sommer 1746 betreut Carlo Galli-Bibiena, der Sohn Giuseppes, die Bauarbeiten.

1746

Im Frühjahr beginnt man mit dem Bau des Opernhauses. Nachdem es in einem Schreiben der Kammer vom 25. Februar 1746 noch geheißen hat, es sei *„zur Erbauung des Opern-Hauses allhier zur Zeit noch kein Stamm angefahren worden"*[6], werden nach König im Frühjahr 1746 die Arbeiten aufgenommen: *„Nachdem man die Häußer abgebrochen, die Materialien zugefahren, und alles nöthige zugerichtet, fing man im Frühjahr 1746*

mit dem Bau selbst an. Um aber solchen so wohl eine freyere Ansicht zu geben, als auch vor demselben genugsamen Raum für die Menge derer Equipagen zu erhalten, ließ man noch 3. gegenüber, an der Schloß-Graben-Mauer stehende Bürger-Häußer [...] *in diesem Jahr erkaufen und abbrechen.*"[7]

1747

In den Bauakten findet sich ein Kostenvoranschlag Saint-Pierres über das noch benötigte Bauholz. Man beschließt im Frühjahr, das Hintergebäude des Opernhauses zu verlängern: *„Zu Verlängerung des Hinter-Gebäudes, und genugsamen Raum vor demselben zu erhalten.*"[8] Im Herbst wird das Richtfest gefeiert und im November/Dezember das Dach mit Schiefer gedeckt. Das ist Voraussetzung, daß man mit dem Innenausbau beginnen kann.

1748

Anfang Januar kommt Giuseppe Galli-Bibiena von Dresden nach Bayreuth, und Vater und Sohn beginnen mit der Innenausstattung des Bühnenhauses. Die Zeit drängt, denn das Theater muß zur Hochzeit der Prinzessin Elisabeth Friederike im September fertig sein. In nur neun Monaten vollenden Giuseppe und Carlos Galli-Bibiena die prachtvolle Ausstattung des Zuschauerraumes und der Bühne. Gleichzeitig wird die vielgerühmte Bühnenmaschinerie eingebaut. Am 14. Mai kann Wilhelmine ihrem Bruder schreiben: *„Dieser Tage habe ich das neue Opernhaus besichtigt. Ich bin hocherfreut darüber; das Innere ist fast vollendet... Man muß zugeben, in seinem Fach ist er* [Bibiena] *ein Meister.*"[9]

Als am 27. September das Opernhaus zur Hochzeit der Tochter Wilhelmines mit dem Herzog Carl Eugen von Württemberg mit einer französischen Komödie eingeweiht wird, hat man das Ziel nur eingeschränkt erreicht: Der vordere Teil des Gebäudes mit dem Festsaal und auch die Außenfassade sind noch nicht fertiggestellt. Man hatte sich bei den Bauarbeiten auf den Zuschauerraum und das Bühnenhaus konzentrieren müssen, um den Hochzeitstermin einhalten zu können.

1750

Noch im August wird an der Außenfassade gebaut. Nachdem sich in den Bauakten aber keine weiteren Vermerke mehr finden lassen, darf man davon ausgehen, daß der Bau in diesem Jahr abgeschlossen wird.

Der Opernhausbau forderte auch ein Menschenleben. So wird aus dem Jahr 1750 berichtet: *„In diesem J*[ahr] *ging es wieder starck über das Bauen her. Das bisher nur von innen ganz ganz hergestelte Opern-Hauß ward nun auch erst von außen gar vollendet. Dabey hatte ein Zimer-Gesell das Unglück, daß er Vormittags um 10 Uhr, dem 10, Aug., von dem Gerüste über dem Portal herabfiel, woran er 1/4 Stunde darauf verstarb.*"[10]

gams, und der Durchleuchtigsten Prinzeßin Braut in brennenden Flammen zeigt."[16] Auch hier sieht man, daß Schönhaar das Feuerwerk mehr interessiert als das Theaterstück. Ausführlich schildert er im Folgenden die Hochzeitsfeierlichkeiten am 26. September. Am nächsten Tag wird das Fest im Opernhaus fortgeführt. Knapp meldet Schönhaar: *„Abends war im neuen Opern-Hauß Französische Comödie, les Jeux de l´amur & du hazard genannt"*, um dann wieder ausführlich den weiteren Verlauf der Feier aufzuzeichnen: *„Nach derselben wurde das gantze Opern-Hauß mit viel tausend Lichtern illuminirt, und auf dem Theatro eine figurirte Tafel in Form eines F. von 80. Couverts zugerüstet, welche mit 56. Speisen, und unter proprem Confect servirt worden. In dem par Terre war noch eine Tafel von 30. Couverts vor die übrige Cavaliers und Officiers, die an jener nicht Platz fanden. Währender Tafel geschahe auf dem Theatro ein trefflicher Aufzug. Es traten einige Personen auf, welche die vier Theile der Welt vorstelleten: Diese überreichten hierbey die kostbarste Geschenke, vor die fremde Hochfürstliche Herrschaften.*"[17] Die Hochzeitsfeierlichkeiten wurden dann am Sonntag, den 29. September im Markgräflichen Opernhaus beendet: *„Gegen Abend führte man eine neue Italiänische Opera auf, Artaxerxes genannt. Die Hochfürstl. Herrschaften begaben Sich zu diesem Ende in vier neuen kostbaren Staats-Wägen in das prächtige Opern-Hauß und speißten alldorten während der Opera, in der Loge. Nachgehends deckte man in dem grossen Saal die Marschalls- und Officiers-Tafeln von 30. Couverts mit zehen Speisen.*"[18]

Anschaulich vermittelt uns dieses Zitat die barocke Aufführungspraxis und den Stellenwert der künstlerischen Leistung. Mit dem folgenden Tag *„kam auch der Tag herbey, woran des Herrn Herzogs Hochfürstl. Durchl. von Bayreuth wieder abzureysen – und nun Dero Durchlauchtigste Frau Gemahlin nach Dero Herzogthum und Landen zu führen Sich entschlossen. Der Tag, so hierzu bestimmet worden, war Montag der dreyssigste September.*"[19] ■

Die Bühnentechnik des markgräflichen Opernhauses

Das Herz eines Barocktheaters ist die Bühnenmaschinerie. Die Barockoper lebt mit der Verwandlung auf offener Bühne, sie lebt von dem Staunen und der Verblüffung der Zuschauer über spektakuläre Effekte auf der Bühne. Das Markgräfliche Opernhaus präsentiert sich uns heute als eine kalte Schönheit ohne Herz. Die Schönheit des Zuschauerraumes verdient uneingeschränkte Bewunderung, hinter dem Vorhang allerdings ist das alte Gebäude ausgeweidet. Die Bühnenmaschinerie, das Herz des Theaters, fehlt. 1962 waren die noch erhaltenen Teile ausgebaut worden, ohne daß man sie dokumentarisch festgehalten hätte. Damals war das Denkmalbewußtsein, die Verantwortung für das historische Erbe noch nicht soweit entwickelt, als daß man den kulturhistorischen Wert, aber auch die touristische Anziehungskraft der barocken Bühnenmaschinerie erkannt hätte. Immerhin sind andere Theater zur gleichen Zeit den umgekehrten Weg gegangen. So hat z.B. Bad Lauchstädt seine Maschinerie, von der weit weniger erhalten war als in Bayreuth, nach historischen Vorbildern erneuert.

Nachdem im Markgräflichen Opernhaus wirklich alle Spuren der einstigen Bühnentechnik beseitigt sind, ist es schwer zu beschreiben, wie diese einmal ausgesehen haben könnte, zumal die Bühne gegen 1780 und ein zweites Mal um 1820 in größerem Umfang umgebaut worden war.

Die Ausgestaltung des Theaters hatte Markgraf Friedrich dem italienischen Theaterbaumeister Guiseppe Galli-Bibiena und dessen Sohn Carlo übertragen. Die Familie Galli-Bibiena stellte zu dieser Zeit die berühmtesten Theaterarchitekten. In ganz Europa bauten sie über zwei Jahrhunderte hinweg nicht nur Theater, schufen Bühnenbilder und Dekorationen, sondern sie entwarfen und konstruierten auch die Bühnenmaschinerien. So bekam Guiseppe Galli-Bibiena auch den Auftrag, die Bühnenmaschinerie des Markgräflichen Opernhauses einzurichten. Vom Januar bis September 1748 weilte er in Bayreuth, um dann wieder an den Dresdener Hof zurückzukehren. Die Arbeit wurde von seinem Sohn vollendet. Zu der feierlichen Eröffnung des Opernhauses im September 1748 war auch die Bühnenmaschinerie fertiggestellt.

Baupläne der Bühnentechnik sind nicht erhalten. Wahrscheinlich gab es auch keine – wie bei den anderen Theatern, deren Maschinerien heute noch erhalten sind. Die Baumeister wollten wohl nicht ihre Geheimnisse preisgeben, wollten ihre Wundermaschinen nicht entzaubern. Vielleicht baute man auch im Vertrauen auf die eigenen Erfahrungen einfach darauf los und versuchte die Probleme, die auftauchten, spontan mit den zur Verfügung stehenden Mitteln zu lösen.

Die Bühnenmaschinerie war sicher für die Provinz recht aufwendig, reichte im Vergleich mit den anderen Bühnen aber nicht an die technische Ausstattung des Drottningholmer Schloßtheaters, das von der Schwester der Markgräfin Wilhelmine, der schwedischen Königin Lovisa Ulrika, 18 Jahre später gebaut wurde, oder an die der Theater von Český Krumlov oder Ludwigsburg heran. Man leistete sich einen eigenen Maschinisten aus Paris, über den Wilhelmine am 10. Januar 1752 an ihren Bruder, den Preußenkönig Friedrich schrieb: *„Wir haben einen Maschinisten aus Paris, der das Auge mit seinen Maschinen entzückt. Alle Welt hier sagt, er sei ein Wundermann, denn dergleichen Dinge habe man in Franken noch nie gesehen."*[1]

Wilhelmine selbst dachte der Bühnenausstattung eine große Rolle zu, wie sie im Vorwort zu dem von ihr verfaßten Singspiel „Almathea" bekennt: *„Die meisten Materien für das Theater sind bereits erschöpft, und diejenigen Begebenheiten, die etwa in der Historie noch übrig sind, haben soviele Gleichheit mit denen, die man bereits abgehandelt hat, daß man nothwendig die nemlichen Sachen wiederholen müßte, wenn man sie auf die Bühne bringen wollte. Das Operntheater erfordert etwas Großes in dem Äußerlichen der Vorstellung. Die Augen und das Gemüthe müssen auf gleiche Weise gerührt werden; jene durch das Neue und durch das Wahre in der Nachahmung; dieses durch die Musick, und durch die Schilderung der verschiedenen Leidenschaften, die man aufführt. Die Leidenschaften bleiben immer einerley, ob sie schon sich, auf verschiedene Art, zu erkennen geben. Nur in Ansehen der Umstände kann man Veränderungen anbringen, und dieses letztere ist die eigentliche Absicht des Verfassers gegenwärtigen Schauspiels gewesen..."*[2]

Maschinerie zur Verwandlung der Soffiten.

Abb. 1

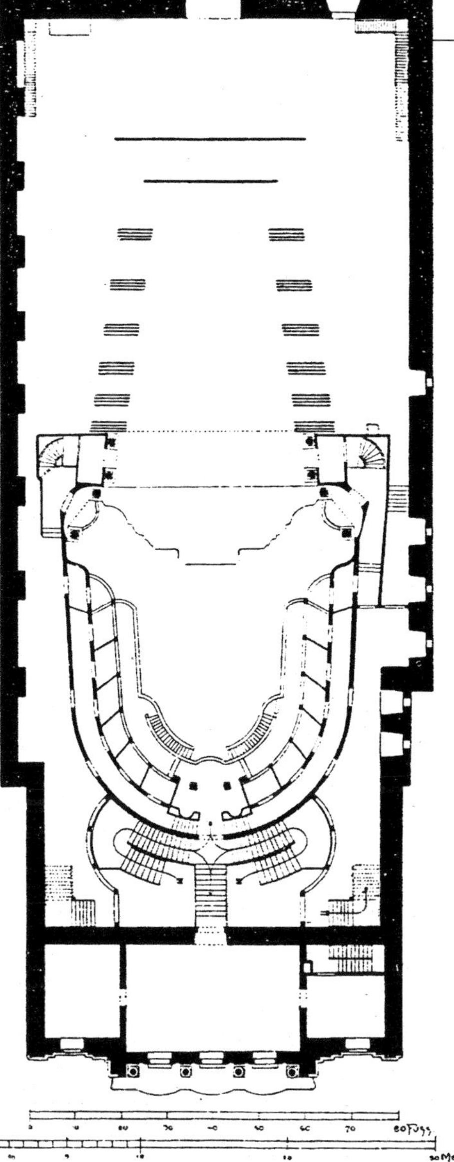
Abb. 2: **Grundriß nach Hammitzsch**

Die Bühnenmaschinerie erfüllte die hohen Erwartungen, die Wilhelmine an sie gerichtet hatte. 1752 teilte sie ihrem Bruder Friedrich hocherfreut mit, die Maschinen hätten *„einen sehr guten Effekt gemacht"*, sie mußte aber auch 1753 tief betrübt feststellen: *„Alle Maschinen haben versagt. Das Durcheinander war schrecklich."*[3]

Das Theater besitzt eine Länge von 72 m und eine Breite von 29 m. Das Gebäude ist aber nicht rechteckig, sondern verläuft in einer leicht geschwungenen S-Linie mit einer Abweichung von 0,66 m zu einer gedachten Symmetrieachse.[4] Das Bühnenportal hat eine Breite von 14 m und eine Höhe von 10,50 m. Die Bühnentiefe beträgt 30 m. Ungefähr 16 m davon wurden bespielt. Die auf Tiefenwirkung angelegte Barockoper läßt auch daran denken, daß die Möglichkeit, das Tor in der Rückseite der Bühne zu öffnen, mit in die Inszenierung einbezogen wurde. Das Theater lag an der Stadtgrenze, und das geöffnete Tor ermöglichte den Blick auf die Wiesen und Wälder vor der Stadt.

Hammitzsch veröffentlichte 1904 in seiner Dissertation „Der moderne Theaterbau" einen Grundriß, der das Theater vor den Umbauten, die um 1780 erfolgt waren, zeigt (Abb. 2)[5]. Leider hat Hammitzsch die Quelle für seinen Grundriß nicht angegeben. Nach ihm verfügte die Bühne über 6 Kulissengassen mit je vier Freifahrten. Ein Mittel- und ein Hintergrundprospekt schlossen die Bühne nach hinten ab.

Über die Bühnentechnik lassen sich nur sehr wenige gesicherte Aussagen machen. Drei Photos aus dem Jahr 1961 zeigen die damals noch erhaltenen Teile der barocken Bühnenmaschinerie:[6] Auf der Galerie des ersten Bühnenoberbodens sieht man die Maschinerie zur Verwandlung der Soffitten (Abb. 1). Ein großes Handspeichenrad trieb auf der rechten Seite der Galerie eine Welle an, mit der die Soffitten auf und ab bewegt wurden. Es ist anzunehmen, daß sich auch auf der linken Seite der Galerie eine ebensolche Welle befand. Auf dem Photo sind auch die Arbeitsbrücken zu erkennen, die zwischen den Soffitten die Bühne überspannten.

Ebenfalls erhalten war 1961 noch die Maschinerie zur Verwandlung des Hintergrundprospektes (Abb. 4). Über ein Handspeichenrad oder mit Seilen, die über eine große Trommel geführt wurden, konnte eine Welle gedreht werden, die den Hintergrundprospekt aufwickelte.

Abb. 3

Einschlagkasten.

Maschinerie zur Verwandlung des Hintergrundprospektes.

Abb. 4

Die Trommel läßt auch an den Einsatz von Gegengewichten denken. Diese spielten in der barocken Bühnentechnik eine große Rolle. Mit ihnen konnte die Arbeit der Bühnenarbeiter entscheidend erleichtert werden. Ein schweres Gegengewicht, das mit Seilen über die Trommel geführt wurde, zog den Prospekt in die Höhe. Der Hintergrundprospekt und das Gegengewicht waren dabei so ausbalanciert, daß man ohne große Anstrengung mit dem Handspeichenrad den Hintergrundprospekt heben und senken konnte. Mit der gleichen Technik wird man auch den Bühnenvorhang und den Mittelprospekt bedient haben. Bei genauem Hinsehen erkennt man auch auf dem Photo der Soffittenmaschinerie Reste einer solchen Trommel, so daß auch hier die Bühnenarbeiter mit Gegengewichten gearbeitet haben dürften.

Aus der großen Zahl der Bühneneinrichtungen, die zur Grundausstattung einer jeden Barockbühne gehörten, war 1961 noch ein Einschlagkasten zur Erzeugung von Donnergeräuschen vorhanden (Abb. 3). Ertel beschreibt ihn folgendermaßen: *„Er besteht aus einem Holzschacht, der von der Oberbühne bis zur Unterbühne reicht. Im oberen Teil des Schachtes sind drei abklappbare Böden eingebaut, auf die Stahlkugeln gehäuft wurden. Beim Öffnen der Klappen fielen die*

Stahlkugeln über mehrere im Holzschacht schräg angebrachte Zwischenböden und erzeugten so das einen Einschlag vortäuschende Geräusch.“[7]

Über die weiteren bühnentechnischen Einrichtungen besitzen wir keine konkreten Erkenntnisse, doch kann man nach den Vorbildern der Theater in Europa, an denen die barocke Bühnentechnik noch erhalten ist und teilweise sogar noch bespielt wird, und nach den Skizzen barocker Theaterarchitekten versuchen zu rekonstruieren, wie die nicht mehr erhaltenen Teile der Bühnenmaschinerie im Markgräflichen Opernhaus ausgesehen haben könnten. Zwei Opernhäusern kommt hierbei eine besondere Bedeutung zu: dem Schloßtheater Ludwigsburg und dem Schloßtheater von Český Krumlov.

Die Einweihung des Markgräflichen Opernhauses 1748 mit der Hochzeit des württembergischen Herzogs Carl Eugen mit der Tochter der Markgräfin Wilhelmine, Elisabeth Friederike, war der Anlaß für das junge Regentenpaar, im Ludwigsburger Schloß ein neues Theater zu errichten. Mit der Konstruktion der Bühnenmaschinerie wurde Johann Christian Keim beauftragt. Man vermutet, daß er sein Handwerk in Bayreuth beim Bau des Markgräflichen Opernhauses von Guiseppe Galli-Bibiena gelernt hat.[8] Es ist deshalb anzunehmen, daß er in Ludwigsburg bei technischen Problemen ähnliche Lösungen wie in Bayreuth angewandt hat.

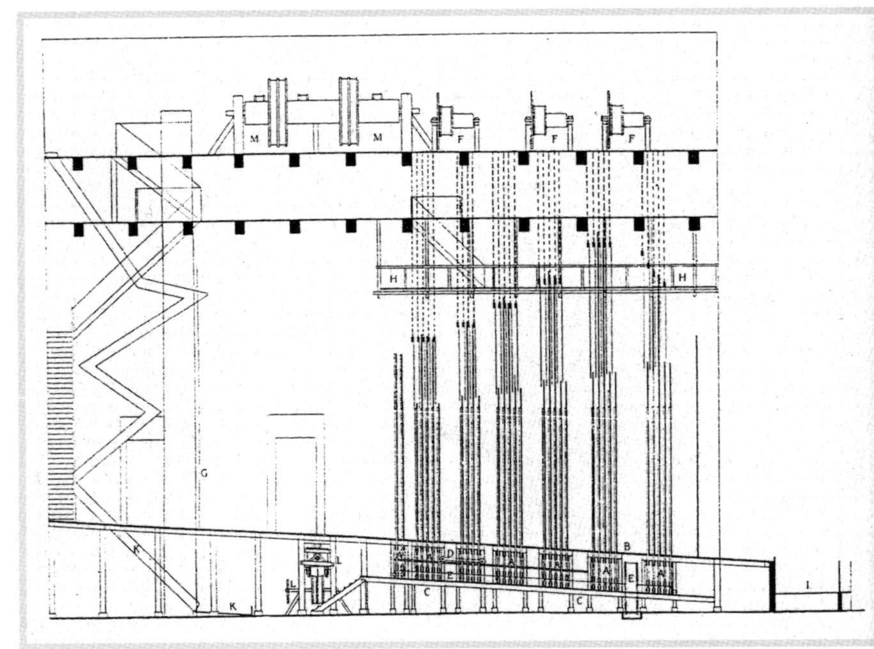

Abb. 6: **Dresdner Opernhaus 1749**

Auch das Schloßtheater von Český Krumlov wurde von Architekten aus dem Umfeld der Familie Galli - Bibiena erbaut. Auffallend sind hier zum Beispiel die übereinstimmenden Formen der Handspeichenräder. Dies zeigt ein Vergleich der noch vorhandenen Handspeichenräder in Český Krumlov mit den oben ausgewerteten Photos der 1961 noch erhaltenen Maschinerie im Markgräflichen Opernhaus.

Nach seinem halbjährigen Aufenthalt kehrte Guiseppe Galli-Bibiena im September 1748 an den Dresdener Hof zurück und begann dort im Mai mit dem Umbau des Dresdener Opernhauses.[9] Dabei erneuerte er auch vollständig die Bühnenmaschinerie, und es ist anzunehmen, daß er auch hier ähnliche technische Lösungen verwandte wie beim Markgräflichen Opernhaus (Abb. 6). Es gibt Hinweise, daß auch bei der Planung und Ausschmückung des Warschauer Opernhauses Guiseppe Galli-Bibiena beteiligt war, jedenfalls hat Hammitzsch in der Sammlung für Baukunst in Dresden zwei Handzeichnungen mit der Aufschrift *„Profil“* und *„Grund Riß vom Pohlnischen Opern Hauße“* gefunden (Abb. 5).[10] So können uns die erhaltenen Grund- und Seitenrisse bei der

Abb. 5: **Warschauer Opernhaus**

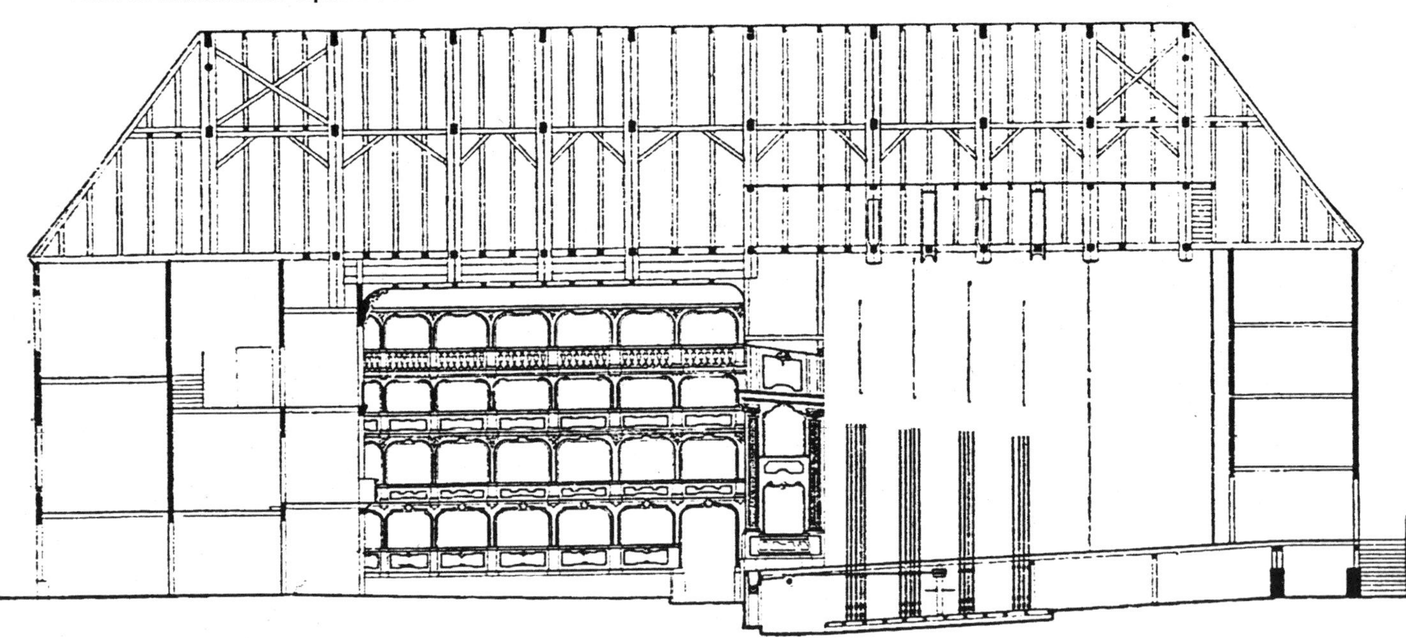

Abb. 7: **Wellbaum im Schloßtheater Český Krumlov**

Rekonstruktion weiterhelfen. Die fünf Blätter Handzeichnungen, die Guiseppe Galli-Bibiena für ein neues höfisches Theater in Dresden 1749 angefertigt hat, enthalten zwar einen Grundriß und zwei Querschnitte, lassen aber keine Aussagen über die Bühnentechnik zu.[11]

Interessant ist die Frage, wie das System zur Verwandlung der Kulissen ausgesehen haben könnte. Hier gibt es zwei Varianten:

Sowohl in Ludwigsburg als auch in Český Krumlov verwendete man zum Antrieb der Kulissenwagen eine sogenannte Königswelle, also einen zentralen Wellbaum (Abb. 7). Denkbar wäre aber auch die Gangspill-Variante, wie wir sie in Drottningholm finden können (Abb. 8). Diese Art des Antriebs hat den Vorteil, daß keine Mittelwelle mit den Seilen zu den Kulissenwagen die Versenkungen behindert und daß die Bühnenarbeiter so leichter arbeiten können.

Verantwortlich für diese Erfindung zeichnete der deutsche Maschinenmeister Christian Gottlob Reuss in Dresden. Guiseppe Galli-Bibiena verwirklichte diese Idee beim Umbau des Dresdener Opernhauses 1750, wie der Plan[12] zeigt (Skizze ❸). Der Antrieb mit einer vertikalen Treibachse war neu im europäischen Theaterbau. Bereits im Theater des Grafen Brühl in Dresden war diese originelle Lösung des Kulissenantriebs verwirklicht worden (Skizze ❷). Hier behinderten aber die Zugseile, die mitten durch die Unterbühne zu den Kulissenwagen führten, die Arbeit mit der Untermaschinerie. Christian Gottlob Reuss verbesserte die Führung der Zugseile bei der Konzeption der Maschinerie für den Umbau des Dresdener Opernhauses. Skizzen dieser Maschinerien verdanken wir dem schwedischen Architekten Georg Fröman, der im Auftrag seines Königs die europäischen Höfe bereiste, um Anregungen für den Schloß- und Theaterbau zu sammeln. Seine Skizzen zeigen uns den Stand der Theatertechnik um 1750[13]. Auch im Warschauer Opernhaus konstruierte man die Kulissenmaschinerie mit einer vertikalen Antriebsachse (Abb. 5). Es ist möglich, daß Guiseppe Galli-Bibiena diese Idee aus Dresden nach Bayreuth mitgebracht und hier bereits ausprobiert hat.

Über die fünf Versenkungen, die die Bühne zur Markgrafenzeit hatte[14], lassen sich keine Aussagen machen. Sie wurden im Laufe der Jahre mehrfach verändert.

Eine große Bedeutung kam auch den Wolken- und Flugmaschinen zu, da die Barockoper die dritte Dimension der Bühne erobert hatte. Hier finden wir ein reichhaltiges Repertoire in Drottningholm. Sicher nicht so zahlreich und aufwendig dürfen wir uns die Maschinerien der Oberbühne in Bayreuth vorstellen, aber die zeitgenössischen Beschreibungen der Aufführungen belegen die Existenz spektakulärerer Einrichtungen. Eine Hilfe bei der Vorstellung kann uns die Obermaschinerie für das Dresdener Opernhaus geben (Abb 6).[15]

Sicher waren auch neben dem Donnerschacht weitere Effektmaschinerien zur Nachahmung von Wind, Regen und Blitzen vorhanden. Wie im Ostankino-Theater in Moskau könnte sich neben dem Donnerschacht ein Schacht zur Imitation von Regengeräuschen befunden haben. Er reichte vom

Abb. 8: **Gangspill im Drottningholmer Schloßtheater**

Abb. 9: **Wellenmaschinerie**

Abb. 10: **Windmaschine**

Schnürboden bis zur Unterbühne, in seinem Inneren waren Blechlamellen angebracht. Erbsen, die oben in den Schacht geschüttet wurden, rieselten über die Lamellen und weckten die Illusion von Regen. Eine Windmaschine finden wir in Drottningholm (Abb. 10). Sie besteht aus einem Zylinder aus hölzernen Streben, über die ein Segeltuch gespannt ist. Dreht man den Zylinder, so erzeugt die Reibung der Streben an dem Segeltuch ein windähnliches Geräusch.

Ebenfalls in Drottningholm können wir eine Einrichtung zur Imitation von Meereswellen auf der Bühne in Aktion bewundern. Mit Stoff überspannte Zylinder in Wellenform wurden von Bühnenarbeitern gedreht, so daß das Publikum den Eindruck hatte, daß sich Wellen auf dem Meer bewegen (Abb. 9).

Bei Sabbattini finden wir in seinem Werk *„Pratica di fabricar szene e machine ne´ teatri“* von 1683 die Anleitungen zur Imitation von Blitzen.[16]

Wilhelmine nutzte in ihren Aufführungen die ganze Breite der bühnentechnischen Möglichkeiten. *„In „L`Huomo“ zum Beispiel, der zum Besuch Friedrichs des Großen 1754 im Opernhaus aufgeführten Oper, schreibt sie einen Eichenwald vor, der sich in eine „abscheuliche Höhle“ verwandelt, worauf ein Palmenhain erscheint und einer Bergkette mit Sturzbächen Platz macht, während sich unten ein Fluß mit schwarzem und schwammigem Wasser bewegt. Es wird Nacht, und wenn die Sonne aufgeht, beleuchtet sie einen Berg, auf dessen Gipfel sich ein Tempel erhebt. Neues Bild: Ein Kristallpalast mit transparenten Säulen. Und wieder ein Berg, und an seinem Fuß ein Eispalast, wieder mit durchscheinenden Säulen. Außerdem läßt die Dichterin Gewitter ausbrechen, mit Blitz und Donner, sie läßt Flammen aus der Erde hervorschießen, Wolken aufziehen und die Szene verhüllen – kurz: sie läßt allerlei geschehen, was einen ansehnlichen Aufwand an Maschinen-, Beleuchtungs- und anderen technischen Künsten erfordert, demnach also verfügbar gewesen sein muß.“*[17] Auf der Bühne wurde in

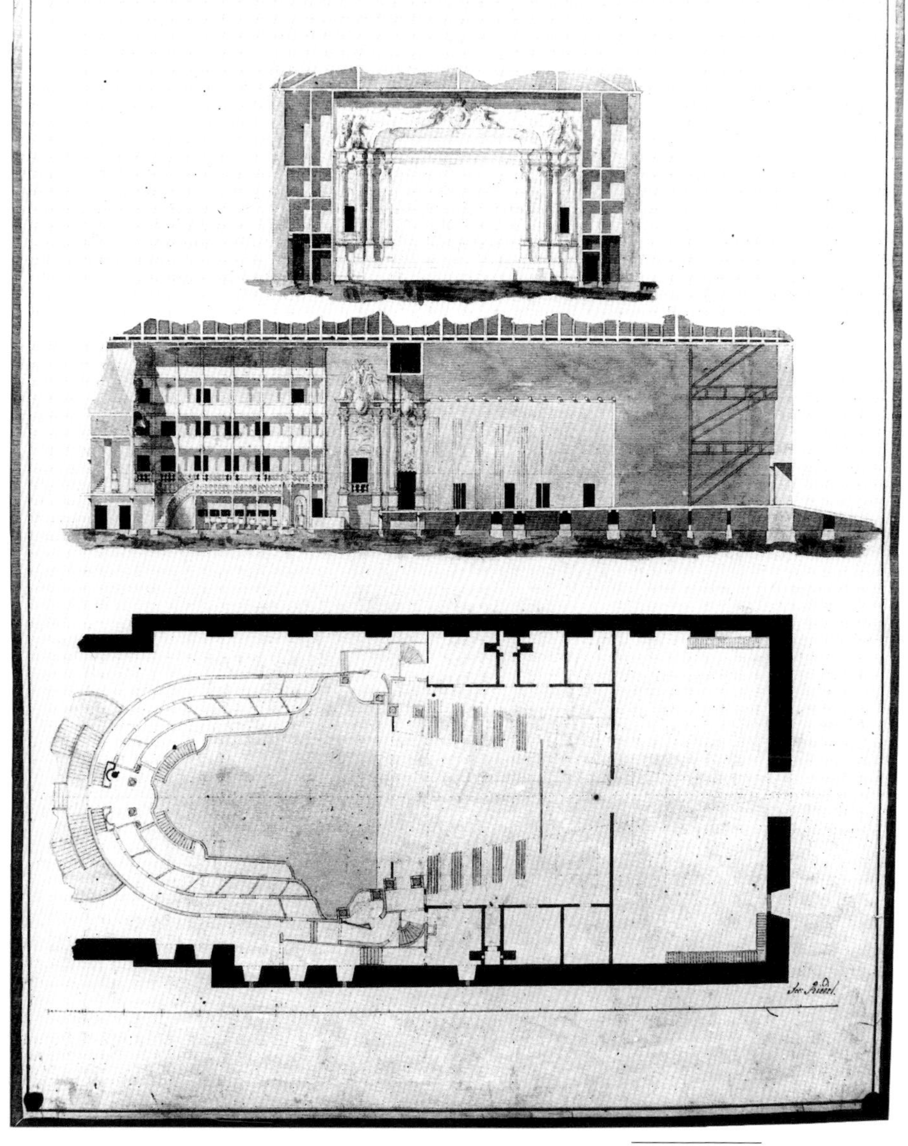

Abb. 11:
Grundriß und Seitenansicht nach *Riedel*

Theaterzeichnungen im Reisejournal des Schloßbaumeisters Georg Fröman von seiner Reise nach Dresden und Wien im Jahre 1755

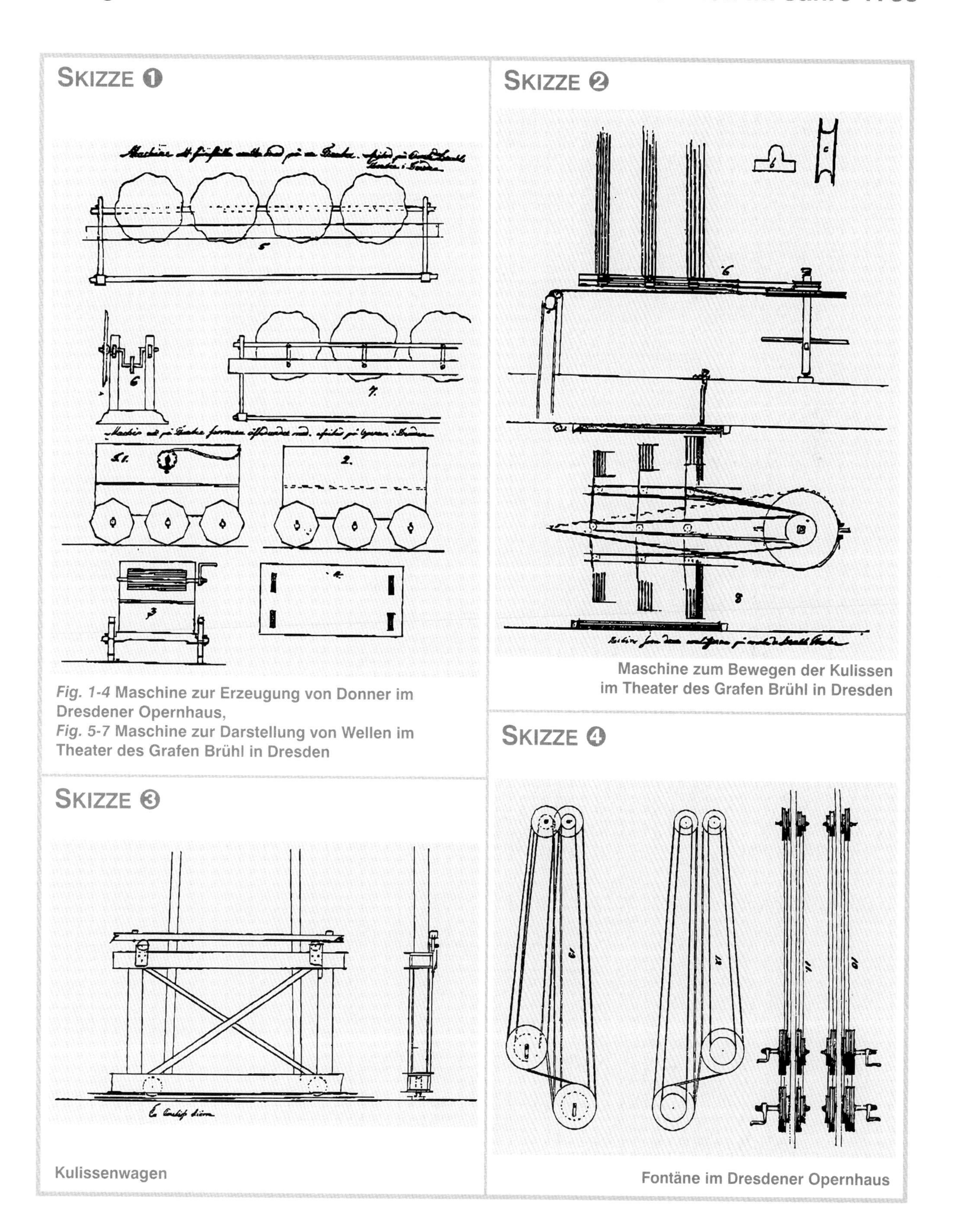

SKIZZE ❶

Fig. 1-4 Maschine zur Erzeugung von Donner im Dresdener Opernhaus,
Fig. 5-7 Maschine zur Darstellung von Wellen im Theater des Grafen Brühl in Dresden

SKIZZE ❷

Maschine zum Bewegen der Kulissen im Theater des Grafen Brühl in Dresden

SKIZZE ❸

Kulissenwagen

SKIZZE ❹

Fontäne im Dresdener Opernhaus

SKIZZE ⑤

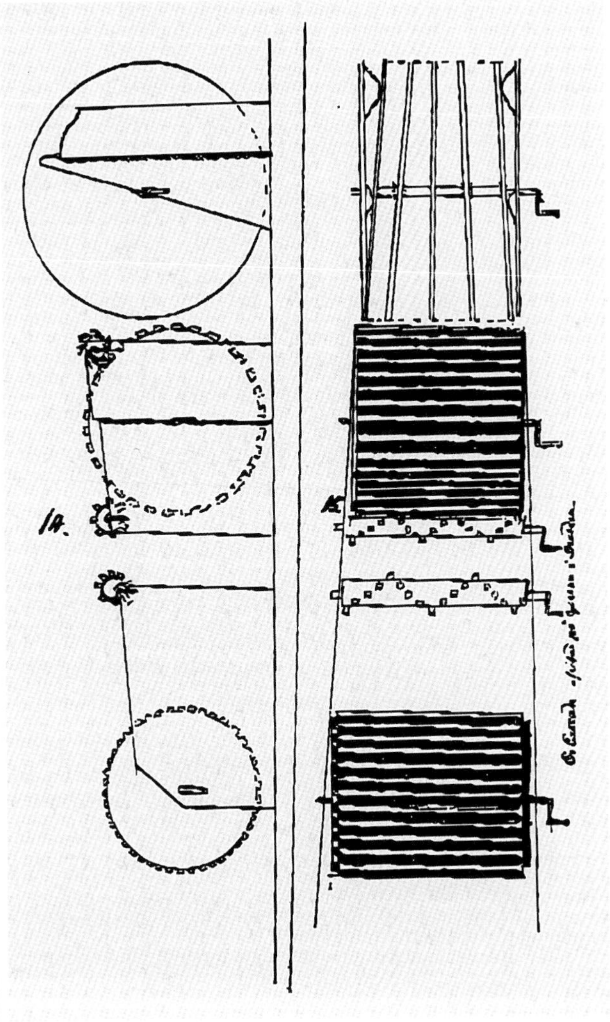

Kaskade im Dresdener Opernhaus

SKIZZE ⑥

Maschine zum Wechseln der Kulissen im Dresdener Opernhaus

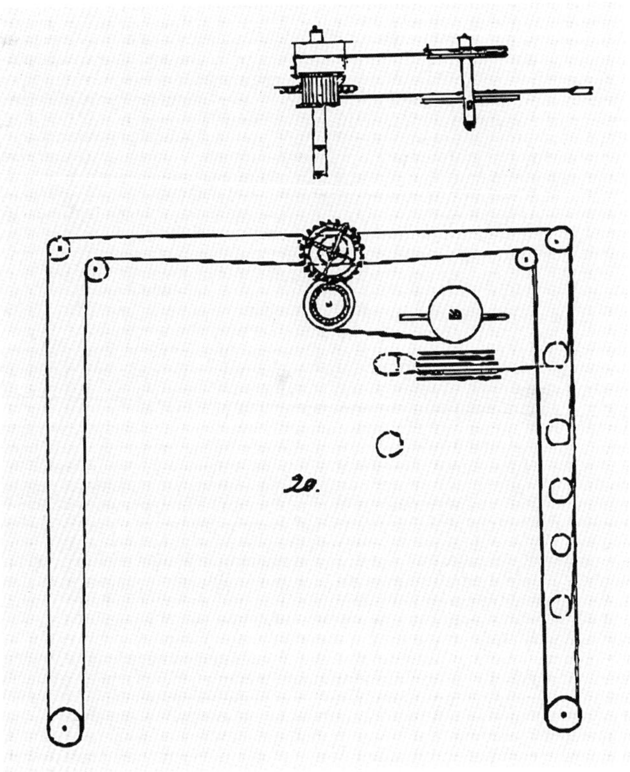

SKIZZE ⑦

Fig. 18 Maschine zum Ziehen des Vorhangs,
Fig. 19 Maschine zum Ziehen der Soffitten

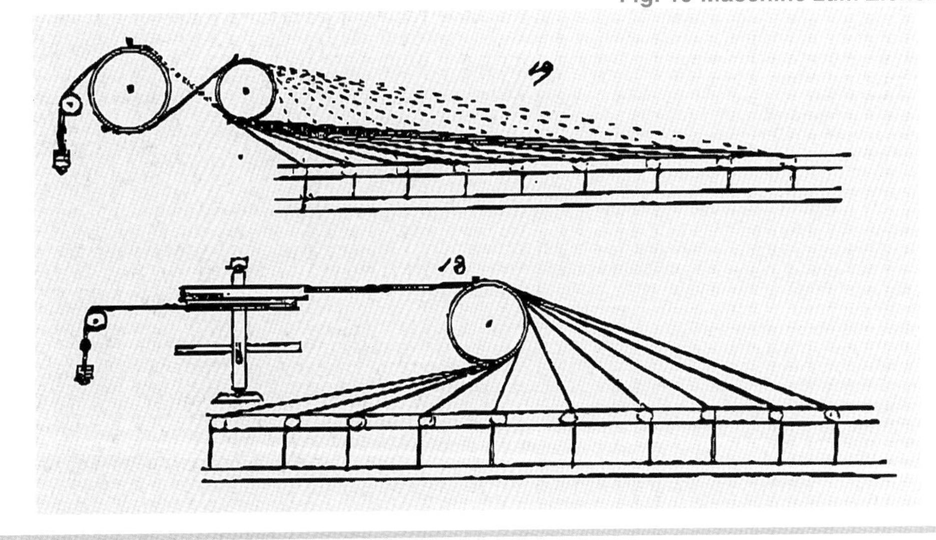

dieser Aufführung auch ein Wasserfall dargestellt, wie wir ihn aus der französischen Enzyklopädie von Diderot kennen.[18]

Mit dem Tode der Markgräfin 1758 war auch das Ende der Opernaufführungen in Bayreuth gegeben. Das endgültige Aus des höfischen Theaterlebens, also auch der Theateraufführungen, kam mit dem Tod des Markgrafen 1763. Nur noch Wandertruppen nutzten gelegentlich das Opernhaus. Im Schauspiel benötigte man nicht mehr den häufigen Kulissenwechsel der Barockoper, die Bühnenmaschinerie verlor so ihre herausragende Bedeutung. Auch brauchte man nicht mehr die Tiefe der Bühne, so daß man sie zwischen 1770 und 1780 verkleinerte. Im Abstand von 14,75m vom Bühnenportal wurde eine drei Meter hohe ausgemauerte Fachwerkwand eingezogen. Rechts und links von der Hauptbühne entstanden Umkleidegarderoben und Abstellräume.

Dieser Zustand ist recht gut auf den Umbauplänen des Bauinspektors J. G. Riedel (1722 - 1791) zu erkennen (Abb. 11).[19] Glücklicherweise wurde die von ihm vorgeschlagene bauliche Modernisierung des Zuschauerraumes nicht verwirklicht. Wir können aber auf seiner Zeichnung sehr deutlich die niedrige Unterbühne, den Bühnenfall und die Rampe, die zum rückwärtigen Eingang führt, sehen. Der Bayreuther Justizrat König bemerkte um 1800 zu dieser Rampe: *„Mitten befindet sich eine große Auf- und Einfahrt, mittelst welcher man Wagen und Pferde auf das Theater bringen konnte, da man denen letztern die Augen bedeckte, und Beutel unter den Schwänzen anbrachte.“*[20]

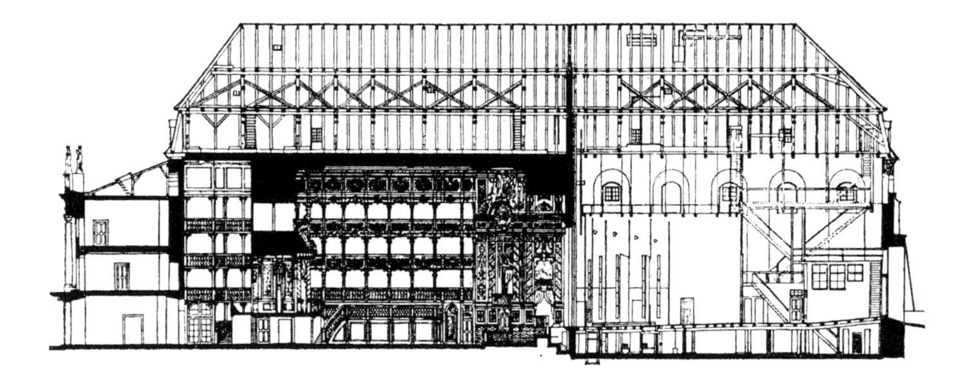

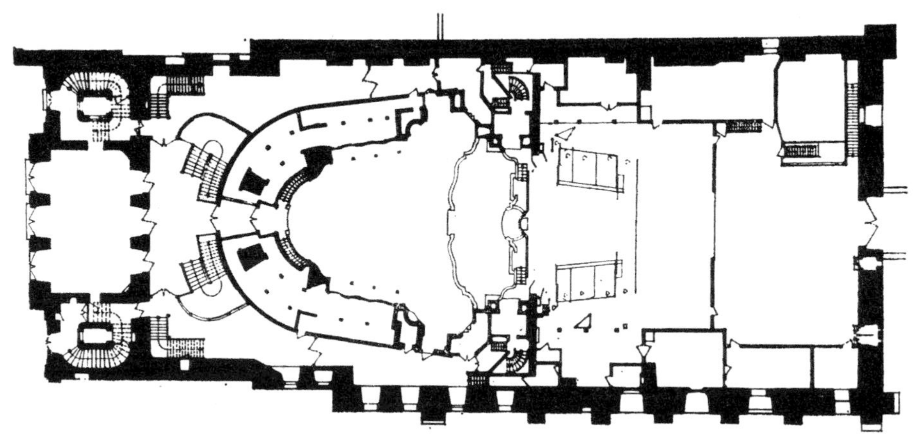

Abb. 12

Leider enthält der Querschnitt keine Abbildungen von Bühnenmaschinen, auf dem Längsschnitt können wir aber die Verkürzung der Bühne auf 5 Gassen mit je 4 Freifahrten feststellen. Diese muß sich aber bereits in einem sehr desolaten Zustand befunden haben. Der Justizrat König beschreibt den Zustand der Maschinerie zu diesem Zeitpunkt wie folgt:

„Das kunstreichste und von Kennern am meisten bewunderte, war das Maschinen-Werck, sowohl über, als besonders unter dem Theater, wodurch bloß durch 4, besonders dazu aufgestellte Zimmerleute und einige wenige Handlangern, nicht nur mit einem Ruck und in einen Augenblick die ganze Vorstellung des Theaters verändert, sondern auch ungeheure Lasten, in gleichen Menschen von der Höhe herab gelaßen, und hinaufgezogen werden konten. Alle jene Mahlereyen- und diese Maschinen-Kunstwerke, sind nun eingegangen, und so gar ab Handen gekommen.“[21]

Kurze Zeit später wurde, wie ein weiterer Längsschnitt und Grundriß des Theaters zeigt, die Anzahl der Gassen auf vier reduziert (Abb. 12). Auch die Bestände des Staatsarchivs in Bamberg belegen für diese Zeit nur noch 8 Kulissen pro Bühnenbild, das heißt also 4 Kulissen pro Seite.[22]

Ein neuer Impuls für das Theater kam durch den Kauf Bayreuths durch Bayern im Jahre 1810. Für einen ganzen Jahresetat kaufte Bayern das nach der preußischen Niederlage 1806 an Napoleon gefallene Bayreuth / Ansbach. Im Zuge der Integrationspolitik der neuen Landesteile erteilte die bayerische Regierung den Auftrag, die Bühnentechnik des Markgräflichen Opernhauses zu erneuern. Sichtbar wird dies an dem teilweisen Ersatz der hölzernen barocken Bühnentechnik durch eiserne Kurbeln am Beispiel der Versenkungen (Abb. 13). Beauftragt wurde mit dem Umbau und der Renovierungsarbeit der Bühnentechniker Franz-Josef Mühldorfer (1800-1863).[23]

Die nächste Beschreibung der Bühnentechnik finden wir bei Gertrud Rudloff-Hille 1936. Sie führt an, daß das Kulissensystem, die Kulissenwagen „jetzt“ herausgenommen sind. Noch vorhanden sich die Soffittenmaschinerie und das Treibwerk für den Hintergrundprospekt.[24]

Dieser Bestand erhielt sich bis zum Jahr 1962 und wurde von Arno Ertel, dem wir die einzigen Photos von der Bühnenmaschinerie verdanken, in der „Frankenheimat“ dokumentiert.[25]

Dann forderte die Bayerische Staatsoper für ihre Gastspiele bessere Spielbedingungen, und „das alte Gelump“ wurde herausgerissen und auf einer Deponie entsorgt. ■

Abb. 13

Versenkungsmaschinerie.

EUROPA - EINHEIT UND VIELFALT

Europäische Künstler in Bayreuth

"Ehedem mußten Künstler, Dichter und Musiker nach Paris, Rom und Neapel wallfahren. Jetzt ist ihr Ziel Bayreuth."
(Voltaire)

Die ersten Jahre der Markgräfin in Bayreuth waren musikalisch durch die Instrumentalmusik bestimmt. Wilhelmine hatte es geschafft, eine qualitativ schlechte, zumal durch Krankheiten dezimierte Kapelle in ein hervorragendes Orchester zu verwandeln.

Nicht nur einheimische Komponisten wie Pfeiffer, Kleinknecht oder Falkenhagen, sondern auch auswärtige Künstler wie Franz Benda oder die Gebrüder Graun stellten sich in ihren Dienst. Dennoch: deutsche Lebensart und Kunst konnten die Markgräfin nicht zufriedenstellen, da sie den damaligen Zeitgeschmack nicht trafen. Wilhelmine sehnte sich nach französischer und italienischer Kultur; so bemerkte sie in einem Brief an ihren Bruder: *„[...] hier haben wir nur dickwanstige Deutsche, ebenso pedantisch wie blöde.“*

1738 schließlich zog die erste „italienische Karawane“ nach Bayreuth. Es blieb jedoch bei einem kurzen Intermezzo, da sich die Spannungen zwischen den deutschen und italienischen Künstlern so dramatisch steigerten, daß die Italiener Bayreuth noch im gleichen Jahr verlassen mußten.

Als zwei Jahre später eine weitere „Caravane d´ Italie“ eintraf, vollzog sich die Wende am markgräflichen Hofe. Allerdings hielt nicht nur die italienische Oper Einzug in Bayreuth, es kehrte auch wieder Unfriede zwischen deutschen und ausländischen Künstlern ein. Anlaß dafür dürfte wohl die Bevorzugung der italienischen Sänger und französischen Schauspieler und Tänzer gewesen sein. Neben einer besseren Bezahlung wurde ihnen eine besondere Ehrung zuteil: Wilhelmine widmete ihnen ein ganzes Zimmer in ihrem Schloß.

Die Markgräfin kannte also bereits Probleme einer „multikulturellen Gesellschaft“, wie z. B. Bevorzugung bzw. Benachteiligung von Angehörigen verschiedener Nationalitäten, Konkurrenzkampf und Neid, verbunden mit der Angst um die eigene Existenz.

Dennoch schienen derartige Unstimmigkeiten den zahlreichen Festen und musikalischen Darbietungen keinen Abbruch getan zu haben. Letztendlich arbeiteten alle Künstler auf ein Ziel hin:

Ein möglichst harmonisches, aber abwechslungsreiches und interessantes Leben in Bayreuth.

Eine „europäische“ Künstlerfamilie

Die Familie Galli-Bibiena aus Bologna gehörte zu ihrer Zeit zu den größten und erfolgreichsten Theaterbauern in Europa, und so bestimmte diese Künstlerdynastie in Wien und von Wien aus die barocke Bühnenkunst. Rund 150 Jahre lang, vom Stammvater Giovanni Maria dem Älteren bis zum Urenkel Carlo, errichteten sie ein gewaltiges Gesamtwerk in Barcelona ebenso wie in Prag, Potsdam, Wien, Bayreuth, Lissabon, Parma, Bologna, Dresden, Florenz, London.

Ferdinando Galli-Bibiena ging als erster von der bis dahin üblichen Zentralperspektive weg und erreichte durch Drehung der Kulissen den Eindruck eines mehrachsigen Raumes. Mit verschiedenen theoretischen Schriften gab er seinen Nachfolgern die Grundlagen für die Raumkompositionen des 18. Jahrhunderts. In den Arbeiten seines jüngeren Bruders Francesco deutete sich das Ende des Hochbarock an. Ihre Gedanken von Diagonalachsen und Asymmetrie brachten ihre Nachfolger, die Brüder Alessandro, Giuseppe und Antonio zur Vollendung, wobei Giuseppe wohl als bedeutendstes Familienmitglied herauszuheben ist. Seine Theater waren mit solch einer Präzision ausgeführt, daß es dem Betrachter kaum möglich war, echte Landschaft von künstlicher oder wirkliche Räume von angedeuteten zu unterscheiden. Von Wien aus kam Giuseppe über Prag und Dresden nach Bayreuth, wo er gemeinsam mit seinem gerade 18jährigen Sohn Carlo und einheimischen Künstlern wie dem Hofmaler Wilhelm E. Wunder oder dem Hof - und Kabinettvergolder Johann N. Grüner die Ausstattung des Opernhauses aufnahm.

Alessandro, der ältere Bruder von Giuseppe, war als kurfürstlicher Architekt und Ingenieur in Mannheim tätig, wo er das Opernhaus, die Jesuitenkirche und den rechten Schloßflügel errichtete.

Giuseppes jüngerer Bruder Antonio war erst als zweiter Theatralingenieur in Wien angestellt, verließ jedoch Österreich, um sich in Italien zu entfalten.

Im Urenkel Carlo lebten die Kunstlehre der Galli-Bibiena und die Gedanken des italienischen Barock noch ein letztes Mal in Vollendung auf. Carlo war als Bühnenbildner in Berlin und London tätig, sein größtes Werk jedoch vollbrachte er in Bayreuth mit der prachtvollen Dekoration des Markgräflichen Opernhauses. ■

Alexander Roslin: **Bildnis eines Primgeigers** (um 1747)

Alexander Roslin: **Bildnis des Flötisten Christian Friedrich Döbbert** (um 1747)

Alexander Roslin:
Bildnis des Bayreuther Opernsängers Jacomo Zaghiny (1751)

Schweden

Aus Schweden waren am Bayreuther Hof hauptsächlich Maler tätig, beispielsweise Alexander Roslin, der die Opernsänger Zaghiny, Leonardi und Cellarina porträtierte.

Alexander Roslin:
Bildnis der Bayreuther Opernsängerin Madame Cellarina

Frankreich

Für die unter dem Marquis de Montperny gegründete „französische Komödie" wurden meist nur Pariser Künstler berufen, wie Blondeval, Uriot, Fierville, Merval und die Damen Raymond, Le Brun, Fleury und andere. Glänzende Stars, wie den weltberühmten Tragöden Le Cain oder den Komiker Preville wußte man für kürzere Gastspiele zu gewinnen.

Böhmen

Ein böhmischer Glasbläser fand den Weg an den Bayreuther Hof.

Italien

In Bayreuth verkehrten die berühmtesten damaligen Sänger und Musiker. Ein Großteil von ihnen kam aus Italien. Ausschlaggebend dafür war das Venedig des 18. Jahrhunderts, das den Mittelpunkt der Theaterwelt bildete. Besonders Wilhelmines Liebe zur Musik spannte die Fäden zwischen dem Bayreuther Hof und Venedig. So kam es, daß alljährlich die berühmtesten italienischen Künstler ins Markgräfliche Opernhaus kamen.

Jacomo Zaghiny, Vokalist, von 1739 bis 1752 in Bayreuth, konnte sich besonderer Wertschätzung der Markgräfin erfreuen: „Er hat die schönste Stimme, die man hören kann."

Steffanino Leonardi wurde im Herbst 1749 als Kammervirtuose des Bayreuther Hofes geführt. Er sang den „Cambise" in Jomellis „Ciro Riconosicuto".
Andrea Bernasconi, Komponist des von Wilhelmine geschrieben Stückes „L´Huomo".
Giacomo Cavallari, Vizekonzertmeister (1751-1753).
Die Hofdichter **Angelo Cori, Luigi Maria Stampiglia, Giovanni Andrea Galetti**.

Carlo Daldini Bossi, Francesco Girolamo Andrioli und **Jean Baptiste Pedrozzi** gestalteten als Stukkateure das Bayreuther Rokoko.
Giovanni Paolo Gaspari, Theaterarchitekt und Bühnenbildner, war seit 1739 in Bayreuth und Erlangen als Hoftheatermaler tätig.
Für die Ausgestaltung des Innenraumes des Markgräflichen Opernhauses wurde die weltberühmte Künstlerfamilie **Galli-Bibiena** engagiert. Im Jahre 1746 kam Carlo, Sohn des kaiserlichen Ingenieurs und Hofarchitekten Giuseppe Galli-Bibiena von Wien nach Bayreuth, wo er mit der Dekoration des Opernhauses begann. Er arbeitete ganz im Sinne der Kunstlehre, die er von seinem Vater und seinem Großvater Ferdinando übernommen hatte. Zwei Jahre später folgte Giuseppe Galli-Bibiena seinem Sohn, um mit ihm die mühevolle Aufgabe zu beenden.

»Sehen und gesehen werden«

Das Weltbild der Barockzeit

Theater als Abbild der Welt

a) Als Abbild der Ständegesellschaft

Die Sitzordnung im Theater spiegelt die feudale Ständegesellschaft wieder. Dies können wir im Manuskript des Geheimrates König nachlesen.[1] So war das Parterre, dessen Bänke tuchbeschlagen waren, dem Adel vorbehalten. In der Mitte vor der ersten Reihe wurden zu jeder Aufführung zwei Samtsessel für das Markgrafenpaar aufgestellt. Friedrich setzte sich jedoch nie, sondern lehnte stets an der Brüstung zum Orchestergraben – genauso wie die vornehmsten Cavaliere.

Auf den Bänken nahm der Adel Platz. Die Damen, beengt durch ihre weiten Röcke, saßen vorne. Die hinteren, leicht erhöhten Reihen des nach vorne abfallenden Zuschauerraumes waren den Herren vorbehalten.

Die über ihnen befindlichen „Fürstenloge“ wurde zwar niemals vom Markgrafen und nur sehr selten von Wilhelmine benutzt, doch erhielten ältere Hofdamen, sowie vornehme Fremde, die nicht im Parterre gesehen werden wollten, die Erlaubnis, in dieser oder den Proszeniumslogen Platz zu nehmen. Pagen konnten mit ihren Lehrern und Hof-Officianten von der Galerie über dem Parterre dem Schauspiel beiwohnen.

„Collegial Räthe“ fanden ihren Platz auf dem ersten und zweiten Rang neben der Fürstenloge, während der zweite und dritte Rang für die Dienerschaft, aber auch bereits angesehene Bürger der Stadt reserviert waren. In diesen beiden Rängen waren die Plätze in durchnumerierte Gruppen angeordnet, und jede war einem Stand zugeteilt. Die numerierten Billets mußten vor dem Einlaß einem „Unter-Officier“ gegeben werden.

Wenn der Justizrat König in seinem Manuskript von einer „4ten und obersten Reyhe“ als Aufenthaltsort für das gewöhnliche Volk spricht, so gibt er damit ein Rätsel auf, denn es befinden sich im Opernhaus nur drei Ränge und der umlaufende Gang hinter der Attika unter dem Deckenansatz kann nur schwerlich gemeint sein, da er keinerlei Sichtmöglichkeiten bietet.[2] Die Untertanen und Einwohner waren folglich durchaus zum Theater zugelassen, mußten aber mit dem letzten Rang zufrieden sein. Die Sitzordnung im Theater war letztlich Abbild der Ständegesellschaft.

b) Als Abbild monarchischer Größe

Die repräsentative Fassadengestaltung, der prächtige Bau der Fürstenloge sowie die Bedeutung der Zentralperspektive waren Ausdruck monarchischer Größe und Macht. Die Mitte über der Bühnenöffnung ist mit dem markgräflichen Wappen und der Königskrone, die Wilhelmine als preußische Prinzessin im Wappen führen durfte, geschmückt. Die meistenteils schlichte Gestaltung des Innenraums – man begnügte sich mit einer Bemalung, verzichtete aber auf Skulpturen und Reliefs – steht im Kontrast zur prächtigen Dekoration von Proszenium und Fürstenloge, die wiederum Ausdruck monarchischer Macht war. Die innere Ausgestaltung, wie z. B. die Treppenaufgänge im Vestibül oder die repräsentativen Räume, die den Zugang zum Balkon auf der Schauseite ermöglichen, ist relativ einfach. Die Einrichtung einer Wandelhalle war im Gegensatz zum deutschen für das italienische Logentheater ungewöhnlich, da man Besucher ursprünglich nur in der Loge empfing. Daraus kann man schließen, daß das Publikum vor allem ins Theater kam, um sich selbst in der Öffentlichkeit zu zeigen und in Szene zu setzen. **Man ging ins Theater, um zu sehen und gesehen zu werden und Kontakte zu knüpfen. Deshalb lagen sich auch die Logen gegenüber.** Man sah vor sich die Hofgesellschaft, das Bühnengeschehen war nebensächlich. Hauptsache war die Selbstinszenierung. Bei der Ausgestaltung des Zuschauerraumes spielt die Zentralperspektive eine große Rolle. Alle Linien laufen auf den Platz des Herrschers hin. An der Spitze der Ständepyramide steht der Herrscher.

Zudem glorifizierte das Bühnengeschehen in Anlehnung an die Antike den Fürsten, oft übernahm der Fürst höchstpersönlich die Hauptrolle des Stückes. Das Publikum wurde also auf alle Fälle mit der Person des Herrschenden konfrontiert. Die Tatsache, daß das Opernhaus als Rahmen fürstlicher Selbstdarstellung dient, läßt sich auch aus einem überlieferten Zeremoniell herauslesen. Vor dem Opernhaus waren Wachen postiert, die zum Empfang des Markgrafenpaares Trompeten und Posaunen bliesen. Von der Vorhalle aus links war ein Zimmer eigens für den „Hof-Conditor“, Mundschenk und dergleichen reserviert, die der Herrschaft Erfrischungen und andere Leckereien servierten. So war die Hofloge architektonisch wie gesellschaftlich zugleich zentraler Raum und Bühne, auf der im feierlichen Vollzug des Hofzeremoniells die „Sakrali-

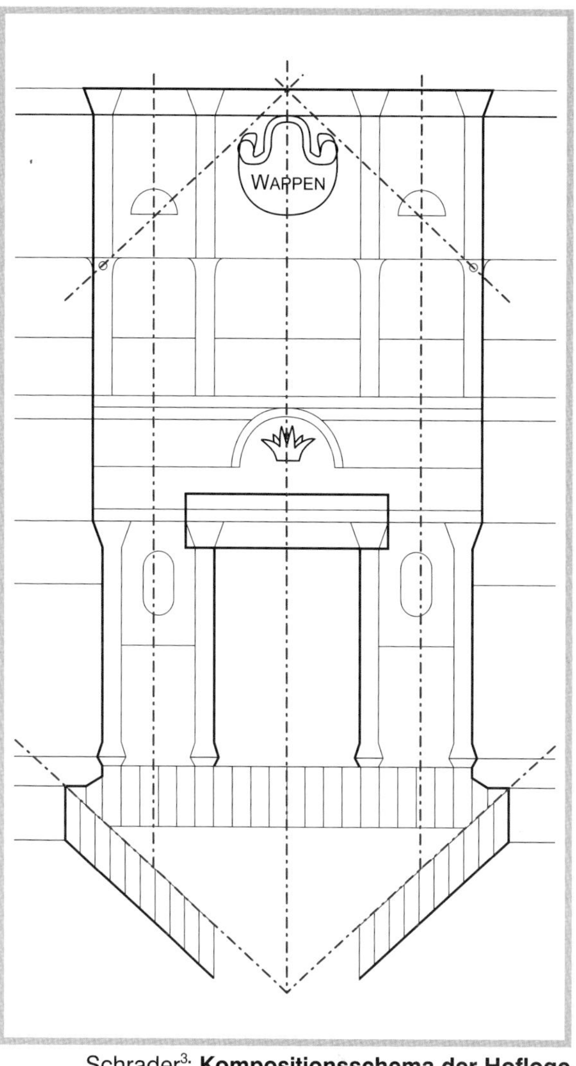

Schrader[3]: **Kompositionsschema der Hofloge**

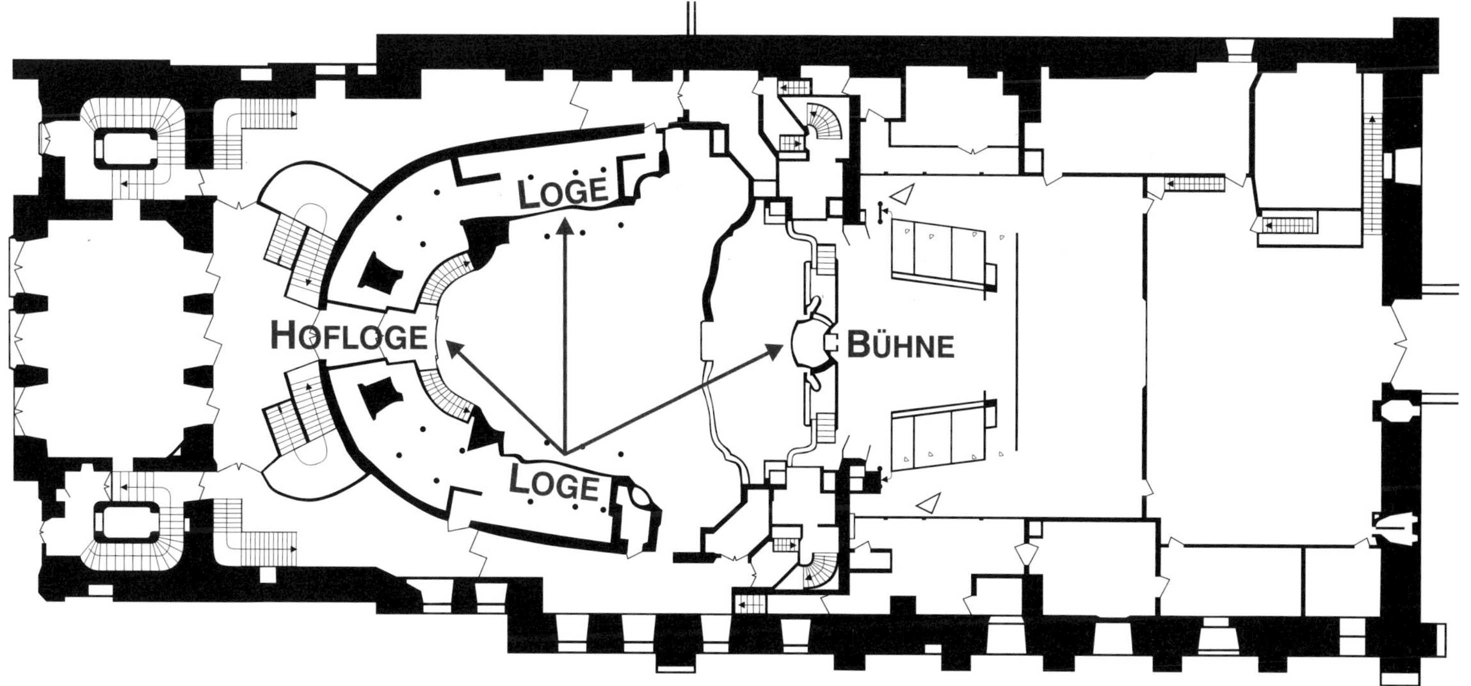

Man ging ins Theater, um zu sehen und gesehen zu werden. Blickte man aus der Loge geradeaus, so sah man Seinesgleichen. Das Geschehen auf der Bühne wurde zur Nebensache. Hauptsache war die Selbstinszenierung des Adels

tät und Omnipotenz" des Herrschers in Szene gesetzt wurde.

Theater als Sinnbild der Welt

Das Titelblatt mit der Inschrift „Theatrum Orbis Terrarum" - Schauplatz des Erdkreises - zeigt einen bühnenähnlichen Aufbau, auf dem fünf weibliche Figuren, die Erdteile, wie sie Ortelius sah, vertreten.[4]

Eine Erklärung gibt Adolf von Meetkercke, Ratsherr in Brügge und später Diplomat, in einem dreiseitigen Gedicht, das dem Widmungsblatt folgt. Oben thront Europa, die Königin der Erde, mit Krone, Szepter und einem großen Reichsapfel die Herrschaft des christlichen Europa über die Welt symbolisierend. Links steht Asien, eine reichgeschmückte orientalische Prinzessin, mit einem Weihrauchfaß in der Hand, das die Schätze des Ostens repräsentiert. Rechts hält Afrika einen Balsamzweig in der Hand, ein typisches Handelsgut Ägyptens. Die geringe Bekleidung und die Flammenkrone sollen auf den Charakter Afrikas als heißer Erdteil hinweisen. Unten liegt Amerika, eine nackte, helmtragende Amazone mit einer Keule in der Rechten und einem abgeschlagenen Menschenkopf in der Linken, ein Bild der Wildheit, das Bogen und Pfeil vervollständigen.

Wir haben es hier möglicherweise mit der frühesten allegorischen Darstellung Amerikas zu tun. Unten rechts wird der fünfte Erdteil, das Südland, das Meetkercke nach dem Entdecker, dem Weltumsegler Magalhaes, Magellana nennt, durch eine Büste symbolisiert. Da man von diesem hypothetischen Südland nur einen Teil der Nordküste, eben die Nordküste des Feuerlandes an der Magalhaesstraße kennt, ist nur der Kopf der Figur abgebildet und als charakterisierender Zusatz ein Flämmchen, das auf das Feuerland hinweist, beigefügt.[5]

Das Theater spielt als Ausdrucksmittel höfisch-absolutistischer Lebensform eine bedeutende Rolle: Das ganze Leben war Theater, die Welt war eine Bühne, auf der Gott als Spielleiter dieses Welttheaters fungierte.[6] Die Fürsten waren Untergötter, die ihm nacheiferten und dies auf der Bühne zum Ausdruck brachten. Jeder spielte seine Rolle, die ihm im Leben zugewiesen war: der eine als Fürst, der andere als Untertan.

Titelblatt zu „Theatrum Orbis Terrarum" von Abraham Ortelius 1570

Der Hof als Bühne

Großes Vorbild für viele Fürstenresidenzen war **Schloß Versailles** (1722). Die Schloßanlage gleicht dem Grundriß eines Theaters mit dem inneren Schloßhof als Bühne und dem äußeren Schloßhof als Zuschauerraum

Treppenhaus als Bühne für das differenzierte Empfangs- und Verabschiedungszeremoniell. Es bot vielfache Möglichkeiten, je nach Rang – über das Hinaufsteigen des Gastes und das Herab- und Entgegenkommen des Hausherren – die gesellschaftliche Hierarchie zu verdeutlichen[7]

Nicht nur die Schlösser, sondern auch **die Gartenanlagen zur Zeit des Barock waren wie eine Bühne angelegt**

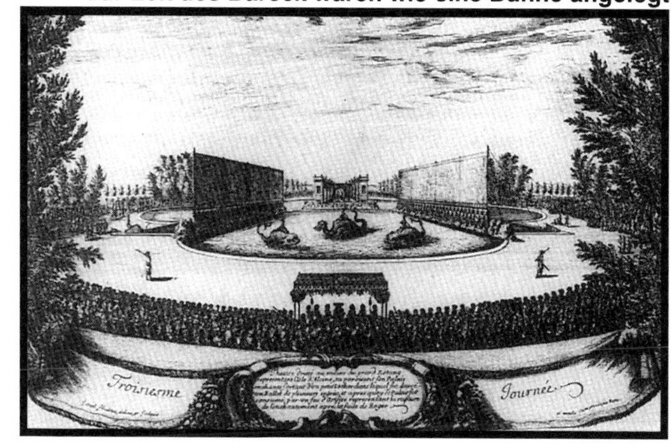

Das Leben als Theater – Synthese von Realität und Illusion, von Sein und Schein

Dieses Bild zeigt in eindrucksvoller Weise die barocktypische Vermischung von Schein und Sein, von Realität und Illusion. Wir sehen die Verdrängung der Wirklichkeit des Todes und seine Vertuschung durch den schönen Schein der Schaustellung. Sicher war das auch fürstliche Selbstdarstellung. So ließ zum Beispiel der musikliebende Kaiser Leopold I. in Wien sein Sterben am 5. Mai 1705 unter den Klängen der Hofkapelle als imposanten Staatsakt inszenieren.

Hinter dieser Darstellung steckt aber noch mehr. Neben der Zuschaustellung der bunten Vielfalt der Lebenswirklichkeit wird auch die religiöse Dimension anschaulich faßbar. Das Barockzeitalter war theaterbesessen wie kaum eine andere Epoche, und es verstand das Theater als Sinndeutung des Lebens überhaupt: vordergründig in seiner eitlen Buntheit und Scheinhaftigkeit, aber darüber hinaus als Bühne der Entscheidung des Menschen zwischen Gut und Böse, zwischen Himmel und Erde.[8]

Theatralisierte Darstellung der Aufbahrung des Herzogs Eberhard III. von Württemberg, 1674

Die Ordnung der Welt

Ordnung, Symmetrie, Perspektive und Parallelismus bestimmen die Anlagen der Gebäude.

„Nichts ist schöner, nichts ist fruchtbarer als die Ordnung... . Die Ordnung verschafft auf dem riesigen Schauplatz der Welt allen Dingen Wert und Rang und ist gleichsam ihre Seele. Die Ordnung ist in der Kirche Gottes der Nerv des corpus mysticum. Ordnung ist das stärkste Band im Staats- und Familienleben (...)“ [9]

(Alstedt, „Encyclopedia“, 1630)

Der Versuch, Ordnung in das Chaos des Lebens zu bringen, ist letztlich religiös begründet und zeigt sich in den Rangstufen der Gesellschaft, in den Zeremonien des öffentlichen Lebens, im Aufbau eines Deckenfreskos, ja sogar in den barocken Gartenanlagen, in denen der Mensch versucht, die Natur zu beherrschen. Diese Ordnung beinhaltet die Zentralperspektive, die Symmetrie und den Parallelismus.[10]

Gesamtansicht des Gartens von Herrenhausen. Stich nach J.J. Müller von J. V. Sasse

Die Antithetik der Welt

Die Spannung zwischen mystischer Frömmigkeit und weltlicher Daseinsfreude prägte die Geisteshaltung und die Kunst. Äußerst lebendig war das Bewußtsein der Vergänglichkeit, denn Pest und Kriege hatten Einfluß auf die äußeren Lebensumstände. Diese Lebenseinstellung zeichnete sich in zahlreichen Vanitas-Motiven ab und der Idee vom Welttheater, welches als Gleichnis steht für den Mensch, der sich in der gegensätzlichen Welt zurecht finden muß.

Die Antithetik war vorherrschendes Grundprinzip der Barockzeit.[11]

Diesseits

- **Spiel** ————
- **Schein** ————
- Leidenschaftliche Sinneslust ———— und Lebensgier im Appell »carpe diem«
- **Wollust** ————
- Erotik ————
- Irdische »vanitas«(Nichtigkeit) ————
- Ausgeprägte Gier nach ———— Lebensgrund und Sinnesfreude
- **Weltbejahung** ————
- **Prunkvolles, höfisches Leben** ————

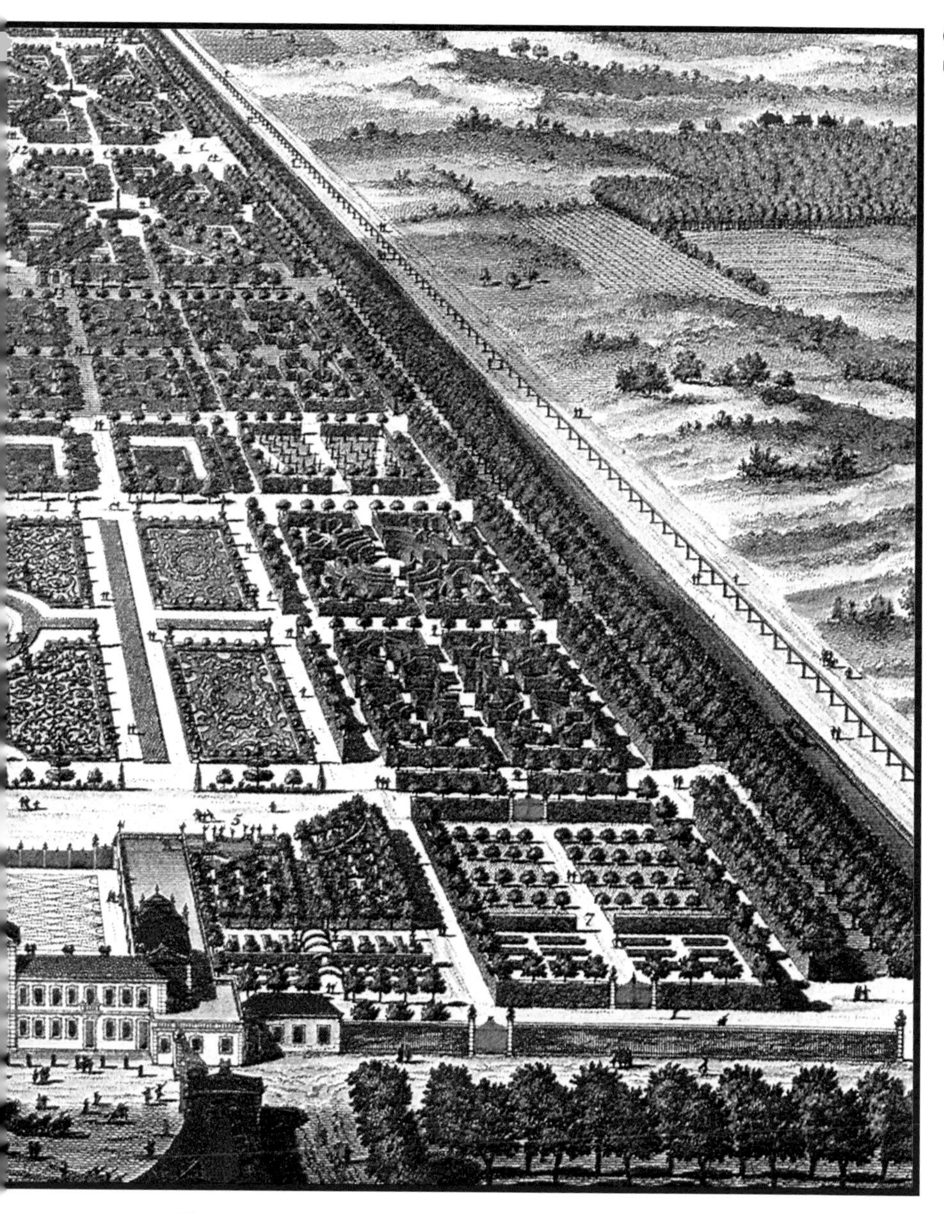

Ordnung, Symmetrie, Perspektive und Parallelismus bestimmen die Architektur

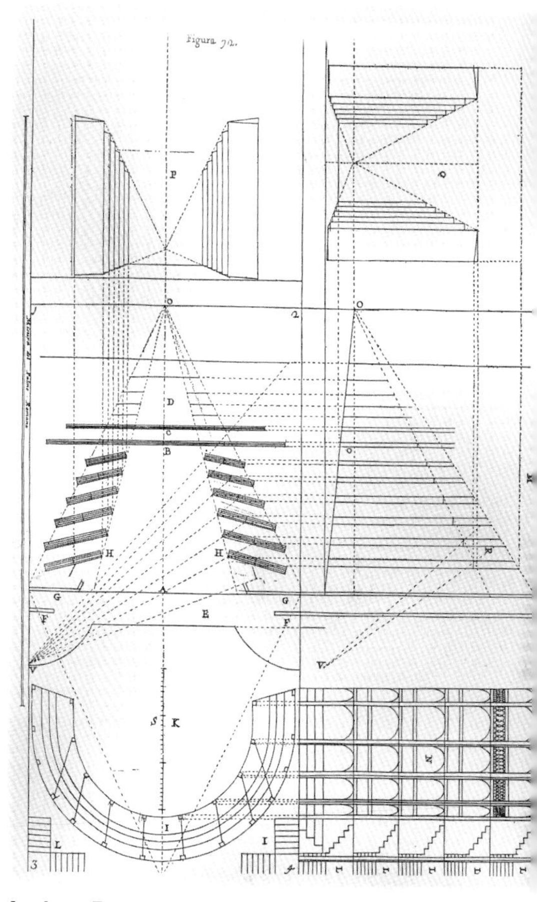

Andrea Pozzo: Theaterentwurf 1693

Jenseits

- **Ernst**
- **Sein**
- Quälendes Todesbewußtsein in der Aufforderung »memento mori«
- **Tugend**
- Askese
- Himmlische Seligkeit
- Radikale Absage an die vergängliche, eitle Welt
- **Weltflucht**
- **Karger Alltag**

Die **Perücke** weist auf das **Diesseits**, der **Totenschädel** auf das **Jenseits** hin

Die Entwicklung des Logentheaters

Das Logentheater erlebt im Zeitalter des Absolutismus seine Blüte. Die Entwicklung beginnt in der Antike

Das Theater als Spiegelbild der Gesellschaftsstruktur

1. Das Theater der Griechen

Aus der vor dem Heiligtum für die Tänze und Stücke des Dionysoskultes geebneten Spielfläche wird der Altar an den Rand gerückt und der Zuschauerraum (gr. theatron, lat. cavea) konzentrisch um den Großteil des Orchestra-Kreises angelegt; die zunächst hölzerne Bühne (gr. skene) erhebt sich im Rücken der Schauspieler.
Die Entwicklung erreicht einen Höhepunkt um 330 v. Chr. im ersten aus Stein gebauten Theater des Lykurgos[1] unterhalb der Athener Akropolis.

Sitzreihen aus Marmor, die sich an einen Hang anlehnen, umrahmen zu 12/20 den Kreis der Orchestra, der Bühnenbau der Skene ist nicht mit den Rängen der Zuschauer verbunden.

In Athen ist jedem Bürger die Aufführung im Theater frei zugänglich. Für die verteilten Platztäfelchen, denen ein numerierter Sitzplatz zugeteilt ist, muß jedoch ein geringes Entgelt entrichtet werden. Da die Aufführungen vom Staat veranstaltet werden, erstattet man jedem ärmeren Bürger, neben einer Vergütung für die ausgefallene Arbeitszeit, den Eintrittspreis.

Die vordersten Reihen sowie die Ehrensitze sind den Priestern des Dionysos und den Behörden der Stadt vorbehalten. *„Inwieweit sonst eine Rangordnung durchgeführt wird, läßt sich nicht mehr mit Sicherheit feststellen“*[2]. Die architektonischen Merkmale des attischen Theaters, die durch die hervorragende Akustik und die freie Sicht keinen Platz zu benachteiligen scheinen, spiegeln gut die demokratische Staatsform in Athen wider.

2. Das Theater im antiken Rom[3]

Die römischen Theaterbauten und Aufführungen sind den griechischen Vorbildern nachempfunden: *„Was Rom an theatralischer Kunst hervorbrachte, ging fast ganz auf griechischen Einfluß zurück.“*[4] Die römischen Theater werden nicht nur aus griechischen Bauideen entwickelt, sondern vielfach in die griechischen Theater hineingebaut. Durch den „rechtwinkligen“ Anschluß des Zuschauerhalbrundes an das gleichhohe Bühnenhaus entsteht aber in den römischen Theaterbauten ein viel geschlosseneres Raumgefühl.

Römisches Theater in Orange. Die Rangeinteilung spiegelt die ständisch gegliederte Gesellschaft wider

Den ersten dauerhaften Theaterbau errichtet im Jahr 55 v. Chr. Gn. Pompeius Magnus[5], einen gewaltigen Steinbau mit Plätzen für mehr als 17.000 Zuschauer. In der Folgezeit werden noch weitere dieser Arenatheater gebaut, bis dann in der Kaiserzeit als Sonderform, eine Art „Doppeltheater“, das Amphitheater, um einen ovalen Innenraum entsteht. Dieses gewinnt mit seinen Gladiatorenkämpfen, Tierhetzen und Seegefechten gegenüber dem griechisch geprägten Bühnentheater an politischer Bedeutung („Brot und Spiele“). Das Kolosseum *„Amphitheatrum Flavium“*, das größte Amphitheater des Altertums, erbaut unter Kaiser Vespasian in den Jahren 72-80 v. Chr., faßt sogar 40.000 Zuschauer. Die römischen Theater gleichen mit ihren amphitheatralischen Sitzreihen den griechischen Theatern bis in Details. In ihnen werden aber für die Repräsentation der ständisch gegliederten Gesellschaft und ihrer politischen Führung angemessene Bauformen entwickelt. *„Die Plätze in der Orchestra waren nach einem Gewohnheitsrecht den Senatoren und den reichen ‚Rittern' reserviert.“*[6]

Als jedoch die ersten 14 Sitzreihen im Jahre 67 v. Chr, gesetzlich den Rittern, also dem römischen Adel zugesprochen werden sollen, entsteht ein weitverzweigter Skandal, der sich vor allem gegen die verantwortlichen Volkstribunen richtete und der nur durch Ciceros Beredsamkeit beschwichtigt werden kann.

Im Kolosseum gibt es schon so etwas wie eine Vorform des Logentheaters (Loge: mittellateinisch lobia – „Galerie“). *„Der erste Rang enthielt über einem erhöhten Sockel die kaiserliche Loge, dazu die Ehrenplätze der Senatoren, Priester, Vestalinnen und Behördenmitglieder. Im zweiten Rang saßen die Adligen und die Offiziere, im dritten die römischen Bürger und im vierten das Volk. Eine Säulengalerie scheint für die Frauen bestimmt gewesen zu sein.“*[7] Die Verteilung der Sitze erfolgt im Kolosseum also nach der sozialen Stellung der jeweiligen Personen im Staat, bzw. nach ihrem Stand. Es spiegelt sich demzufolge in dieser Zuweisung der Sitze die ständisch gegliederte Gesellschaft wider. Insofern erfolgt hier eine Veränderung im Vergleich zum demokratisch geprägten attischen Theater.

3. Das Theater im Mittelalter[8]

Die „barbarischen Stämme“ mit ihrem vergleichsweise primitiven Kulturle-

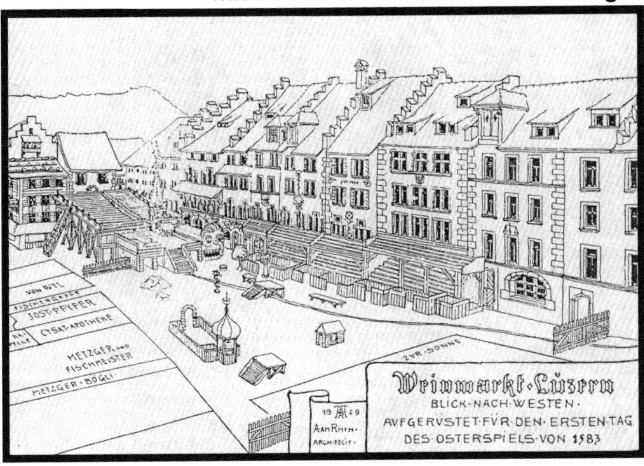

Mittelalterlicher Marktplatz mit Bühne und herrschaftlichen Logen

ben werden in der Epoche der Völkerwanderung zu den neuen Herrschern des römisch-griechischen Kulturkreises und bereiten mit ihren „neuen“ Reichen die staatliche Grundlage für die Entwicklung der mittelalterlichen Kultur.

Für die griechisch-römische Theaterkultur bedeutet das ihr vorübergehendes Ende im Mittelalter.

Den Herrschern fehlt es an Verständnis für die großen dramatischen Aufführungen der Römer und Griechen.

Außerdem erweist die sich in Europa schnell ausbreitende christliche Kirche als Gegner des „heidnische[n] Spiel[s]“[9]. Als Ausgleich dafür bietet die Kirche den Massen Ersatz in Form von mittelalterlichen, geistlichen Spielen, die unmittelbar aus dem *„ministerium“* (Gottesdienst) erwachsen. Die Kirche wird für die religiös motivierten Aufführungen im Laufe der Zeit zu eng, der mittelalterliche Marktplatz wird zum Handlungsort auserkoren. *„Oft standen* [die Zuschauer] *rings um den Marktplatz“*[10]. Es werden aber teilweise auch schon stufenförmige Aufbauten errichtet, die es den hintenstehenden Zuschauern ermöglichen, über die vorderen hinwegzusehen, und die sogar Sitzgelegenheiten bieten. Für die Vornehmeren legt man besondere Tribünen und Logen an, für deren Benutzung Sondergebühren zu entrichten sind. Für die Entwicklung des Logentheaters ist aber das Mittelalter bedeutungslos.

4. Das Theater in der Renaissance[11]

In der theatergeschichtlichen Entwicklung findet dagegen in der Renaissance ein bedeutender Wendepunkt statt.

Entscheidend erweist sich hierbei die Entstehung des Humanismus in Italien. Dort haben der enorme wirtschaftliche Aufschwung durch den Orienthandel und der daraus resultierende Reichtum die mittelalterlichen Verhältnisse am frühesten erschüttert. Man sucht nach einer neuen Ordnung auch im kulturellen Bereich. Der Humanismus am Ende des 15. Jahrhunderts führt zu einer Wiedergeburt des klassischen Altertums, der „Renaissance“. Die Künstler entdecken die Kunstwerke und die Literatur der Antike neu und machen sie zu ihrem Vorbild. 1486 wird in Rom mit der ersten Aufführung einer Seneca-Tragödie und einer Plautus-Komödie der Markstein zur „Renaissance“ des Theaters gelegt. Wenig später erscheinen in Rom

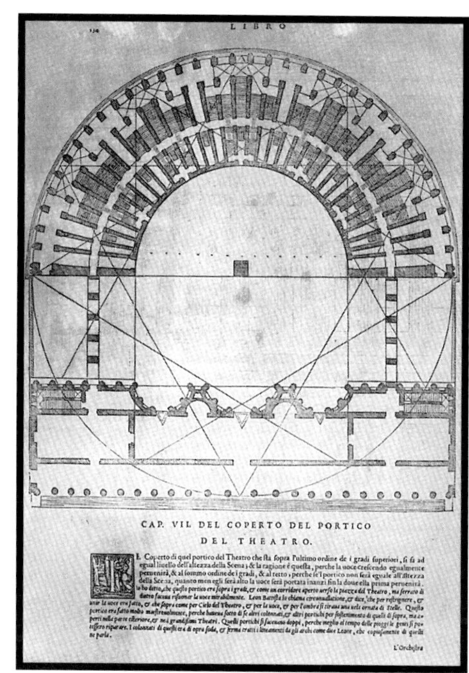

Andrea Palladio: Rekonstruktion des Vitruvianischen Theaters, 1556

Vitruvs *„de architectura libri decem“* (Zehn Bücher über die Architektur) im Druck, deren Verbreitung wesentlich dazu beiträgt, *„Bühne und Theater nach Vorbild der Antike zu gestalten“*[12]. Aufgeführt werden antike Stücke zunächst nur im Freien, auf Stadtplätzen, in Palasthöfen und dann auch in Sälen.

Im Jahre 1580 beginnt man schließlich das erste Saaltheater nach antikem Vorbild zu planen, das „Teatro Olimpico“ in Vicenza. Auftraggeber ist die „Accademia Olimpica“, eine humanistische Theaterakademie. Der Erbauer, Andrea Palladio, hat an der Herausgabe von Vitruvs zehn Bücher über die Architektur mitgearbeitet und stellt sich mit dem Teatro Olimpico die Aufgabe

Innenansicht des Teatro Olimpico

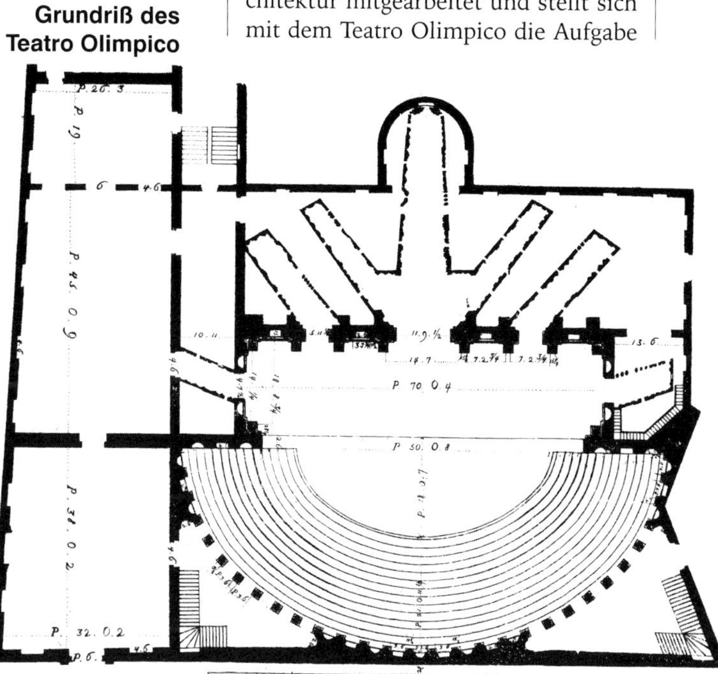

Grundriß des Teatro Olimpico

der naturgetreuen Rekonstruktion eines antiken römischen Theaters, wobei er die von Vitruv geforderte Anordnung der Sitzplätze übernimmt. Der Zuschauerraum des Teatro Olimpico, der fast 2.000 Menschen Platz bietet, hat eine halbovale Form und schließt mit seinen dreizehn Sitzstufen direkt an die Bühnenwand an. Palladio schafft mit seinem Theater „ein maßstäblich verkleinertes Abbild der gewaltigen spätrömischen steinernen Freilichttheater, übertragen in den geschlossenen Raum einer Spielzeugschachtel“[13].

Für die in der Folgezeit erbauten Theater gilt das Teatro Olimpico als Vorbild, und das nicht nur in Italien, sondern auch im übrigen Europa, in dem sich langsam der von Italien ausgehende Humanismus durchsetzt.

Theater innerhalb von Palästen spielen in Italien seit dem 16. Jahrhundert eine an Bedeutung wachsende Rolle. Gerade den Fürsten der Medici[14] dient Theater als Ausdruck ihrer Macht und ihres Reichtums. Deshalb treten sie im 16. und 17. Jahrhundert als Erbauer vieler prunkvoller Theater, wie der 1585 eröffneten, vielgerühmten Hofbühne von Florenz auf.

In diesem Theater stehen unmittelbar vor der Bühne die Prunksessel für die fürstliche Familie. Hier deutet sich schon die später vom Absolutismus aufgegriffene Idee der Repräsentation herrschaftlicher Macht durch das Theater an.

Im Italien der Spätrenaissance werden auch einige Theater in Geschäftstheater umgewandelt. Innerhalb kürzester Zeit wird ein wahrer Theatergründungsboom durch rasche Gewinne in Folge der Kommerzialisierung hervorgerufen. Dies ist ein wesentlicher Grund für die Entstehung der Form des Logentheaters.

Man unterteilt die Ränge durch senkrechte Wände in viele nach dem Zuschauerraum hin offene Kabinette. Durch diese Einteilung in Logen erreicht man eine größere Wirtschaftlichkeit, außerdem dienen sie nicht nur dem Zweck des *„Gesehenwerdens, sondern auch* [des] *nicht-Gesehenwerdens“*[15].

So gibt es Logen, die leicht zum Publikumsraum geneigt sind. In ihnen sitzen die Herrscher, für ihre Untertanen gut sichtbar.

Andere sind mit Holzgittern verkleidet und bieten dem Besucher eine gewisse Anonymität.

Die Abstufung in Ränge spiegelt die soziale Strukturierung im Absolutismus wieder und schafft gleichzeitig wesentlich mehr Platz für Besucher.

So bietet das Logentheater möglichst großes Fassungsvermögen auf möglichst kleinem Grundriß[16].

Zum Grundmodell des Logentheaters, das sich überall und mit wenigen Ausnahmen durchsetzt, wird ab 1637 das Teatro di San Cassian.

Dem Durchbruch des Logentheaters in Frankreich verhilft Kardinal Richelieu, der 1641 in seinem Pariser Palais ein Saaltheater einrichten läßt, das 1670 unter Molière[17] zu einem Logentheater mit U-förmigem Zuschauerraum umgebaut wird. Der Wandel vom „bürgerlichen“ Theater, das seinen Ausdruck am Anfang des 17. Jahrhunderts im Hotel de Bourgogne in Paris findet, zum höfischen Theater vollzieht sich jedoch erst mit der Aufführung der Komödie *„Timokratie“* von Pierre Corneille 1656 im Théâtre du Marais. Dieser öffentlichen Vorstellung, die als der vielleicht größte Theatererfolg der Epoche bezeichnet wird, wohnt nämlich unter anderem auch das französische Königshaus bei. Folge der Aufführung ist, daß das Theater zur bevorzugten Unterhaltung der Pariser Bevölkerung aufsteigt.

Bei den öffentlichen Darbietungen der Folgezeit sitzen auf den seitlich der Bühne eingerichteten Plätzen und in den ersten Logen Hofstaat und Adel, in den zweiten Logen, und bei Opern in den dritten, einfache Geistliche, junge wohlhabende Männer und junge Damen. Im Stehparkett drängen sich Offiziere, Gelehrte, Dichter, Bürger, Künstler und Bedienstete. Adel und Hofstaat sind bei diesen Aufführungen ebenso Schauobjekt wie das inszenierte Werk. Das Theater in Frankreich dient besonders unter Ludwig XIV.[18] zur Repräsentation absolutistischer Macht, und Versailles wird zum großen Vorbild für alle anderen europäischen Höfe des 17. Jahrhunderts.

Das Logentheater im Barock

1. Absolutismus im Zeichen höfischer Repräsentation[19]

Das höfische Logentheater findet seine stärkste Ausprägung in Deutschland, Italien und Frankreich. Dort ist der Absolutismus als Antriebskraft für die Entwicklung dieser Theaterform anzusehen.

Der absolutistische Monarch, zugleich Stellvertreter Gottes auf Erden, benutzt den Hof als Bühne, auf der er seine *„Sakralität und Omnipotenz“*[20] inszeniert. Mit dem Hof als Mittelpunkt des Landes und dem höfischen Fest als Mittelpunkt des Lebens wird die Macht ausgeübt, die nötig ist, um den Adel, der seiner Mitherrschaft beraubt ist, an den absolutistischen Staat zu binden. Dies hat zur Folge, *„daß der Wille des Adels zu feudaler Eigenständigkeit nachhaltig korrumpiert und schließlich gebrochen wurde“*[21]. Nur derjenige spielt eine Rolle, der zum Thron in Beziehung tritt. Der Rang bei Hofe ist entscheidend für Karriere- und finanzielle Chancen. Außerdem legt er den Grad der sozialen Stellung nach außen hin fest.

Vorreiter für die innere Gestaltung eines Staatswesens wird Ludwig XIV. Sein Schloß Versailles gilt den anderen europäischen Fürsten als Vorbild bei der Errichtung ihrer eigenen Schlösser.

In den 300 deutschen Reichsteilen wird *„Französische Kunst und Architekt* [...] *sklavisch nachgeahmt.“*[22]

2. Das Logentheater als Hoftheater[23]

Der Zeitgeist des 17. Jahrhunderts, also des Barock, greift den antiken Topos vom *„theatrum mundi“* (Welttheater) wieder auf und erweitert ihn mit einer bis dahin unbekannten Verallgemeinerung auf das Leben an sich. Das Theater und die Welt erscheinen dem barokken Menschen als zwei eng zusammenhängende Größen. Das Selbstverständnis dieser Zeit geht sogar soweit, daß man das Leben als ein Schauspiel ansieht, in dem jeder seine von Gott allein vorgegebene Rolle zu spielen hat. Aus dieser Auffassung heraus wird das Leben an den europäischen Höfen wie eine Theateraufführung inszeniert. *„Rang und Bedeutung jeder einzelnen Person wurden durch ihren Platz im Zeremoniell vollkommen repräsentiert“*[24].

Das höfische Fest stellt hierbei die letzte Steigerung der Theatralisierung des Lebens dar, jeder Festraum wird zur Bühne. Die Mitglieder des Hofes treten als Schauspieler auf, der Herrscher übernimmt die Rolle des herausragenden Helden. Nach Richard Alewyn dient das höfische Fest hauptsächlich der Selbstdarstellung des Adels und der Würdenträger. Im Fest erreicht die höfische Gesellschaft ihre endgültigste Form. *„Im Fest stellte sie dar, was sie sein möchte, was sie vielleicht zu*

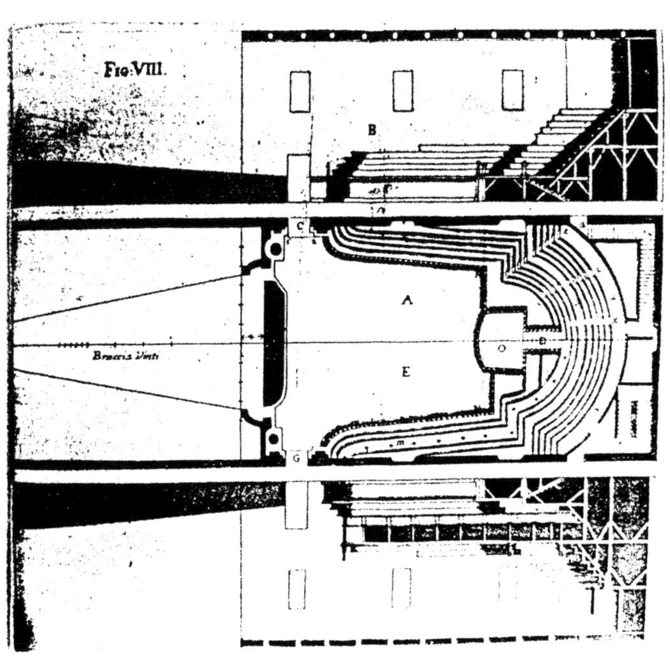

Erstes Projekt Mottas (vgl. S. 46)

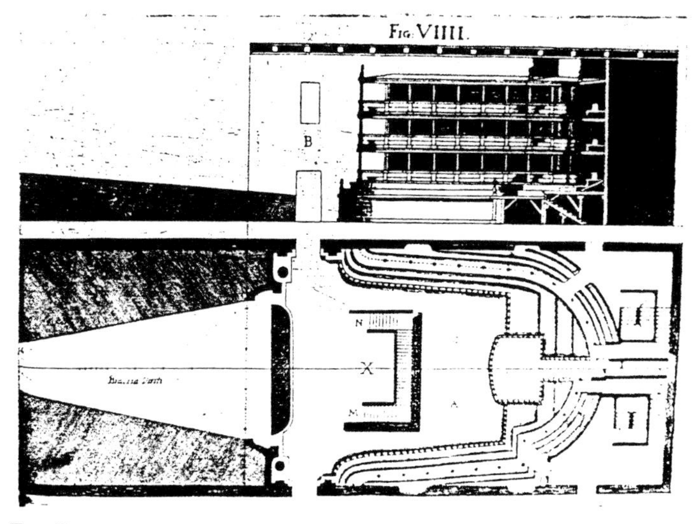

Zweites Projekt Mottas (vgl. S. 46)

sein glaubte, was sie in jedem Fall scheinen möchte."[25] Durch Festlichkeiten versucht der Hof also seine gesellschaftliche und politische Bedeutung zu repräsentieren.

Alewyns Rückgriff auf das Welttheater belegt, daß das Theater als Bestandteil des höfischen Festes im Barock eine besondere Rolle spielt: „*Das Theater ist im Barock nicht nur vollständiges Abbild, sondern auch vollkommenes Sinnbild der Welt.*"[26] Der höfische Mensch spielt also gemäß seiner Stellung bei Hofe seine Rolle.

In seinem Fronleichnamspiel „*Das große Welttheater*" von 1645 hat Calderon den Zeitgeist erfaßt und auf die Bühne gebracht „*Gott, der oberste Spielleiter will sich selbst ein Schauspiel bereiten, die Welt ist die Bühne, die Menschen sind die Schauspieler, und ihre Rollen stellen die verschiedenen sozialen Stände dar, also den König, den Reichen, die Schönheit, den Landmann und den Bettler. Das Stück, das gespielt wird, ist das menschliche Leben.*"[27].

Im Laufe des 17. Jahrhunderts entstehen überall im deutschsprachigen Raum aber auch im Rest von Europa, neue Theater, für die entweder bestehende Ballhäuser umgebaut oder neue Bauten errichtet werden. Das Theater wird aufgrund des entsprechenden materiellen Aufwands ein Teil der Machtdemonstration europäischer Fürstenhöfe. In der architektonischen Konzeption der Theater wird der absolutistische Fürst zum Gegenstand staatlicher Repräsentation.

Aus dieser Tatsache heraus entsteht das Rang- oder auch Logentheater, das, wie erwähnt, italienischen Ursprungs ist, jedoch mit dem Unterschied, daß die Ranganlage in Italien von den Vermögensverhältnissen bestimmt wird und nicht wie im absolutistischen Deutschen Reich von der Einteilung in Stände. In Italien können im Gegensatz dazu die Logen von jedermann gemietet werden. „*In Deutschland war das Theater vollständiges Spiegelbild der hierarchischen Struktur der Hofgesellschaft, an dessen Spitze folglich der absolutistische Fürst stand.*"[28]. Ihren Ausdruck findet die Hierarchie dieser Ständegesellschaft in der Sitzordnung. Hierbei entscheidet die Nähe zum Sitz oder zur Loge des Fürsten über den gesellschaftlichen Stellenwert, den eine Person, zumeist ein Adliger, bei Hofe innehat. Je geringer folglich die Distanz zum Platz des Herrschers ist, desto bedeutsamer die Stellung bei Hofe. Konkret heißt das, daß der erste Rang für den Fürsten und seinen Hofstaat reserviert ist, der zweite für die höhere Beamtenschaft, der dritte für die Bürgerschaft und der vierte für die Bediensteten. In Deutschland trifft diese Aufteilung nur teilweise zu, da das Hoftheater meistens nur Adlige als Zuschauer hat, jedoch ist dies auch vom Standort des Theaters abhängig. In freistehende, vom Schloß des Fürsten entfernte Bauten, wird vereinzelt auch bürgerliches Publikum eingelassen.

Theaterbauplan nach Sturm (vgl. S. 46)

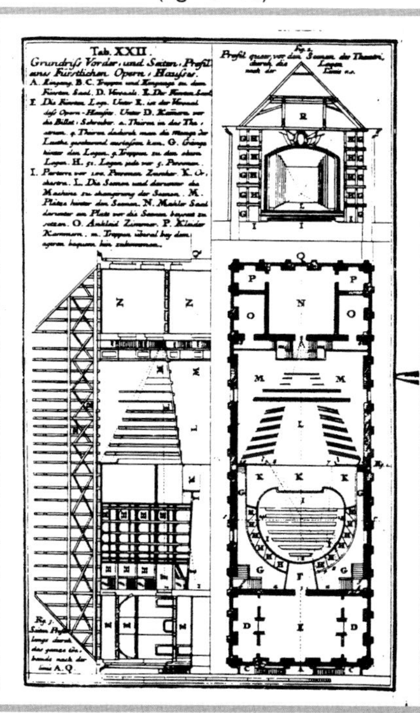

Der besondere, markierte Platz des Fürsten repräsentiert nicht nur seine herausragende gesellschaftliche Stellung. Die gesamte Bühnenperspektive ist auf einen zentralen Punkt hin ausgerichtet, nämlich den Platz des Fürsten. Der Monarch wird somit zum idealen Zuschauer, der als einziger und allein fähig ist, den Bühnenraum, der symbolisch für die ganze Welt steht, in der richtigen Perspektive wahrzunehmen. Dahinter steht die Auffassung des Gottesgnadentums, nämlich daß der Fürst der Stellvertreter Gottes auf Erden ist. Das Stück, das die Schauspieler vor dem Fürsten, dem idealen Zuschauer aufführen, steht stellvertretend für das Schauspiel, das die Menschen vor Gott in Szene setzen. Somit gilt die Raumkonzeption des Barocktheaters als Widerspiegelung der gesellschaftlichen und göttlichen Ordnung.

Abschließend läßt sich also sagen, daß das Theater im Dienst der Regierungsform des Absolutismus steht, und der Bautypus des Logentheaters im Sinne der ständischen Gesellschaftsstruktur seine Verwendung findet.

2.3 Theaterbautheorien[29]

Da das Logentheater seinen Ursprung in Italien hat, entstehen hier auch die ersten Theorien, die sich mit dem Theaterbau befassen.

An erster Stelle ist das Werk Fabricio Carini Mottas, *„Trattato sopra la struttura de Teatri e scene"*, 1676 in Gnastella erschienen, zu nennen. Motta beschäftigt sich darin mit dem Übergang vom Amphitheater (Teatro Olimpico) zum Logentheater. In der ersten Ausführung erfährt der Platz des Fürsten eine Abgrenzung zu den übrigen amphitheatralischen Rängen. Im zweiten Projekt kommen zu der abgegrenzten Fürstenloge auch noch andere Logen hinzu. Die Fürstenloge soll sich bei Motta in der Mittelachse gegenüber der Bühne befinden. Motta stellt somit einen Theatertypus vor, der durch Logenränge und den exponierten Platz des Monarchen gekennzeichnet ist (s. Abb. S. 45). Außerdem entsteht bei ihm der Ansatz zur Trennung der sozialen Schichten.

Andrea Pozzo, der ein Werk über den Theaterbau in den Jahren 1693-1700 veröffentlicht, modifiziert Mottas Logentheater zu einem mehrrangigen Logentheater. Bei der Entwicklung der deutschen Theaterbauten ist davon auszugehen, daß die italienischen Traktate von Motta und anderen weitgehend bekannt sind.

Wichtigster deutscher Vertreter ist Leonard Christoph Sturm mit seinem 1699 in Braunschweig erschienenen Werk *„Erste Ausführung der vortrefflichen und vollständigen Anweisung Civil-Bau = Kunst / Nicolai Goldmanns"* (s. Abb. S. 45). Sein Theaterbau enthält neben 50 Logen die Herrscherloge, die den Ausgangspunkt für die Konstruktion des übrigen Logenhauses bildet.

Desweiteren hebt Sturm die Fürstenloge von den anderen Logen durch ihre Größe und die Anordnung der Logen ab.

Die Positionierung der Monarchenloge im ersten Rang streicht noch einmal zusätzlich ihre hervorgehobene Stellung heraus.

Bei seinen letzten Projekten tritt Sturm für den Typus des freistehenden Theaters, also der vom Schloß unabhängig stehenden Anlage, ein.

Zieht man ein Resümee aus den deutschen Theaterbautheorien, so ist zunächst die Entwicklung vom Saaltheater zum freistehendem, autonomen Opernhaus nach Sturm herauszuheben. Wie in Italien, so vollzog sich auch in Deutschland der Wechsel vom Saaltheater zum Theater mit amphitheatralisch angeordneten Sitzreihen und schließlich zum Opernhaus mit mehrrangigem Logeneinbau. Man muß jedoch zugeben, daß die theaterbaugeschichtliche *„Entwicklung in Deutschland in gewisser Weise als Rezeption der italienischen Baugeschichte zu sehen ist."*[30]. In der Regel handelte es sich in Deutschland also um italienisch geprägte Anlagen. Im Unterschied zu italienischen Theaterbauten tritt bei den deutschen der *„Repräsentationscharakter eines solchen Baus stärker in den Vordergrund."*[31]. Damit gilt das Hoftheater *„in der Literatur als eine speziell deutsche Theaterform, die in keinem anderen Land in dieser Form existierte."*[32].

2.4 Das barocke Hoftheater am Beispiel des Markgräflichen Opernhaus von Bayreuth[33]

Das beste Beispiel für das deutsche Hoftheater im Dienste des Absolutismus ist das Bayreuther Markgrafentheater. Auf Betreiben der Markgräfin Friederike Wilhelmine Sophie wird der Bau des Opernhauses im Frühling 1746 in Angriff genommen und 1748 fertiggestellt. Das Bayreuther Markgrafentheater ist ein freistehender Theaterbau, der in einiger Entfernung vom Schloß errichtet wurde.

Die Innengestaltung des Opernhauses übernimmt der italienische Architekt Guiseppe Bibiena. Der glockenförmige Grundriß erhält durch ihn einen dreirangigen Logeneinbau. Die Hofloge befindet sich in der Mitte des ersten Ranges und erstreckt sich nach oben hin bis in den zweiten Rang. Die in der Mittelachse liegende Markgrafenloge ist außerdem gegenüber den anderen 41 Logen stark verbreitert, um dem Zweck der Repräsentation gerecht zu werden.

Ähnlichkeit zu dem Teatro Farnese in Parma erhält das Opernhaus durch eine Verbindung der Hofloge im Innenraum zum Parterre mit Treppen auf beiden Seiten. Eine Hervorhebung erfährt auch der erste Rang, der für die bedeutenden Zuschauer vorgesehen ist, durch eine Balustrade, deren variierte Form sich von den Balustraden der anderen Ränge unterscheidet. Auffallend ist die im Gegensatz zu den „konkav-konvex" geschwungenen Brüstungen der normalen Logen die halbkreisförmig geschwungene Brüstung der Herrschaftsloge, wodurch der „Eindruck eines Bewegungsmotivs" entsteht.[34]

Besondere Verzierungen befinden sich zudem in der Hofloge, deren Krönung der brandenburgische Wappenadler als Anspielung auf Wilhelmines preußische Abstammung ist. Der Eintritt des Markgrafenpaares wird von den zwei Trompeterlogen angekündigt, die rechts und links neben der Bühne schräg gegen den Zuschauerraum gestellt sind.

Ganz nach Sturms Theaterbautheorie ist der herrschaftlichen Loge ein mit ihr durch eine Treppe verbundener Vorsaal vorgelagert. Auch im markgräflichen Theater erfolgte ganz im Sinne des absolutistischen Repräsentationsstrebens eine Unterteilung des Zuschauerraums nach Ständen bzw. ihrer jeweiligen Bedeutung.

Die Hofloge bleibt vom Markgrafenpaar weitgehend ungenutzt. Für sie werden zwei goldene Samtsessel in der Mitte der 1. Reihe des Parterres aufgestellt. Friedrich aber lehnt lieber an der Brüstung zum Orchestergraben.

Für den Adel ist das Parterre mit den

Grundriß des Teatro Farnese in Parma

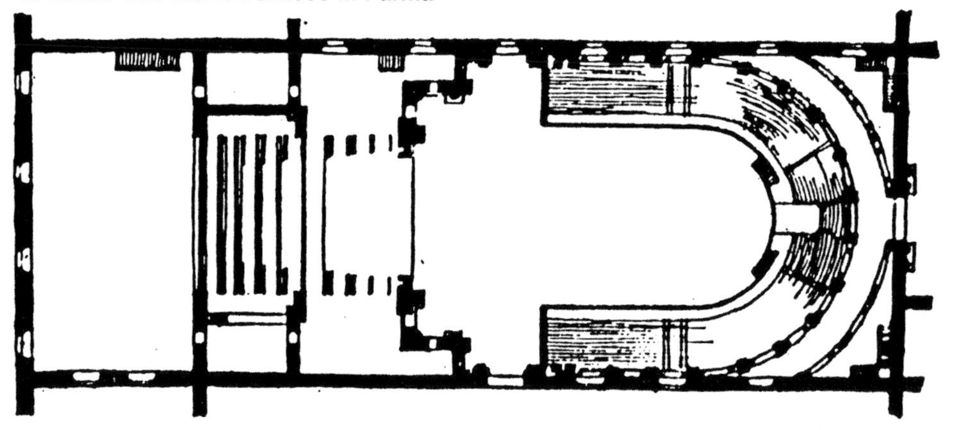

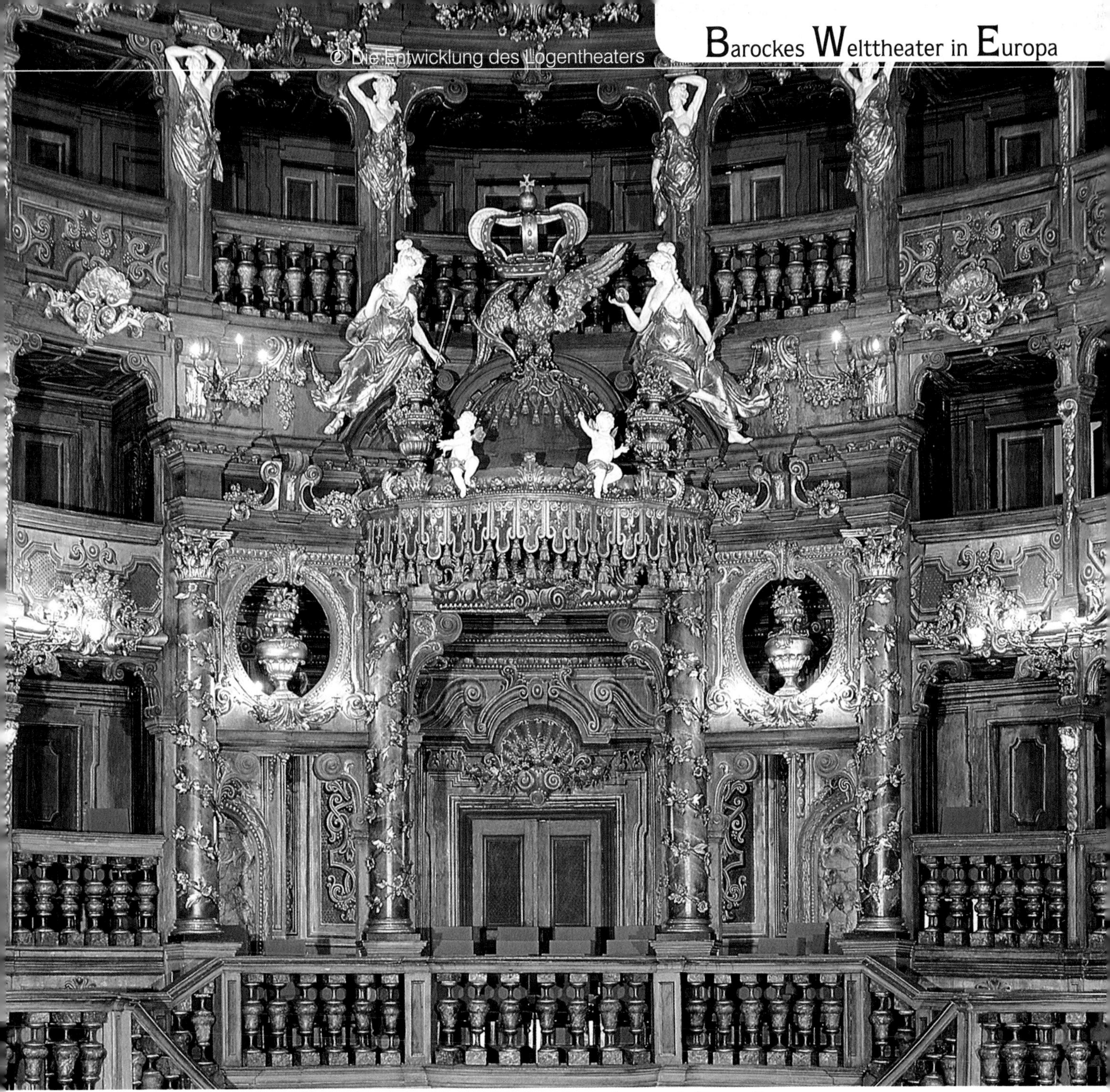

Fürstenloge des Markgräflichen Opernhauses in Bayreuth

tuchbeschlagenen Sitzbänken reserviert. Ältere Hofdamen, die nicht gesehen werden wollen, sitzen entweder in der vom Markgrafen ungenutzten „Fürstenloge" oder in den Proszeniumslogen.

Im 1. Rang finden „Collegial Räthe" ihren Platz, in den zwei anderen Rängen die Stände der Untertanen.

Der Architekt Bibiena schafft somit „eine dem Repräsentationsbedürfnis seines Auftraggebers gemäße, für höfische Zwecke konzipierte Anlage".[35]

Abschließend kann man nun sagen, daß das Theater ein Abbild der gesellschaftlichen Verhältnisse war und ist. Dies beginnt bei den Theaterbauten der attischen Demokratie mit ihren gleichartigen Stufen, so daß kein einzelner in seinem Sitzplatz begünstigt ist, und gipfelt im Logentheater des Absolutismus, in dem der Souverän seinen Machtanspruch durch eine perspektivisch im Mittelpunkt stehende Prunkloge demonstriert.

Das Bayreuther Opernhaus ist zugleich Höhepunkt und Endpunkt der Entwicklung des Logentheaters. Im Zuge der Aufklärung erfährt das monarchische Denken in bezug auf seinen uneingeschränkten, durch das Gottesgnadentum legitimierten Herrschaftsanspruch eine allmähliche Wende. Dies zeigt sich auch an der Tatsache, daß Markgräfin Wilhelmine von Bayreuth und auch ihr Bruder, Friedrich der Große, mit dem französischen Dichter und Aufklärer Voltaire befreundet sind, und er in ihren Schlössern als ein gern gesehener Gast verkehrt.

Im Laufe dieser Entwicklung bleibt nun auch die Fürstenloge im Markgräflichen Opernhaus unbenutzt, und der Markgraf wohnt den Inszenierungen direkt vor oder neben der Bühne bei.

Ein neues Zeitalter, die Aufklärung, bricht an, die Ränge verschwinden, ebenso die Herrscherloge. Das Publikum sitzt gleichberechtigt nebeneinander auf Holzbänken im Parterre wie zum Beispiel in dem 50 Jahre später erbauten Theater von Bad Lauchstädt. ■

Vom antiken Theater zur Kulissenbühne

Das römische Theater in Orange

Das Teatro Olimpico in Vicenza / Italien

Vom antiken Theater zur Kulissenbühne

Das Bühnenbild in der Geschichte des europäischen Theaters hat seine Wurzeln in der Renaissance. Von Italien ging der moderne Theaterbau aus, und bis zur Aufklärung waren es immer wieder Italiener, die von Portugal bis Rußland, von Italien bis Schweden die Theater nicht nur ausstatteten, sondern auch bauten. Die Entdeckung der perspektivischen Malerei leitete eine Entwicklung des Bühnenbildes ein, die bis ins 19. Jahrhundert vorherrschend sein sollte.

1. Scaenae frons

(Feststehende Bühnenrückwand)

Ursprung für die moderne Entwicklung des Bühnenbildes ist das antike Theater mit den im Halbrund ansteigenden Sitzreihen, mit seiner feststehenden Bühnenrückwand, der Scaenae frons. Besonders gut erhalten ist diese Prunkfassade in Orange.

Im Bestreben, das antike Theater wiederzubeleben, studierte man in der Renaissancezeit eifrig die Beschreibungen der antiken Architektur durch den römischen Baumeister Vitruv. Deutlich erkennt man das antike Vorbild in dem wohl bekanntesten Theaterbau der Renaissance, dem Teatro Olimpico in Vicenza (1584 errichtet).

So ist das Theater streng nach den Regeln Vitruvs konzipiert und somit ein, wenn auch später, End- und Höhepunkt des antiken Theaterbaus.

Wahrscheinlich errichtete man es, um den Mitgliedern der Akademie von Vicenza die Rekonstruktion von Aufführungen antiker Stücke zu ermöglichen. Die drei Öffnungen der Scaenae frons geben den Blick frei auf perspektivisch gestaltete, nicht bespielbare Gassen (siehe auch S. 43).

2. Perspektivbühne

Diese Bühnenform verbreitete sich ab 1530 in ganz Italien. Erstmals eingeführt wurde sie 1508 in Ferrara. Sie war die erste feste Bühne in einem geschlossenen Raum, die ausschließlich für Theateraufführungen genützt wurde. Bespielbar war nur die breite, jedoch wenig tiefe Vorderbühne. Auf der steil ansteigenden Hinterbühne befand sich ein Szenenaufbau, der bloße Schauarchitektur war und durch die Perspektive Tiefe vortäuschte. Vor einen im Hintergrund gemalten Prospekt stellte man Dekorationen aus je-

Die drei Bühnentypen der Perspektivbühne (Serlio):

1. Scena satirica

2. Scena tragica

3. Scena comica

weils zwei mit Leinwand bezogenen Holzrahmen. Das Szenenbild der Perspektivbühne war eine Einheitsdekoration, die sich während einer Aufführung nicht verändern ließ.

Man kannte drei Bühnentypen: Die „Scena tragica“ für die Tragödien, die „Scena comica“ für die Komödien und die „Scena satirica“ für die Schäferspiele.

3. Winkelrahmenbühne

Bei der Perspektivbühne verwendete man die Winkelrahmentechnik. Der Architekt Sebastiano Serlio (1475 - 1554) beschrieb 1545 ausführlich diese Dekorationstechnik der Renaissancezeit. Zwei im stumpfen Winkel miteinander verbundene Holzrahmen waren mit Leinwand bespannt und perspektivisch bemalt. In der Regel standen drei Winkelrahmen an jeder Seite der Bühne hintereinander, durch Gassen getrennt, auf schräg ansteigender Bühne und nach hinten kleiner werdend. Die Rückseite schloß ein Prospekt ab. Während eines Stückes war die Dekoration nicht austauschbar.

4. Telari-Bühne

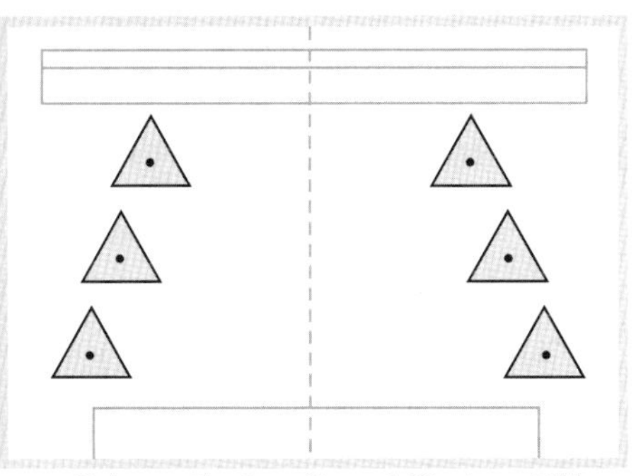

Schematischer Grundriß einer Bühne mit sechs Drehprismen nach Sabbattini

Eine Perfektionierung der Illusion brachte in der Folgezeit die Einführung prismenförmiger Bühnenbestandteile. Diese drehbaren Dreiecksprismen nach dem antiken Vorbild der Periakten (dreiseitig bemalte, prismenförmige Säulen, die als drehbare Dekorationsteile des antiken Theaters rechts und links die Bühne begrenzten), ermöglichten mit dem austauschbaren Hintergrundprospekt erstmals einen schnellen Schauplatzwechsel. Die auf drei Seiten mit einer eigenen Dekoration bemalten, in der Senkrechten um sich drehbaren Prismen standen auf beiden Seiten der Bühne in einer Anzahl von drei oder fünf. Während einer Szene konnten die der Bühne abgekehrten Flächen mit einer neuen Dekoration versehen werden. Bei dieser Art der Verwandlung brauchte jedes Prisma einen eigenen Bühnenarbeiter.

Der Ulmer Architekt Joseph Furttenbach übernahm diese Ende des 16. Jahrhunderts in Italien verwendete Bühnentechnik und baute 1641 zum ersten Mal in Deutschland ein Telari-System , das er 1663 in seinem Werk „Mannhaffter Kunstspiegel“ beschrieb.

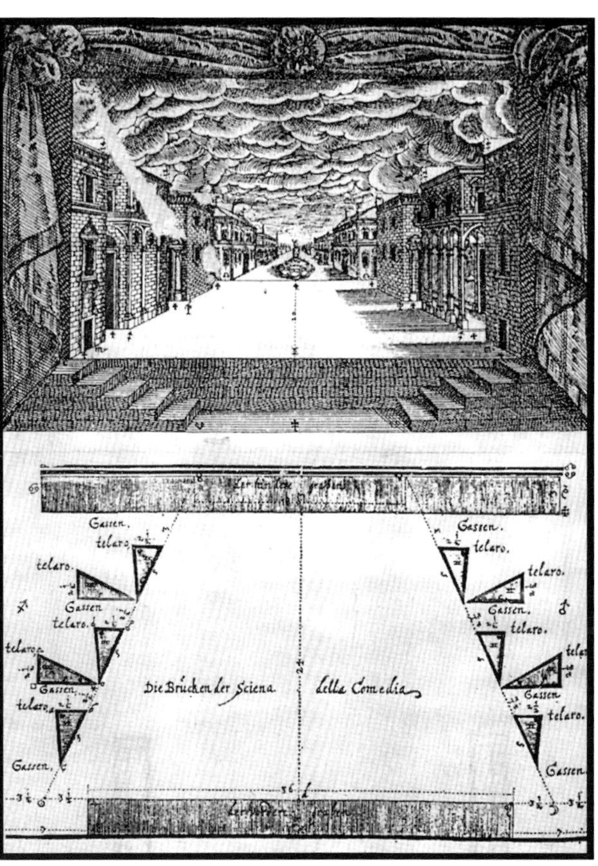

Entwurf für eine Telari-Bühne von Joseph Furttenbach 1663

5. Kulissenbühne

Die erste Kulissenbühne (franz: coulisse = Nut, Führung) baute der italienische Baumeister und Bühnenarchitekt Giovanni Aleotti (1546 - 1636) 1628 für das Teatro Farnese in Parma.

Die neue Form löste die Telari-Bühne ab. Die Seitenwände, die Kulissen, sind auf der linken und rechten Seite paarweise angeordnet und hintereinander gestaffelt. Nach hinten, zur Rückseite der Bühne hin, werden sie kleiner. Die mit Rollen versehenen Kulissen ruhen in Führungsschlitzen, den sogenannten Freifahrten, die im Bühnenboden eingeschnitten sind, und können in ihnen hin- und hergefahren werden. Den rückwärtigen Abschluß bildet der Prospekt. Als Abschluß nach oben sind die Kulissen durch schmale, waagerechte Hängedekorationen, die Soffitten, miteinander verbunden. ■

Kulissenbühne im Theater von Český Krumlov

Antike Bühnentechnik

Der Ursprung der Bühnentechnik ist im antiken Griechenland zu finden. Schon in der Frühzeit des Dramas verwendete man Bühnenmaschinerien, um die Wirkung der Aufführungen zu verstärken. Die Bühnenbildner waren so bedeutend, daß uns sogar ihre Namen überliefert sind wie z.B. Agatharchos, der Bühnenbildner des Aischylos.
In klassischer Zeit wurden *Pinakes*, bemalte Tafeln, an der Skenewand angebracht und *Katablemata*, bemalte Überwürfe. Sogenannte *Periakten*, eine Erfindung aus späthellenistischer Zeit, verbanden Bühnenmalerei und Theatermaschinerie. Mit ihnen konnte ein schneller Szenenwechsel angedeutet werden, ohne daß Bühnenarbeiter die bemalten Tafeln oder Überwürfe auszuwechseln brauchten. Die *Periakten* waren aufrecht stehende, um eine Achse drehbare Prismen, die auf ihren drei Seiten verschiedene Bemalung tragen konnten. Sie standen seitlich der Eingänge in das Skenegebäude und ermöglichten nun den schnellen Ortswechsel während einer Aufführung. Mit ihnen wurde aber nur der Ortswechsel signalisiert, sie bildeten noch keinen begehbaren Illusionsraum aus. Weiter ist uns die Möglichkeit des Bühnenwechsels mittels einer nicht näher beschriebenen Schiebemechanik, der *scena ductilis*, bekannt. ■

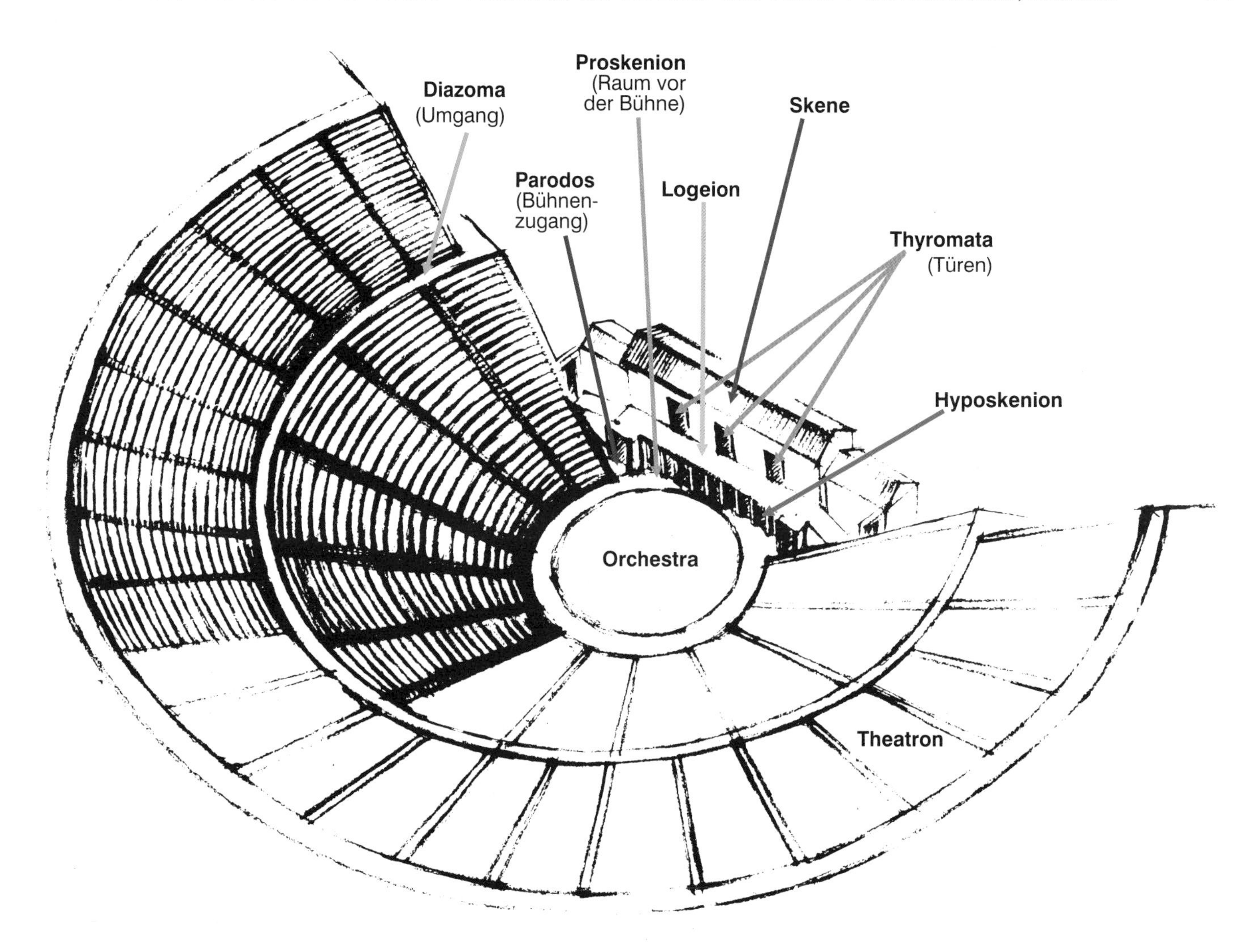

Skene

Unsere heutige Bühne entwickelte sich aus der *Skene*, ursprünglich einer einfachen Bretterbude, die hinter der *Orchestra* den Abschluß des Theaterbaus bildete und als Magazin und Umkleideraum diente. Diese unfundamentierten eingeschossigen Holzbauten wurden dann nach dem Spiel wieder abgeschlagen. Spielfeld des Theaters war noch die *Orchestra*. Im Laufe der Entwicklung des griechischen Theaters verlagerte sich die Aktionsfläche auf die nun zweigeschossige *Skene*. Gespielt wurde auf dem *Logeion*, dem mit Bohlen ausgelegten Dach einer vorgebauten Säulenhalle, des *Hyposkenions*.

Aufzüge

Sie sorgten für den Auftritt von Personen vom *Hyposkenion* zum *Logeion*, wohl auch von dort zum Dach der *Skene*. Mit einem Schrägaufzug konnten Götter, z.B. mit einem Sonnenwagen, über dem *Logeion* erscheinen.

Donner- und Blitzmaschinen

Bronteion: Bei dieser Donnermaschine wurden mit Steinen gefüllte Schläuche gegen Metalltafeln geschlagen oder man ließ Bleikugeln aus einem Metallgefäß auf ein gespanntes Fell niederprasseln. Man imitierte aber auch den Donner, indem man einfach Kieselsteine in ein Metallbecken schüttete.
Keraunoskopeion: Blitze erzeugte man mit auf dem Dach der *Skene* aufgestellten spiegelnden Bronzeplatten - sofern die Sonne schien.

Mechane

Im antiken Drama gab es Konflikte, die sich nicht mehr von der Handlung her lösen ließen. Ihre Lösung erfolgte von außen durch das überraschende Eingreifen eines Gottes. Dieser schwebte als *deus ex machina* an einer kranähnlichen Flugmaschine über der Spielfläche. Im "Prometheus" des Aischylos fliegt der Chor der Okeanostöchter durch die Luft herbei, wenig später erscheint ihr Vater auf einem vierbeinigen Flügelwesen reitend. Dies geschah entweder mit Hilfe eines Kranes oder mit einer Flugmaschine, der sog. *Aiorai*, die aus Seilen bestand, die ausgespannt wurden, um scheinbar durch die Luft dahingetragene Götter zu halten.

Ekkyklema

Dieses hölzerne Gestell auf Rädern, einem heutigen Bühnenwagen ähnlich, das aus dem Spielhintergrund herausgeschoben oder herausgedreht wurde, diente dazu, Innenräume sichtbar zu machen oder Entsetzliches wie blutige Gewalttaten oder Opfer dem Zuschauer deutlich vor Augen zu führen. So konnte die aristotelische Wirkung des Theaters, Furcht und Mitleid, bzw. Schrecken und Jammer, in eindringlicher Weise beim Publikum erreicht werden. Im Dionysostheater finden wir in den Steinfundamenten eine etwa 7 m breite und 3 m tiefe Plattform, die zur Orchestra hin vorspringt. Diese könnte sich als eine Unterkonstruktion eines *Ekkyklema* erklären.
Ferner gibt es Berichte, nach denen die Griechen auch Drehscheiben benützten, *Stropheia*, über deren Funktion wir aber keine konkreten Hinweise mehr besitzen.

GRUNDBEGRIFFE DES

Soffitten (ital.: soffitto = Decke)

Schmale Stoffbahnen, die an den Zügen in der ganzen Bühnenbreite über der Spielfläche hängen und den Einblick in die Obermaschinerie verhindern. Ursprünglich in der Kulissenbühne entsprechend den seitlichen Kulissen bemalt, vervollständigen sie den Raumeindruck.

Prospekt (lat.: prospectus = Aussicht)

Der bemalte, meist aufrollbare und hochziehbare Teil eines Bühnenbildes schließt die Szene im Hintergrund. Da er durch perspektivische Malerei große Raumtiefe vortäuscht, war er das wichtigste Gestaltungselement der Kulissenbühne.

Bühnenfall

Im Theater der Renaissance im 15./16. Jahrhundert wurde ein von der Rampe zum Hintergrund der Bühne ansteigender Boden eingeführt, um die perspektivische Wirkung der Bühnendekoration zu unterstützen. Außerdem sollte er den Zuschauern im Parkett bessere Sichtmöglichkeiten bieten, wenn das Spiel im Hintergrund der Bühne stattfand. Allerdings war der Bühnenfall manchmal so steil, daß er nur schlecht bespielt werden konnte. So wurde er im 19. Jahrhundert aufgegeben.

Rampe

Sie bildet die Unterkante des Portalrahmens.

KULISSENTHEATERS

Proszenium (gr.: proskenion = das vor der Skene)

Im antiken griechischen Theater war diese Spielfläche dem Bühnenhaus, der Skene, vorgelagert. Seit dem Theater des Barock ist mit Proszenium die Einfassung der Bühnenöffnung, des Bühnenportals, gemeint. Es war zeitweise außerordentlich prunkvoll gestaltet und zum Teil mit Proszeniumslogen für Zuschauer versehen. Im modernen Theater hat das Proszenium fast ausschließlich technische Funktion. In ihm sind Teile der Beleuchtungsanlagen untergebracht. Türen und Öffnungen ermöglichen Auftritte auf der Vorderbühne.

Hauptvorhang

Er schließt die gesamte Bühnenöffnung gegen den Zuschauerraum ab und war im 18./19. Jahrhundert meist prunkvoll gestaltet. Vor Einlaß des Publikums wird der Eiserne Vorhang weggefahren, so daß die Zuschauer in der Regel den Haupt- oder Schmuckvorhang sehen. Ein Spielvorhang ist eigens für eine Inszenierung entworfen.

Kulisse

Auf Rollen montiertes Bühnenteil, das in Führungsschlitzen ruht. In diesen Schlitzen konnten die Kulissen bei einem Szenenwechsel auf die Bühne geschoben werden. Die Kulisse ist eine flache Wand und besteht in der Regel aus einem Holzrahmen, der mit Leinwand bespannt und bemalt ist.

Versatzstück

Das Ausstattungsteil für die Bühne hat meist ein kleineres Format, ist auf Lattenrahmen angebracht und leicht aufstellbar, also „versetzbar". Der Versatz, wie dieses Teil genannt wird, wird mit einer rückwärtigen Stütze am Bühnenboden befestigt. Das Versatzstück ist am besten geeignet für alleinstehende Bildteile wie einen Busch oder eine Mauer.

Bühnenhaus: Es besteht nicht nur aus der Hauptbühne, auf der sich die Aufführung abspielt, sondern aus mehreren zugeordneten Räumen, einer rechten und linken **Seitenbühne**, einer **Hinterbühne**, einer **Unterbühne** und dem **Schnürboden** (Obermaschinerie). Diese Räume ermöglichen mit ihren Maschinerien die Verwandlungen auf der Bühne.

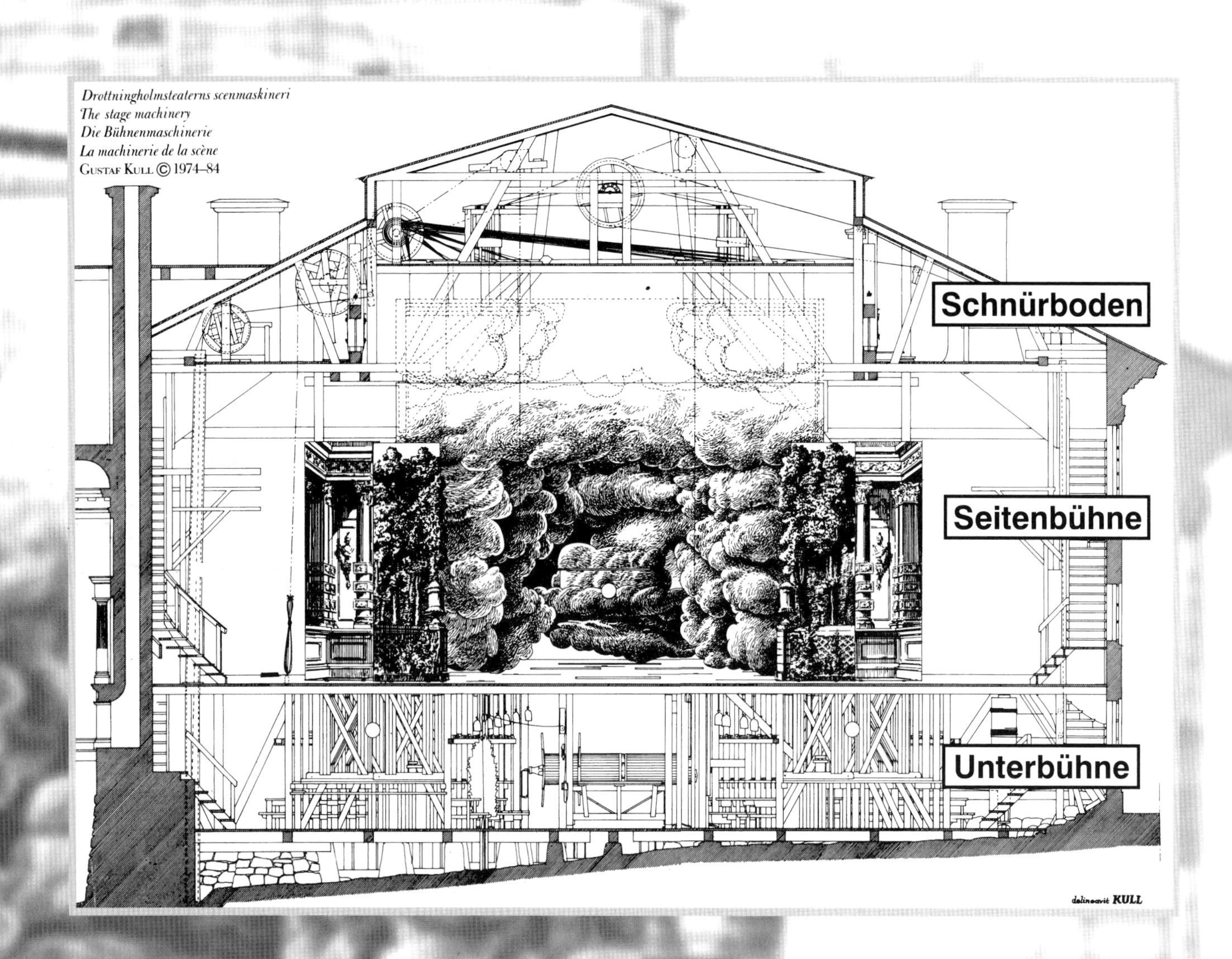

Foyer (franz. Herd, Mittelpunkt)

Der Wandel- und Aufenthaltsraum für das Publikum während der Pause oder vor der Aufführung liegt im Zuschauerbereich des Theaters. Ein Foyer wurde zum ersten Mal 1753 im Opernhaus des französischen Königshofes in Versailles eingerichtet. Im 19. Jahrhundert wird es beherrschender Teil der Theaterarchitektur. In der Gestaltung des Foyers spiegelt sich das Verhältnis der Gesellschaft dieser Zeit zum Theater. Die prunkvolle Ausstattung bot den Rahmen für die Selbstdarstellung des Publikums.

Replik des sogenannten **Dalbergschen Bühnenmodells** von 1800 (Holz, zum Teil gefaßt, 1990)
Maße: 178 x 123 x 106 cm

Angefertigt von Studierenden der Staatlichen Hochschule für Bildende Künste, Stuttgart, Bühnenbildklasse Rüdiger Tamschick, nach dem Originalmodell der Theatersammlung des Reiss-Museums.

„Das Originalmodell – kostbares Herzstück der Mannheimer Theatersammlung –, nach dem diese bis ins kleinste Detail getreue Replik angefertigt wurde, stammt der Überlieferung nach aus dem Besitz der Familie Dalberg. Wahrscheinlich ist es jedoch weniger mit dem ersten Intendanten des Nationaltheaters, Wolfgang Heribert von Dalberg (1750 - 1806), in Verbindung zu bringen, als vielmehr mit einem anderen Mitglied der Familie, und zwar Johann Friedrich Hugo von Dalberg (1760 - 1812). Bei diesem handelt es sich um einen in Aschaffenburg verstorbenen Theologen (Domherr zu Trier, Worms und Speyer, kurtrierischer geheimer Rat), der in hohem Maß den Künsten zugeneigt war, besonders aber der Musik. [...]
Die Replik des Modells, dessen Original etwa um 1800 entstanden ist, gewährt vortreffliche Einblicke in den Stand der Bühnentechnik des 18. Jahrhunderts. [...] [An ihr] lassen sich alle Funktionen damaliger Bühnentechnik demonstrieren: etwa die Handhabung von Versenkungen, die Arbeit des Flugapparats und der Soffittenzüge sowie das Verschieben der Kulissenträger in der Untermaschinerie und anderes mehr. Besonders originell ist die ‚Donnermaschine', die sich in der oberen Galerie links befindet – ein drehbarer, flacher Zylinder, der mit kleinen Steinchen gefüllt ist -, und - in Drehung versetzt – das Geräusch von Donner zu imitieren versucht." ■

BAROCKE BÜHNENTECHNIK IN EUROPA

Das Barock war eine europaumspannende Kulturepoche. Überall in Europa entstanden Theater, meist Ausdruck fürstlicher Repräsentation, teils aber auch schon Ausdruck bürgerlicher Emanzipation. Die **grauen** Punkte weisen auf Standorte barocker Theater hin.
Viele dieser Theater existieren heute noch, aber nur noch in wenigen ist die barocke Bühnenmaschinerie erhalten (**rote** Markierung) Diese sollen mit ihrer Bühnentechnik in den folgenden Kapiteln beschrieben werden.

Übersicht über die Theater, an denen die barocke Bühnentechnik noch erhalten ist

1628 Parma (**erste Kulissenbühne**, erbaut durch Aleotti, nicht mehr erhalten)

1681/82 Gotha *

1748 Bayreuth (Bühnentechnik nicht mehr erhalten)

1759 Ludwigsburg

1766 Drottningholm
Český Krumlov

1770 Opéra Royal, Versailles **

1779 Théâtre de la Reine, Versailles

1781 Gripsholm

1797 Litomyšl
Ostankino-Theater, Moskau **

1802 Bad Lauchstädt ***

* Die heute noch erhaltenen Originalteile der Bühnemaschinerie stammen aus dem Jahr 1775.

** Die Untermaschinerie ist irreparabel verbaut.

*** Nur noch die tragenden Balken stammen aus der Erbauungszeit. Die Bühnenmaschinerie wurde nach 1945 alten Vorbildern nachempfunden.

Unsere Untersuchung beschränkt sich auf die Bühnentechnik des 17. und 18. Jahrhunderts. Auch im 19. Jahrhundert war die barocke Bühnentechnik, eine hölzerne Kulissenmaschinerie, noch Bühnenstandard. So ist in Compiègne (1830) die originale Bühnentechnik noch erhalten. Auch an einigen Bühnen Oberitaliens finden sich noch erhaltene Bühnenmaschinerien:
In Badia Polesine (1814) ist die Untermaschinerie mit den Kulissenwagen und die Obermaschinerie auf dem Schnürboden noch funktionstüchtig.
Besonders hervorzuheben ist die original erhaltene Bühnenmaschinerie des Teatro Municipale in Reggio Emilia. Zu bewundern sind hier die vollständig erhaltene Obermaschinerie auf den Brücken und Galerien des Schnürbodens, die Unterbühne mit den Kulissenwagen und auf der ersten Bühnengalerie eine Ausstellung von Seilwinden, Trommeln, Gewichten, Regen-, Donner- und Blitzmaschinen.

Im Teatro Comunale in Bologna (1763) finden wir noch die Hebelmechanik, mit der der Boden des Zuschauerraumes auf die Höhe der Bühne gehoben werden konnte. Dank dieser seltenen Technik wurden Bühne und Zuschauerraum auch als großer Ball- oder Bankettsaal genutzt. ■

Oben und Mitte: **Bühnenmaschinerie in Compiègne**

Unten: **Bühnenmaschinerie im Teatro Comunale in Bologna**

Das Ekhof-Theater in Gotha

Das **Theater** befindet sich in den beiden Untergeschossen des **Westturmes** (linker Turm)

Bereits während der Regierungszeit von Herzog Ernst I. (1640-1675) entwickelte sich die Residenzstadt Gotha zu einem geistig-kulturellen Zentrum in Thüringen. So fanden ab 1646 erste Theateraufführungen am Hof des Schlosses Friedenstein statt, das zwischen 1643 und 1654 erbaut wurde. Es stellt die größte dreiflügelige frühbarocke Schloßanlage Deutschlands dar und hatte Vorbildcharakter für viele andere Thüringer Schlösser. Zum Schloß gehören eine Schloßkirche, eine Forschungsbibliothek mit über 500000 Buchbänden und ein Schloßmuseum mit Kunstschätzen, einer Münzsammlung, und einer Antiken- und Chinasammlung. Außerdem befindet sich in dem Schloß das Ekhof-Theater.

In den Jahren 1681-1682 ließ nämlich Herzog Friedrich I. von Sachsen-Gotha-Altenburg, eine Kulissenbühne mit Schnellverwandlung in den „Ballsaal", eine Art Turnhalle für Ballspiele, im Westturm des Schlosses Friedenstein einbauen. Diese Form der Kulissenbühne war erst gegen 1640 in Italien entwickelt worden. Gotha besaß also zur damaligen Zeit eines der technisch modernsten Theater Deutschlands. Es war Conrad Ekhof, der 1774 nach dem Theaterbrand in Weimar nach Gotha kam und dort auch dem wohlhabenden Bürgertum den Zutritt zum Theater ermöglichte; daher wurde im Jahre 1775 ein zweiter Rang eingebaut. Conrad Ekhof war einer der bedeutendsten Schauspieler des 18. Jahrhunderts und bekam schon zu Lebzeiten den Beinamen „Vater der deutschen Schauspielkunst". Unter ihm erlebte das Theater im Gothaer Schloß seine Blütezeit. Nach Ekhofs Tod 1778 geriet es jedoch in Vergessenheit und wurde zwischenzeitlich von Herzog Ernst II. lediglich für Privataufführungen genutzt.

Erst 1966 wurde das Theater umfangreich restauriert. Während die leinenbespannte Decke in ihrem Originalzustand belassen wurde, brauchte man mehr als zwei Jahre für die Restauration des Zuschauerraums. Die Wiederherstellung der Bühnenmaschinerie soll 1999 abgeschlossen sein. Den Namen „Ekhof-Theater" trägt das Theater seit den Zwanziger Jahren zu Ehren Conrad Ekhofs.

Grundriß des Westturms. Ausschnitt einer Aufrißzeichnung von **1655**. Der rechte große Saal beherbergte zuerst den Ballsaal, heute das Theater

Bühnenbreite (Portal)	6 m
Bühnentiefe	12,05 m
Bühnenportalhöhe	ca. 6 m
Bühnenfall	2,5 %
Zuschauerzahl	195 (heute)
Größe Orchestergraben	ca. 16 - 20 Musiker
Theatergebäude	ins Schloß integriert
Heutige Nutzung	Museumsbetrieb, Sommerfestspiele mit ca. 20 - 25 Veranstaltungen

Die Bühne beansprucht die Hälfte des nur 11 x 24 m großen ehemaligen Ballsaales. Wegen der Lage des Theaters im Westturm des Schlosses war die Größe der Bühne vorgegeben, der Einbau der Bühnenmaschinerie erwies sich daher als äußerst problematisch. Die Bühne verfügt heute über sechs Kulissengassen mit je drei Kulissen. In der vierten Gasse war es möglich, eine Querwand einzuziehen. Dadurch konnte man – typisch für die Barockoper – zwischen „langen" und „kurzen" Bühnenbildern abwechseln. Drei Versenkungen sind in den Bühnenboden eingelassen. Teilweise erhalten geblieben ist die Mechanik einer absenkbaren Rampenbeleuchtung. Die Neigung des Bühnenbodens weist einen Höhenunterschied von 23cm auf, das entspricht einem Bühnenfall von ca. 2,5%.

Der Zuschauerraum beschränkt sich auf eine Größe von 11 x 12 m. Dort fanden früher immerhin bis zu 300 Zuschauer Platz. Das kleine Turmtheater war ursprünglich nur dem Herzog und Angehörigen des Hofes zugänglich. Erst mit dem Einbau des zweiten Ranges wurde auch dem wohlhabenden Bürgertum die Teilnahme an dort stattfindenden Theaterveranstaltungen gewährt.

Die Decke des Zuschauerraums aus dem Jahr 1683 ist mit ihrer illusionistischen Rosettenmalerei immer noch in ihrem Originalzustand erhalten. Eine neue Bestuhlung erhielt das Theater während der Restaurierung 1966-1968. Sie umfaßt 195 Plätze. Der Zuschauerraum läßt sich in 1. und 2. Parkett und in die Ränge gliedern. Hierbei finden sich im 1. Parkett 85, im 2. Parkett 33 und auf den Rängen 77 Sitzplätze. Eine umfangreiche Restauration, durch die das Theater wieder in seinen Originalzustand zurückversetzt werden soll, ist derzeit im Gange.

Links der Sitzplan für **Rang und Fürstenloge**, rechts für das **Parkett**

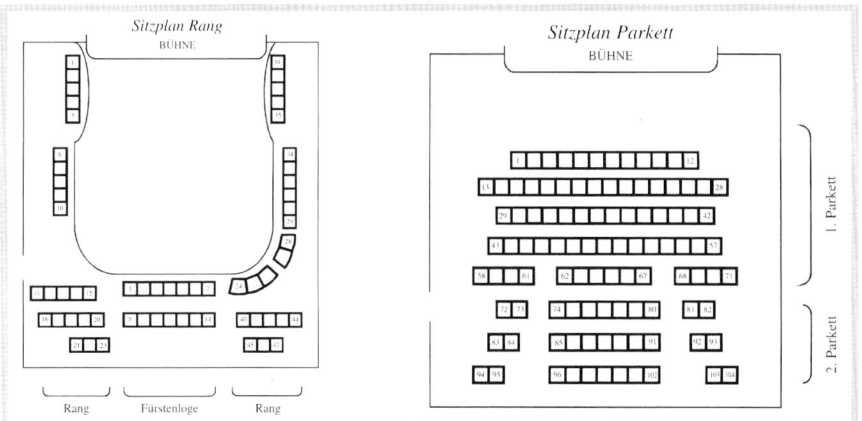

Unterbühnenmaschinerie mit den original erhaltenen **Kulissenwagen** von 1775

In der Unterbühnenmaschinerie sind die Kulissenwagen zum größten Teil original von 1775 erhalten. Zu den insgesamt sechs vorhandenen Kulissengassen gehören jeweils drei Paar Kulissen. Mit Hilfe von beweglichen, zweirädrigen Wagen, auf denen sie befestigt sind, lassen sich die Kulissen im gegenseitigen Wechsel austauschen. Dabei wird die zuerst verwendete Kulisse aus dem Sichtfeld des Zuschauers herausgezogen und gleichzeitig eine neue hineingeschoben. Dies geschah bis zum 18. Jahrhundert über einen Wellbaum in der Mittelachse der Unterbühne, der über Seilzüge und Umlenkrollen mit den Kulissen verbunden war. Heute übernehmen diese Aufgabe die zwei an den Außenseiten der Unterbühne gelagerten Wellbäume. Die Verwandlung in den vorderen vier Kulissengassen verläuft getrennt von den beiden hinteren, was bei mehreren Akten eines Theaterstücks eine unterschiedliche Nutzung möglich macht. Für die Kulissenverwandlung werden zwei oder drei Personen benötigt.

Noch erhaltene **Kulissenwagen von 1775**

Die dazugehörige **Umlenkrolle**

Großer Wellbaum an der Außenseite der Unterbühne; er und sein gegenüberliegendes Pendant bewegen die Kulissenwagen vor und zurück

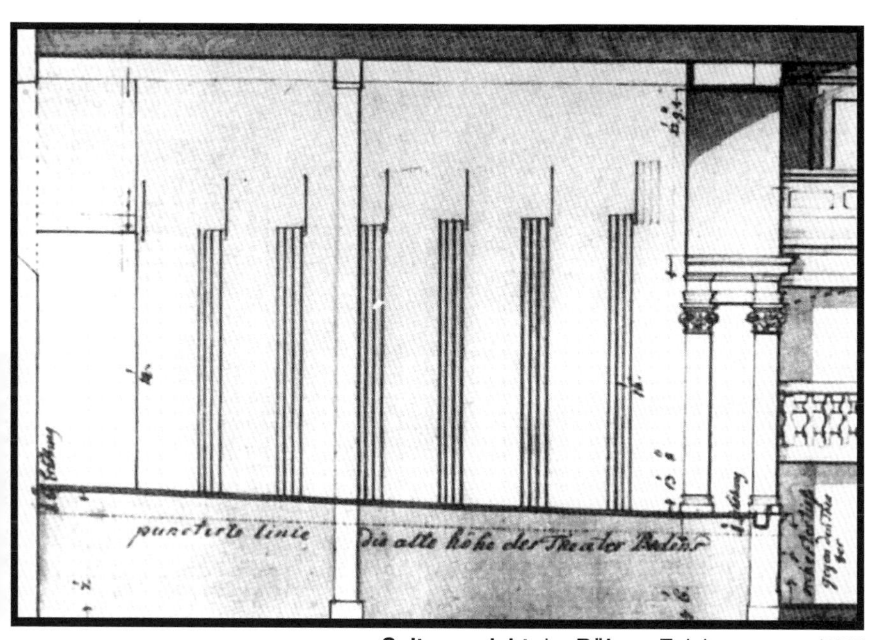

Seitenansicht der **Bühne**. Zeichnung um 1775

Anzahl der Kulissengassen		6	(nach 1755)
Kulissen pro Gasse		3	(")
Maße der Kulissen	1.Gasse	0,94 x 3,50 m	
	2.Gasse	0,94 x 3,35 m	
	3.Gasse	0,94 x 3,20 m	
	4.Gasse	0,94 x 3,10 m	
	5.Gasse	0,94 x 3,00 m	
	6.Gasse	0,94 x 2,90 m	
Zahl der benötigten Bühnenarbeiter für den Kulissenwechsel		8	
Zeit für den Wechsel		5 - 10 sec.	
Höhe der Unterbühne		1,50 - 1,80 m	(nach 1775)

Charakteristisch ist, daß die Bühnentechnik nicht von italienischen Architekten, sondern von einheimischen Bühnenarbeitern entworfen und gebaut wurde. Die Gothaer Zimmerleute Lindemann und Hoffmann schufen 1681 bis 1687 unter schwierigen räumlichen Verhältnissen eine der modernsten und leistungsfähigsten Bühnenmaschinerien des 17. Jahrhunderts.

Damals verfügte die Bühne über acht Kulissengassen mit je zwei Kulissen. Das Bühnenbild wurde abgeschlossen mit einer geteilten Rückwand bestehend aus zwei Schiebekulissen. Neun Soffitten (auch für die Rückwand eine) verwehrten den Blick in die Obermaschinerie. Der Platz unter der Bühne war sehr beengt. Die Kellergewölbe des Turmes ließen nur eine Unterbühne mit einer Höhe von 1,20 m bis 1,50 m zu. Ein zentraler Wellbaum in der Längsachse der Unterbühne ermöglichte den Kulissenwechsel. Über den Antrieb des Wellbaumes gibt es keine gesicherten Erkenntnisse.

Wie leistungsfähig diese Maschine war, zeigt folgende Beschreibung einer Aufführung des Balletts „Vom beglückten Rautenkranz" 1687:

„Bey der Ouverture praesentiret sich das gesamte Theatrum völlig in einem trüben Gewölck, in welchem sich hernachmals Phoebus auf einem Wagen erzeiget, wornach sich das Gewölcke allgemählich verziehet und ein heiterer Himmel und Gewölcke sich praesentiret.

- Hierauf kömmt Mercurius in einem Flug aus den Wolcken
- Das Theatrum verwandelt sich in einen lustigen Garten [...]
- Hierauf verändert sich das Theatrum in einen Wald [...]
- Nach diesem verwandelt sich die Schaubühne in eine Einöde oder Landschaft, in deren Vertiefung das Meer sich erzeiget [...]
- Eine Wasser-Göttin fähret auf einer Muschel über das Meer [...]
- Hierauf verwandelt sich das Theatrum in einen Saal [...]
- Darauf verwendet sich das Theatrum in einen anderen und Magnificquenteren Saal [...]"

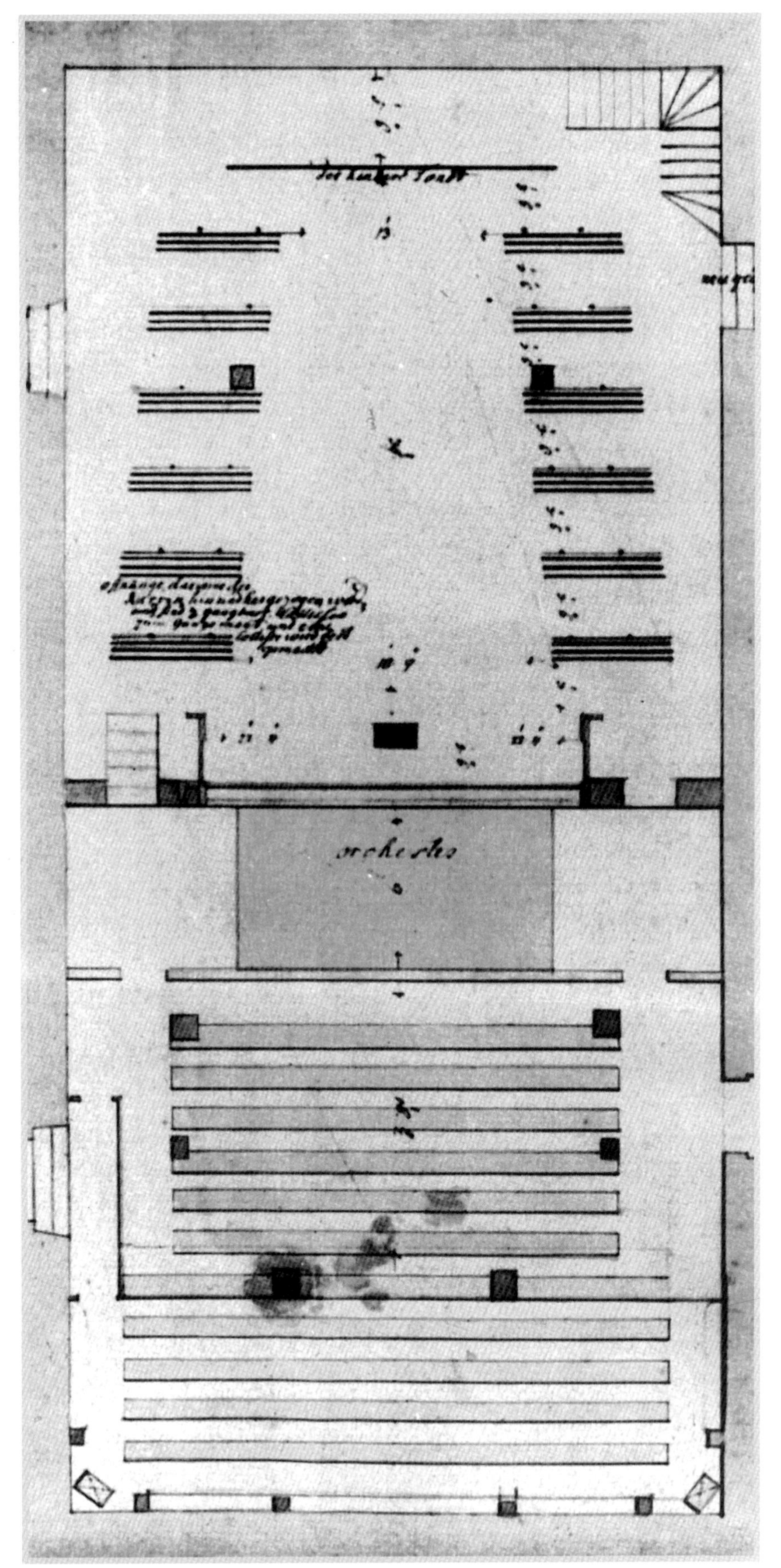

Grundriß von Bühne und Zuschauerraum um 1775. Er zeigt das Theater nach der Reduzierung auf 6 Kulissengassen. Deutlich erkennbar sind drei „Freifahrten" (Schlitze im Bühnenboden) pro Gasse

Conrad Ekhof (1720-1778)

Conrad Ekhof wuchs in einfachen Verhältnissen in Hamburg auf. Ab seinem 15. Lebensjahr war er gezwungen, sich als Schreiber zu verdingen, und während einer seiner Anstellungen eignete er sich in der Bibliothek seines Arbeitgebers Kenntnisse der Dramatik an. 1739 zog er mit der Schönemannschen Theatergesellschaft quer durch den norddeutschen Raum. Am Hof von Mecklenburg-Schwerin rief Ekhof 1753 die „Academie der Schönemannschen Gesellschaft" ins Leben. Durch das Ensemblespiel schuf er eine wichtige Grundlage für die moderne Schauspielkunst. Einer seiner zweifellos größten Verdienste ist es, der Schauspielerei als künstlerischem Beruf zu mehr Anerkennung verholfen zu haben. In Gotha, wo er mit der Leitung des Hoftheaters betraut war, setzte er, ein wichtiges Novum, eine Pensions- und Sterbekasse für Schauspieler durch. Seine meisterliche Darstellung bescherte ihm schon zu Lebzeiten den Titel „Vater der deutschen Schauspielkunst".

Die noch erhaltene **Welle** an der Ostseite der Bühne für den **Wechselbetrieb der Soffitten**

Wellen zur **Rückprospektverwandlung** und zum **Austausch der Soffitten** der beiden letzten Gassen

Zahl der Versenkungen		3
Größe	1,00 x 0,80 m 1,05 x 0,95 m 1,05 x 0,80 m	
Anzahl der Soffittengassen		6
Soffitten je Gasse		3

Ab 1750 wurde die Oberbühne ausgebaut. Wahrscheinlich entstanden in diesem Jahr die vier Wellen zur Verwandlung des Rückprospektes und vermutlich auch der Soffitten der beiden letzten Gassen. Diese vier Wellen befinden sich über der Galerie an der Rückseite der Bühne.

Die Soffitten der vier vorderen Gassen wurden von je einer Welle an den beiden Längsseiten der Oberbühne ausgetauscht. Die heute noch erhaltene Welle an der Ostseite der Bühne ermöglichte den Wechselbetrieb von zwei Soffitten. Die dritte Soffitte je Gasse wurde vermutlich von der gegenüberliegenden Welle bewegt. Der Antrieb erfolgte über eine Trommel am Ende der Welle. Da die Soffitten nicht mit der Kulissenmaschinerie gekoppelt waren, drehte ein Bühnenarbeiter von der Seitenbühne mit Seilen diese Trommel und verwandelte so die Soffitten.

Vergleichbar mit dem Goethe-Theater in Bad Lauchstädt, können die Soffitten also über ein System von Seilzügen, Wellen und Umlenkrollen bewegt werden, wobei die jeweils neuen Soffitten heruntergelassen und die alten Soffitten heraufgezogen werden.

Synchron dazu kann durch eine eigene Mechanik der Hintergrundprospekt ausgewechselt werden.

Der Bühnenvorhang wurde mittels einer großen Trommel an der Westseite des Bühnenportals gehoben bzw. abgesenkt.

Bereits bei den ersten Aufführungen 1687 spielten Wolken- und Flugmaschinen eine große Rolle. Obwohl die beengten räumlichen Verhältnisse eine zweite Oberbühnenebene nicht zuließen, verfügte das Theater, wie Aufführungsberichte bezeugen, über eine große Grundausstattung an Effektmaschinerie. Im 18. Jahrhundert wurden die technischen Möglichkeiten noch erweitert. Leider sind keine Überreste dieser Wunderwerke mehr erhalten.

Aufhängungen der Soffitten

Nach alten Vorlagen angefertigte **Holzringe**

Die Seile, die die Soffitten bewegten, liefen durch Holzringe, die mit Draht umspannt waren, um ein Reißen des Holzes zu verhindern. 1773 wurden diese Holzringe durch Glasringe ersetzt, die nicht so anfällig waren und einen geringeren Reibewiderstand besaßen. Bei den Rekonstruktionen der letzten Jahre bildete man die Holzringe wieder nach.

Kulissenbeleuchtung

Die Kulissen wurden seit Anfang des 19. Jahrhunderts von Lichterbäumen aus beleuchtet, die allerdings nicht drehbar waren. Es gab aber eine heute nicht mehr näher bestimmbare Vorrichtung zum Abdunkeln des Bühnenlichtes in Form von Blendbrettern. Diese konnten an einem Lichterbaum synchron bewegt werden. Im 18. Jahrhundert waren Öllämpchen an den Leitern hinter den Kulissen befestigt. Mit der Zeit wurde, wie in Bad Lauchstädt, die früher mit Rüböl betriebene Beleuchtung durch eine elektrische ersetzt. Bei der Rekonstruktion 1996 entschied man sich für die Wiederherstellung der Lichterbäume. Dabei wurden auch die Kronleuchter der Vorbühne und der ehemaligen Fürstenloge nach alten Vorlagen angefertigt. ■

Proszeniumsbeleuchtung

Das Ludwigsburger Schlosstheater

Als der junge Herzog von Württemberg, Eberhard Ludwig, von 1704 bis 1733 eine Schloßanlage in Ludwigsburg bauen und sie ab 1718 zur neuen Residenz ausbauen ließ, durfte, wie an anderen spätabsolutistischen Höfen, ein Theaterbau nicht fehlen. Das Ludwigsburger Schloßtheater ordnet sich der Gesamtarchitektur der Schloßanlage völlig unter und ist von außen nicht als Theaterbau zu erkennen. 1730 wurde der Außenbau fertiggestellt, ein Theater war jedoch auch im Todesjahr des Herzogs, 1733, noch nicht eingerichtet.

Herzog Carl Eugen (1744 - 1793) erlebte in jungen Jahren prachtvolle Vorstellungen in den Theatern von Potsdam, Bayreuth und Paris. Etwa 20 Jahre lang wurden am württembergischen Hof Opern-, Ballett-, Theater- und Musikaufführungen von europäischem Rang aufgeführt. 1758/59 wird dabei das Ludwigsburger Schloßtheater erstmals zu einer funktionierenden Bühne ausgebaut. Geblieben aus dieser Zeit sind die Grundstruktur des Theaters, die Bühne und wesentliche Teile der Bühnenmaschinerie.

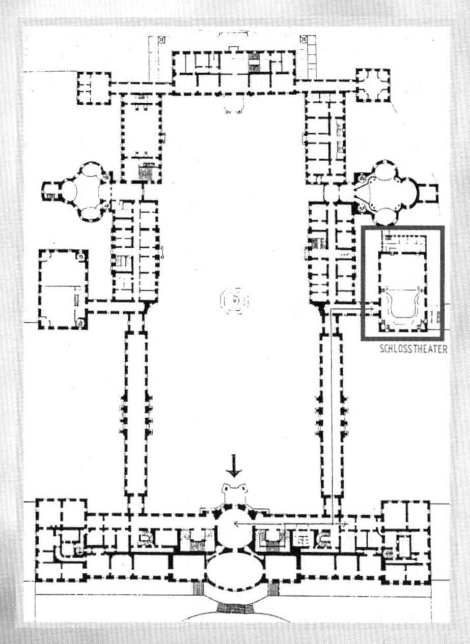

Nach den politischen Wirren der napoleonischen Zeit blühte unter König Friedrich I. von Württemberg (1797 - 1816) das Theaterleben in Ludwigsburg wieder auf. Dem Geschmack der Zeit entsprechend wurde der Innenraum des Theaters umgebaut: die klassizistische Ausstattung des Zuschauerraumes ist im wesentlichen heute noch vorhanden, ebenso wie ein umfangreicher Fundus an Bühnendekoration dieser Jahre.

Bis in die Mitte des 19. Jahrhunderts bespielte man das Theater. Trotz eines Bombentreffers im 2. Weltkrieg blieb das Schloßtheater weitgehend unversehrt und wird seit 1954 für die Ludwigsburger Festspiele genutzt. 1994 begann man mit einer umfassenden Restaurierung und Instandsetzung, die 1998 abgeschlossen wurde.

Kulissenbühne mit rotem Gartensaal

Das klassizistische Bühnenportal auf einer 1,5m hohen Rampe sowie der originale Schmuckvorhang von Colomba (1758) geben den Blick frei auf die Spielfläche, die einen Bühnenfall von 4% aufweist. Die Kulissenmaschinerie wurde inzwischen sorgfältig restauriert; leider ist die alte Rampenbeleuchtung verlorengegangen. Der originale, weitgehend unzerstörte Boden des Podiums erhielt eine Abdeckung. Bei der 1998 abgeschlossenen Restaurierung wurde versucht, die historische Bühnenmaschinerie aus originalen Teilen funktionsfähig wieder herzustellen. Daneben ist jedoch auch moderne Bühnen- und Beleuchtungstechnik eingebaut worden, so daß sowohl barocke wie auch moderne Technik benutzt werden kann.

Baualtersplan

	1728 - 33	Frisoni
	1758 - 59	De La Guepiere, Keim
	1812	Thouret
	1911 / 39	Archiveinbau (Hinterbühne)
	1954 ff	Umbau für Schloßfestspiele

Bühnenbreite	– Portal	9 m
	– Prospekt	6,6 m
Bühnenportalhöhe		7 m
Bühnentiefe		13 m
Bühnenfall		4 %
Zuschauerzahl		306, früher ca. 500
Größe Orchestergraben		20 - 25 Musiker
Theatergebäude		ins Schloß integriert
Heutige Nutzung		Schloßfestspiele
erbaut		1758 / 59

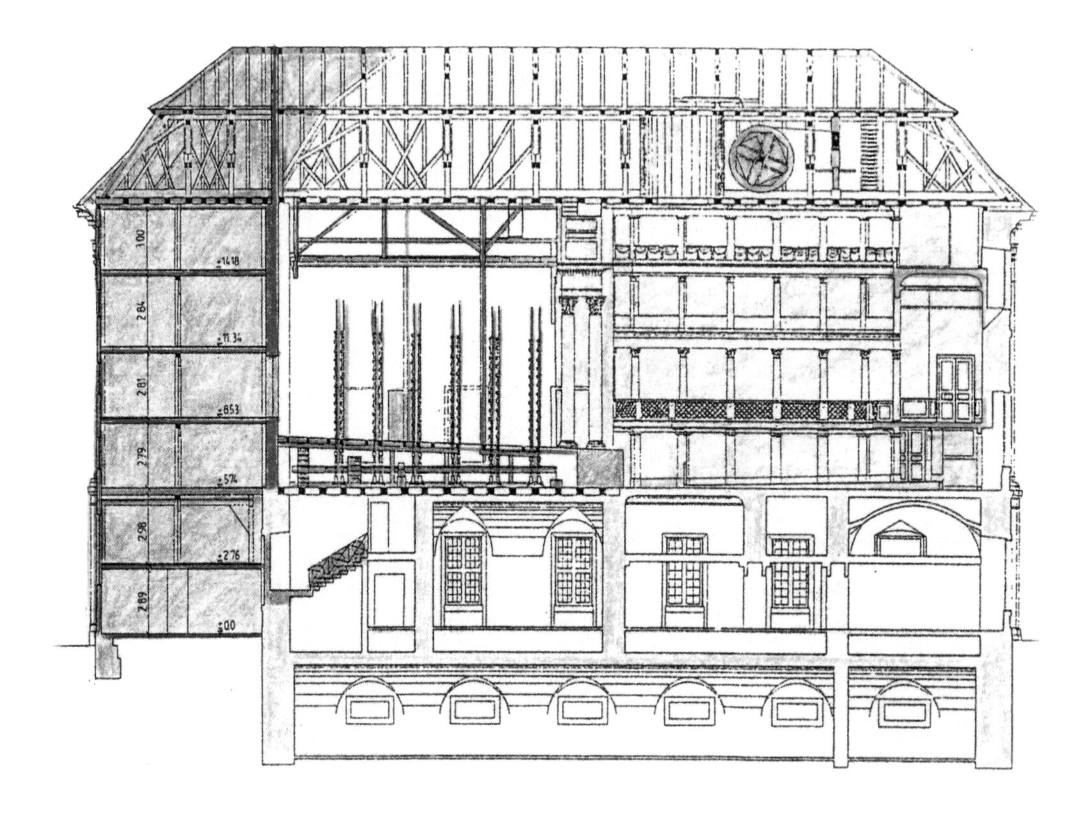

Zuschauerraum mit neuer Bestuhlung

Der heutige Zuschauerraum spiegelt das Ergebnis der Modernisierungsarbeiten von Thouret (1812) wider, bei denen der Architekt die seit 1758 vorhandene Grundform weitgehend beibehalten mußte. Die drei Ränge folgen der Glockenform des Zuschauerraumes, unterbrochen von der über zwei Ränge reichenden Königsloge.

Den 1. Rang ließ Thouret gegenüber den anderen Rängen hervorkragen und mit Rundsäulen mit korinthischen Kapitellen ausstatten, während im 2. und 3. Rang eckige Pfeiler verwendet wurden. Die Brüstung des 2. Ranges ist mit kleinen spielenden Eroten bemalt.

Als Farben dominieren blau mit goldenen Verzierungen sowie das Rot in der Königsloge. Raumbeherrschend ist der große, 1812 eingebaute Kronleuchter, der von einer eigens über der Decke eingelassenen Öffnung abgesenkt werden kann.

Bei der Restaurierung wurden die Holzbänke des Parketts blau bezogen.

links: Grundriß Parkett
rechts: Grundriß 1. Rang

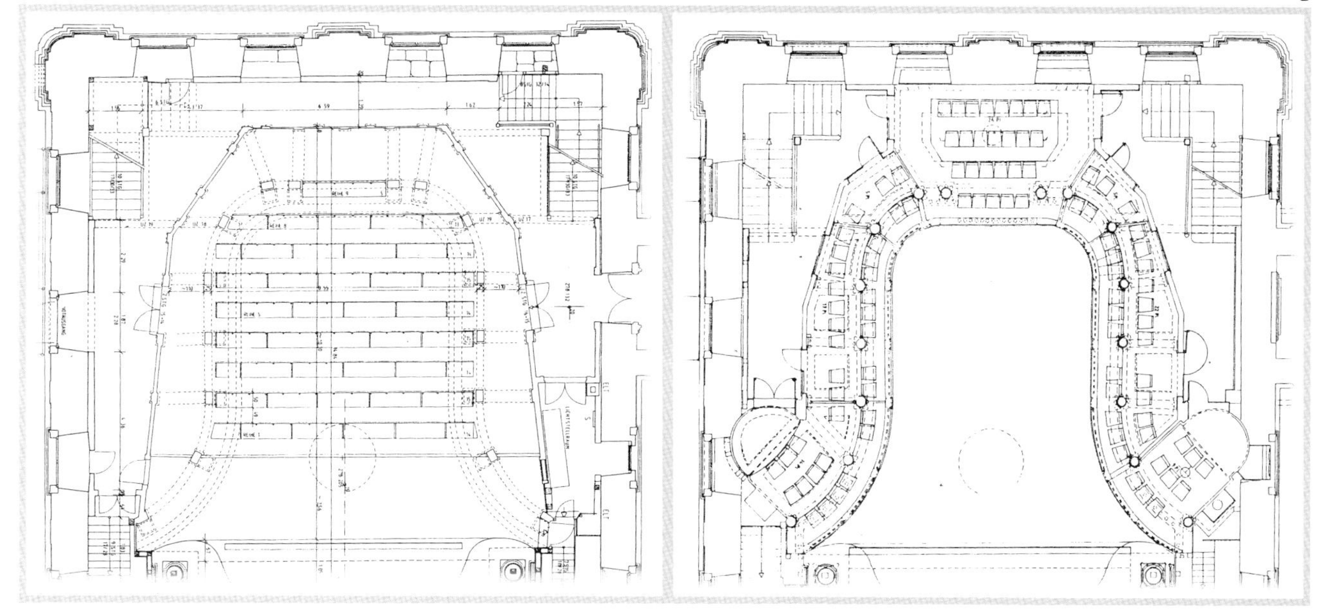

Links die Antriebstrommel für den großen Wellbaum, dahinter die Trommel zur Verwandlung des Hintergrundprospektes

Anzahl der Kulissengassen	6
Kulissen pro Gasse	2
Höhe der Kulissen	5,80 m (1.Gasse) - 4,90 m (6. Gasse)
Notwendige Bühnenarbeiter für den Kulissenwechsel	1
Anzahl der Soffittengassen	6
Soffitten pro Gasse	2

Der Antrieb von Kulissen, Soffitten und Hintergrundprospekt war miteinander gekoppelt und erfolgte gleichzeitig.

Zahl der Bühnenarbeiter bei einer Aufführung	10
Tiefe der Unterbühne	1,50 - 2 m

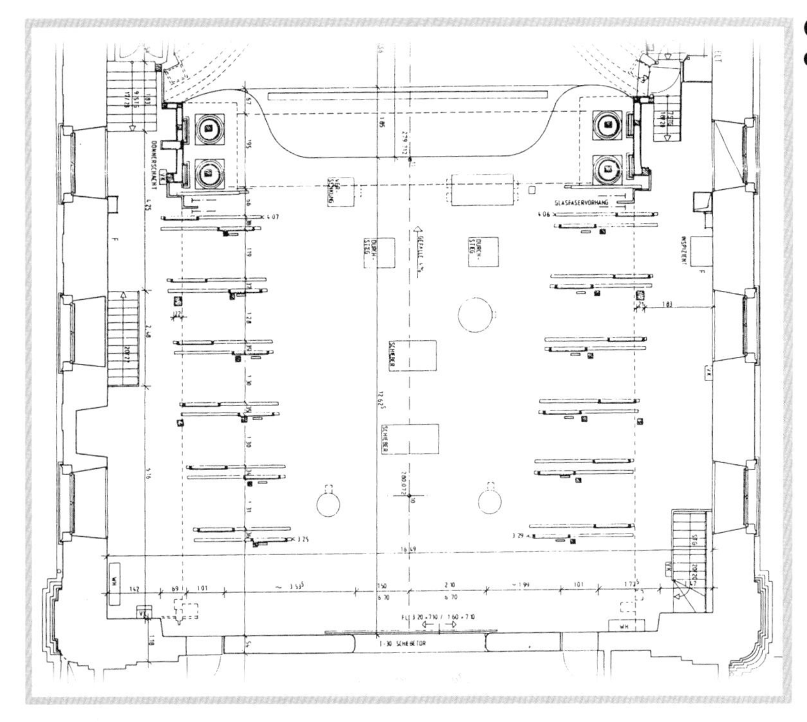

Grundriß der Bühne

Die Maschinerie des Ludwigsburger Schloßtheaters wurde von Johann Christian Keim (1721 - 1787) eingerichtet. Man vermutet, daß er sein Handwerk in Bayreuth beim Bau des Markgräflichen Opernhauses erlernt hat. 1758 wird er mit der Konstruktion der Bühnenmaschinerie beauftragt.

Die Bühne verfügt nur über zwei Kulissen je Gasse. Das ist ungewöhnlich, läßt sich aber damit erklären, daß das Theater als „Comödienhaus“ erbaut wurde. Im Gegensatz zur großen Oper begnügten sich die Komödien mit wenigen Verwandlungen.

Ein 11,4 m langer Wellbaum zieht in der Unterbühne die Wagen der sechs Kulissengruppen. Die sorgfältig gearbeiteten, aber wuchtig wirkenden Kulissenwagen laufen auf hölzernen Rädern in Holzrinnen. Bei dieser Länge muß ein starker Bock als Mittellager den Wellbaum stützen. An seinem hinteren Ende finden sich eine kleine Trommel und ein großes Rad. Die kleine Trommel dient zum Antrieb des Wellbaumes über ein Arbeitsgewicht, das in den Bühnenkeller fällt. Über das große Rad am Ende des Wellbaums können die Prospekte gewechselt werden. Das Antriebsrad der Soffittenwelle auf dem Schnürboden ist mit einem Endlosseil mit der Antriebstrommel auf dem großen Wellbaum der Unterbühne verbunden. So kann das vollständige Bühnenbild synchron verwandelt werden.

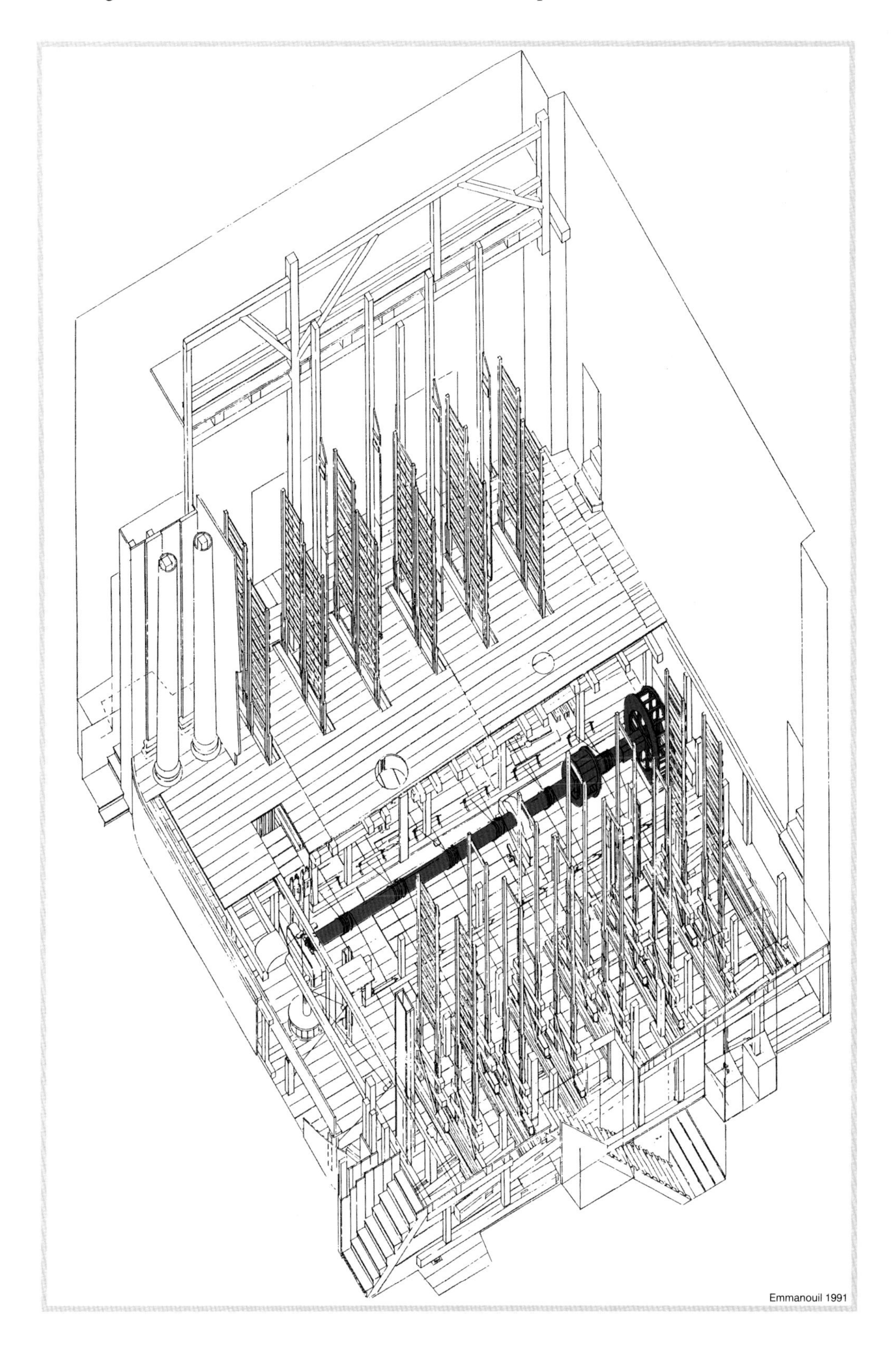

Kulissenwagen in der Unterbühne

Mittleres Lager des großen Wellbaumes

Bei seiner Länge von 11,4 m mußte ein **starker Bock als Mittellager** den Wellbaum stützen. Der Wellbaum wurde im Januar 1756 gefällt, im selben Monat, in dem Wolfgang Amadeus Mozart geboren wurde.

Versenkung Unteransicht

Versenkung Oberansicht

Großes Last-Rad mit Göpel auf dem Dachboden

Weiterhin befindet sich über dem Zuschauerraum ein ungewöhnlich großes Rad, das mit einem Göpel angetrieben wird. Heute läuft über dieses Rad ein großes Seil, das den 95 kg schweren Kronleuchter trägt. Somit kann der Lüster zum Entzünden und Wechseln der Kerzen abgesenkt werden. Es ist aber anzunehmen, daß dieses Rad ursprünglich eine andere Funktion hatte, da es auf das Heben viel größerer Lasten (bis zu drei Tonnen) ausgelegt ist. Wahrscheinlich wurden Rad und Göpel zur Bedienung von Flugmaschinen und Wolkenwagen eingesetzt.

Über drei Wellen auf dem Schnürboden sind die Soffittenverwandlungen möglich.

Während auf der rechten Schnürbodenseite die barocke Bühnentechnik restauriert wurde, paßte man auf der linken Seite eine moderne Bühnentechnik ein, so daß auch zeitgemäße Inszenierungen möglich sind.

Der Soffittenantrieb ist mit der großen Welle der Untermaschinerie gekoppelt.

Soffittenmaschinerie

Die Bühne besitzt drei runde Versenkungen, eine in der 2. und zwei in der 5. Gasse. Wegen der labilen Führung können hier nur kleinere Gegenstände auf die Bühne transportiert werden. In der Null-Gasse gibt es noch eine kleinere und eine größere viereckige Versenkung. Die größere Versenkung mußte mit einer Winde betrieben werden, die jedoch nicht mehr erhalten ist. Weiterhin existieren Schieber und Klappen, mit denen der Boden geöffnet werden konnte, um Dekorationsteile auf die Bühne zu bringen. In Kombination mit einem Flugwerk war sogar ein Sturz aus dem Himmel des Schnürbodens in die Hölle der Unterbühne inszenierbar.

Die Beleuchtung der Kulissenbühne erfolgte durch den Kronleuchter des Zuschauerraumes, das Rampenlicht und durch die Kulissenbeleuchtung. Der Kronleuchter konnte zum Anzünden der Kerzen abgesenkt werden.

Durch die Verlegung der Rampe zur Vergrößerung des Orchestergrabens ist der Lampentrog der Rampenbeleuchtung verlorengegangen. Die Kulissenbeleuchtung besteht aus Klappläden, die an Pfosten hinter den Kulissen befestigt sind. Zum Auf- und Abblenden muß man nur die Klappläden schwenken. Dies kann jedoch nur manuell geschehen, ein synchronisierter Antrieb über Seilzüge ist nur schwer möglich.

Wachskerzen wurden aus Kostengründen nur im Zuschauerraum eingesetzt. Das Orchester erleuchteten die billigeren Talgkerzen, während auf der Bühne die rußenden Rüböl-Lampen eingesetzt wurden.

Lampenrest, Unterbühne

Klappladen der Kulissenbeleuchtung. Dahinter eine Freifahrt mit den Leitern, auf denen die Kulissen aufgeschnürt werden

Hinweise in den Archiven und Aussparungen in der Obermaschinerie deuten auf die Existenz von Flugwerken und Wolkenmaschinerien hin. Noch erhalten ist ein Donnerschacht an der rechten Außenseite des Bühnenportals, in dem man große Holzwürfel herunterfallen ließ, um ein donnerähnliches Geräusch zu erzeugen. Der sogenannte Einschlagkasten reicht vom Schnürboden 10 m tief bis in die Unterbühne.

Unter all den Theatern, an denen noch die historische Bühnenmaschinerie erhalten ist, nimmt Ludwigsburg eine Sonderstellung ein. Die Bühnenmaschinerie von 1758 ist die weltweit älteste, die weitgehend im Originalzustand erhalten ist. Daneben besitzt das Schloßtheater Ludwigsburg noch einen fast konkurrenzlosen Bestand an Bühnenbildern des ausgehenden 18. und beginnenden 19. Jahrhunderts. Aus dem Fundus von annähernd 140 Kulissen und Versatzstücken und 14 Hintergrundprospekten lassen sich 16 Bühnenbilder zusammenstellen. Auch der Bühnenvorhang *Apollo und die Musen* von Innocente Columba (vor 1768) ist noch original erhalten. ■

Das Schlosstheater in Drottningholm

Das Drottningholmer Schloßtheater wurde 1766 erbaut. Wie der Name schon sagt, ist es Teil der Schloßanlagen, die noch heute als Wohnsitz der königlichen Familie dienen. Nachdem das frühere Theater abgebrannt war, gab die damalige Königin Ulrika Lovisa dem Architekten Carl Frederik Adelcrantz den Auftrag, an gleicher Stelle ein neues zu errichten. Da Adelcrantz das Theater nicht in einen bereits bestehenden Bau integrieren mußte, konnte er, frei von jeglichen räumlichen Einschränkungen, eine architektonische Höchstleistung vollbringen. Mit relativ geringem finanziellen Aufwand schaffte es Adelcrantz, das Theater geschmackvoll und zweckdienlich einzurichten. Jedoch mußte er die gewonnene Anerkennung mit dem italienischen Maschinenmeister Donato Stopani teilen, der die Bühne mit allen erdenklichen Tricks dieser Zeit ausgestattet hatte. Unter Gustaf III. erlebte das Theater in ganz Schweden eine Glanzzeit, die sich besonders positiv auf das Schloßtheater auswirkte. Dies lag daran, daß König Gustaf als erfahrener Theatermann zeitweilig selbst Aufgaben am Schloßtheater übernahm. Er war auch verantwortlich für die Erweiterung des Theatergebäudes um das große Foyer, genannt „Salle à dejeuner“.

1792 fiel Gustaf in der Stockholmer Oper einem Attentat zum Opfer. Mit seinem Tod endete die Blütezeit des schwedischen Theaters und damit auch die des Drottningholmer Schloßtheaters, das für mehr als 100 Jahre in Vergessenheit geraten sollte.

Erst im Spätwinter 1921 wurde das fast unberührte Theater von Agne Beijer wiederentdeckt. Agne Beijer ist auch für die Wiederinstandsetzung des Theaters verantwortlich; er tat dies unter der Maxime, möglichst nichts zu verändern oder zu verbessern. Unter seiner Leitung erhielt die Maschinerie neue Seile, und es wurde auch elektrisches Licht installiert.

Im Jahr 1922 konnte das Theater wieder eröffnet werden. Nach einer gewissen Anlaufzeit gewann es seine frühere Bedeutung zurück. Die Faszination des Drottningholmer Schloßtheaters liegt in seiner Einzigartigkeit begründet, da es das Theater mit der am besten erhaltenen barocken Bühnenmaschinerie ist.

Lage des Theaters neben dem Schloß

Eine weitere Besonderheit des Drottnigholmer Schloßtheaters ist die Bühnenfläche, die von der Fußrampe bis zur Hinterwand 19,80 m mißt und damit noch heute eine der tiefsten Bühnen Schwedens ist.

Ebenfalls erwähnenswert sind die direkt rechts und links neben der Bühne angebrachten Logen, die einen eher schlechten Blick auf die Bühne bieten, dafür jedoch gewährleisten, daß man gesehen wird.

Im Zuschauerraum verwirklichte der Architekt Adelcrantz seine Vorstellung eines Saaltheaters ohne Logenränge. Das Besondere am Zuschauerraum ist die Möglichkeit, bei kleinem Auditorium Wandschirme einzufahren, die den Saal kleiner, aber dafür auch die Atmosphäre besser und persönlicher machen.

Der ovale Mittelbereich des Zuschauerraums hieß ursprünglich Königsloge. In der Mitte dieses Raumes vor der Bühne befinden sich die beiden roten Königssessel. Außerdem gibt es ein paar kleine hochgelegene, z.T. vergitterte Logen an den Seitenwänden, die bei offiziellen Anlässen und als Inkognitoplätze genutzt wurden.

Schwaches Kerzenlicht der Wand- und der vier Kronleuchter erhellen den Zuschauerraum; es wurde auch während der Vorstellungen nicht abgedunkelt.

Das Publikum wollte sehen und gesehen werden. Es war Bestandteil der Inszenierung: Bühne und Zuschauerraum verschmolzen zu einer Einheit.

Die Stukkatur der Decke ist nur gemalt, und marmorne Wandverkleidungen und Säulen bestehen aus Pappmaché. Blinde Türen und aus Pappmaché geformte Balkone wirken täuschend echt: Theaterillusion nicht nur auf der Bühne.

Bühnenbreite	– Portal	8,80 m
	– Prospekt (zwischen dem 6.Kulissenpaar)	5,50 m
Bühnentiefe		19,80 m
Bühnenportalhöhe		6,60 m
Bühnenfall (Neigung der Bühne)		4 %
Größe Orchestergraben		30 Musiker
Zuschauerplätze		454
erbaut		1766
Theatergebäude		freistehend
Heutige Nutzung	Sommerfestspiele, ca. 40 Aufführungen	

Der Zuschauerraum bei der Wiedereröffnung 1922

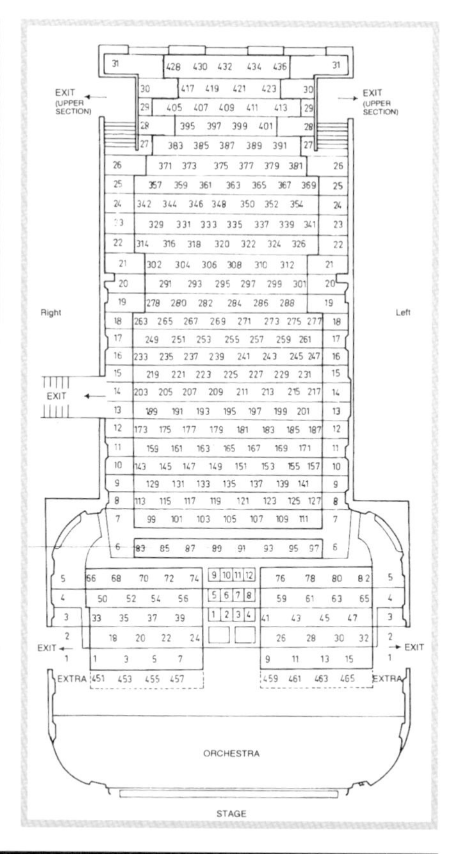

Das Theater heute: Königsloge

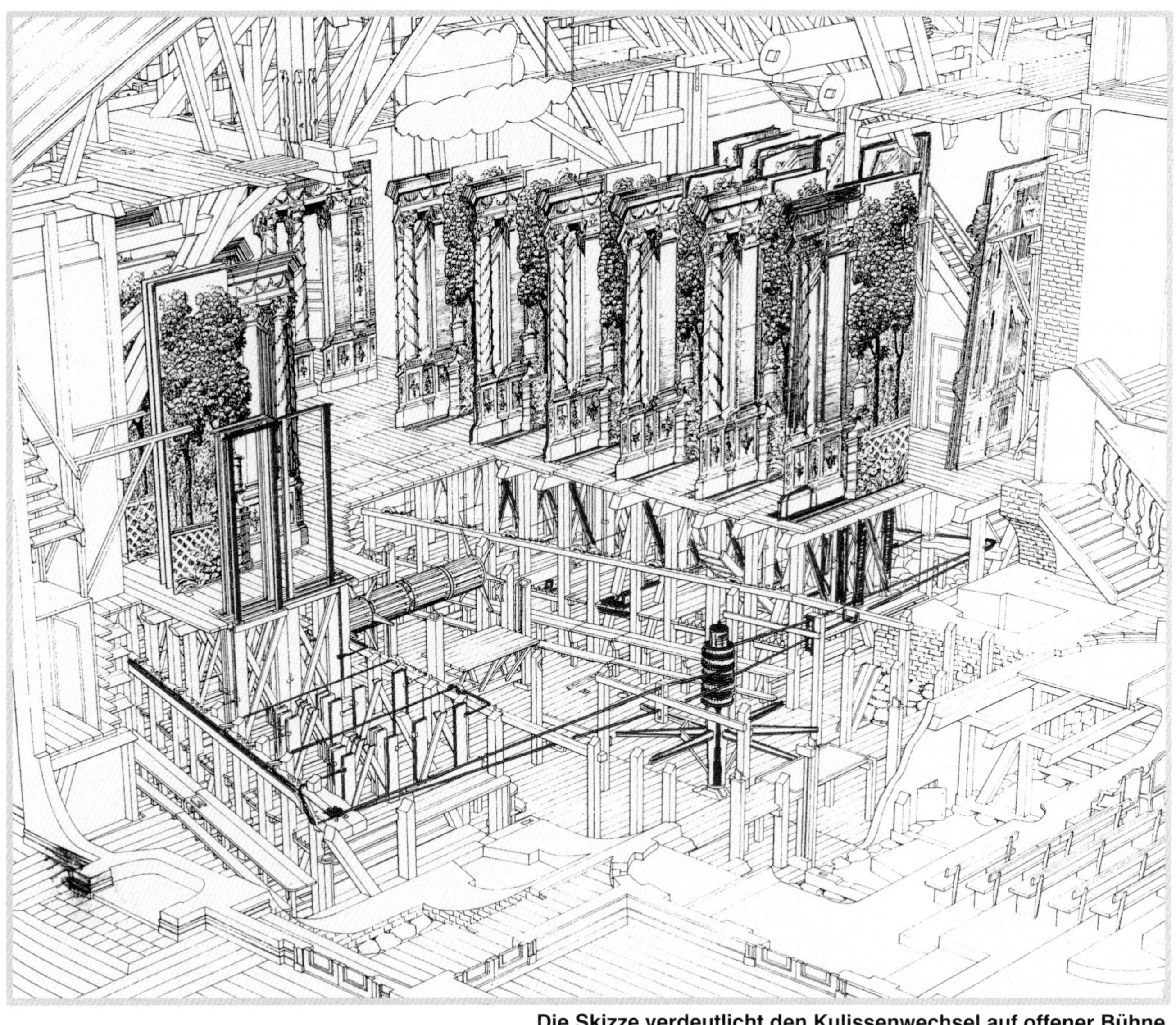

Die Skizze verdeutlicht den Kulissenwechsel auf offener Bühne. Der überraschte Zuschauer erlebt mit, wie sich blitzschnell z.B. der Himmel in die Hölle verwandelt

Das Kulissensystem wird durch eine zentrale Drehspindel in der Unterbühne angetrieben. Um einen Kulissenwechsel zu bewirken, müssen sechs Leute diese Drehspindel bedienen. Nun werden auf jeder Seite sechs Kulissen eingezogen und gleichzeitig neue eingefahren. Jede der insgesamt zwölf Seitenkulissen besitzt vier Schienen, so daß ohne großen Aufwand viermal ein kompletter Kulissenwechsel durchgeführt werden kann. Dieser Vorgang dauert etwa vier bis fünf Sekunden; dabei nutzen sich die Seile sehr schnell ab und müssen deshalb in regelmäßigen Abständen erneuert werden. Als Besonderheit des Drottningholmer Schloßtheaters gelten auch 15 vollständig erhaltene Bühnenbilder aus dem 18. Jahrhundert.

Zentrale Drehspindel in der Form eines Gangspills zum Antrieb der Kulissen

Das Drottningholmer Schloßtheater besitzt ungemein viele „barocke Special-Effects", zum Beispiel vier große Versenkungen, die dazu dienen, Schauspieler oder Kulissen von der Unterbühne auf die Bühne zu transportieren; dies wurde besonders dann eingesetzt, wenn in einem Stück eine Gestalt aus der Unterwelt heraus auf der Bühne erscheinen sollte.

Das Theater verfügt zudem auch über verschiedene Flugmaschinen. Die größte davon befindet sich zwischen der zweiten und dritten Kulissengasse und besteht aus einer von Wolken umhüllten Bank, die an vier Seilen hängt (s.u.). Sie wird von der linken Bühnenseite aus bedient. Eine kleinere Maschine dieser Art befindet sich hinter der sechsten Kulissengasse. Sie kann ebenfalls gerade hoch- und heruntergefahren werden, kann aber im Gegensatz zur ersten Flugmaschine, auch von der Oberbühne aus bedient werden. Die technisch gesehen raffinierteste der Flugmaschinen ist zwischen der dritten und vierten Kulissengasse angebracht. Sie kann sich nicht nur vertikal, sondern auch horizontal bewegen, d.h., sie konnte zum Beispiel von links oben nach rechts unten fahren. Die Maschinerie für dieses Fluggerät befindet sich auf der Oberbühne, wird aber vom Bühnenboden aus bedient.

Ebenfalls vorhanden ist eine spezielle Wolkenmaschinerie, die es erlaubt, Wolken wie Seitenkulissen und Soffitten einzufahren und außerdem noch in der hinteren Bühnenmitte hinabzulassen. Diese „Wolken" besitzen eine eigene, unabhängige Maschinerie.

Zu den weiteren Besonderheiten des Theaters zählen die Wind- und Donnermaschine. Die Windmaschine besteht aus einer mit Tuch überspannten Rolle, die, wenn sie gedreht wird, ein windartiges Geräusch erzeugt. Sie befindet sich auf der linken Bühnenseite. Im Gegensatz dazu war die Donnermaschine auf der Oberbühne über dem Bühnenportal zu finden. Hauptbestandteil ist ein länglicher Holzkasten, der mit Steinen gefüllt wird. Er ist in der Mitte in ein Gerüst verankert, so daß sich eine Seite des Kastens hebt, wenn sich die andere senkt. Dadurch rollen die Steine durch den Kasten, was sich wie Donner anhört.

Letzte Besonderheit ist die Wellenmaschine. Es handelt sich hierbei um fünf spiralförmige Rollen, die bei gleichzeitiger Drehung einen wellenartigen Eindruck entstehen lassen, der durch das zusätzliche Durchziehen eines Schiffes zwischen den Rollen noch verstärkt werden kann.

Das Verlangen der Menschen in der Barockzeit nach Verzauberung – die Diesseitsangst wurde immer größer, die Flucht in eine andere Welt schien immer notwendiger – ließ die Magie der Illusion die Bühne erobern. Was sich der Zuschauer allein nicht mehr vorstellen konnte, sollte nun der Bühnenbildner erschaffen. Der Bösewicht mußte unheilvoll durch die Lüfte sausen, Hexen und Geister konnten auftauchen und wieder verschwinden, und schließlich sollten auch helfende Engel herniederschweben. Um das zu ermöglichen, waren auf der Oberbühne (dem Schnürboden) entsprechende Vorrichtungen angebracht, die in verschieden großen Wolkenwagen den „deus ex machina" oder sogar ganze Götterversammlungen auf die Bühne bringen konnten.

Reus ex machina

Trommeln zum Betrieb der Wolkenflugmaschinen

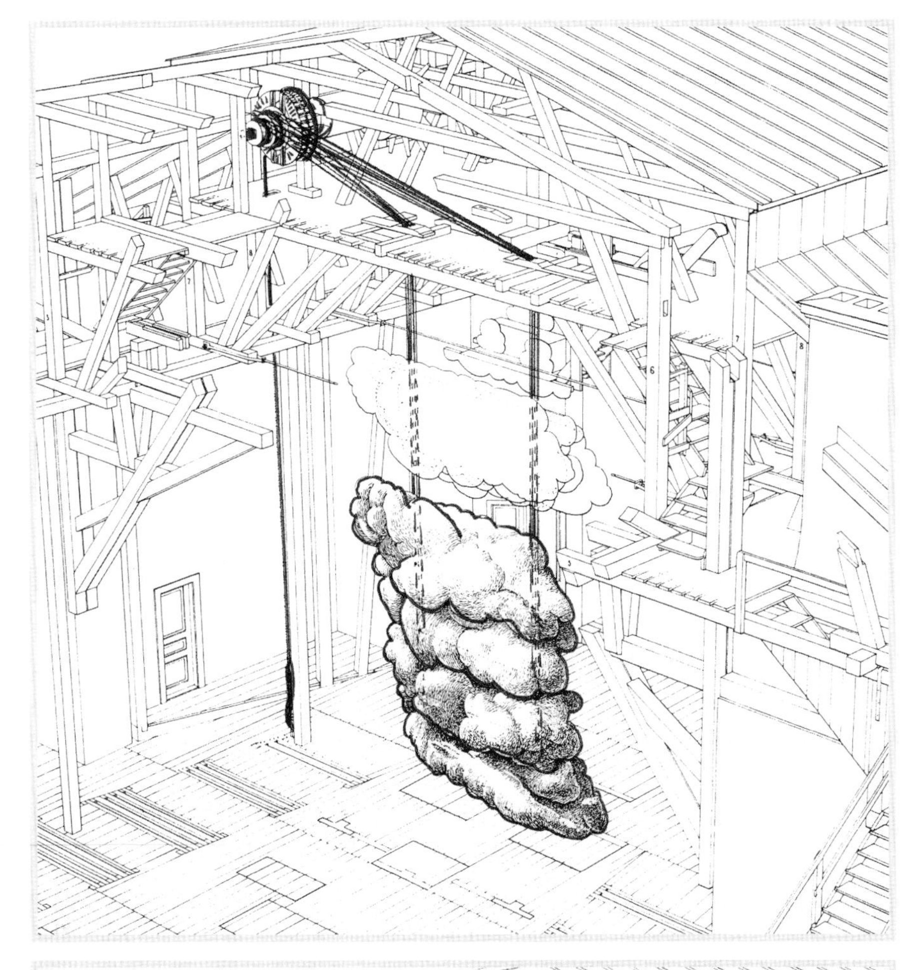

Seiltrommel auf der Oberbühne

Durch den unterschiedlichen Durchmesser der Scheiben der Seiltrommel bewegen sich die Wolkenteile unterschiedlich schnell bzw. weit herauf und herab. So kann sich der Wolkenhimmel gleichzeitig entfalten. Die Wolkenteile, die den längsten Weg zurückzulegen haben, sind auf der Scheibe mit dem größten Durchmesser aufgeschnürt und bewegen sich damit am schnellsten.

Ein bewölkter Himmel spricht die Vorstellungskraft mehr an als ein unbewölkter; so sind die Theaterhimmel meistens wolkenverhangen. Es gibt Maschinerie, um die Wolken erscheinen zu lassen, zu vergrößern und sie sogar auf die Erde zu bringen. Gerade in mythologischen Theaterstoffen, wie sie im Barock beliebt waren, werden die Wolken dazu verwendet, Götter, Engel und andere überirdische Wesen zu begleiten.

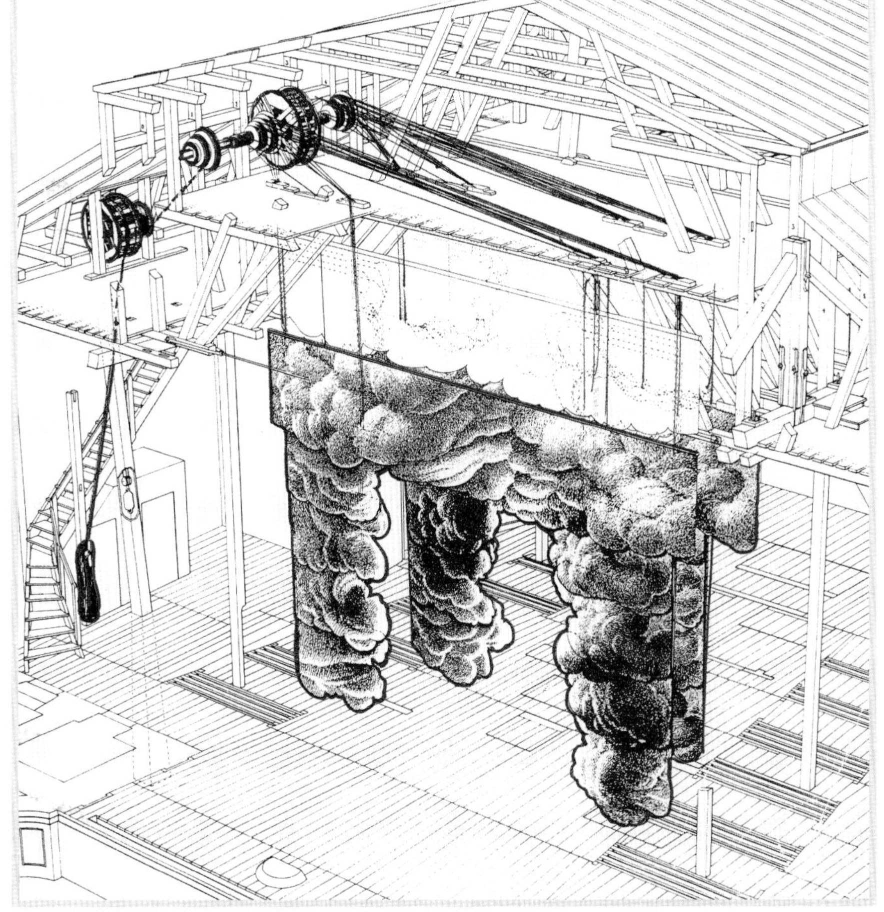

Die Sonne vertreibt die Wolken

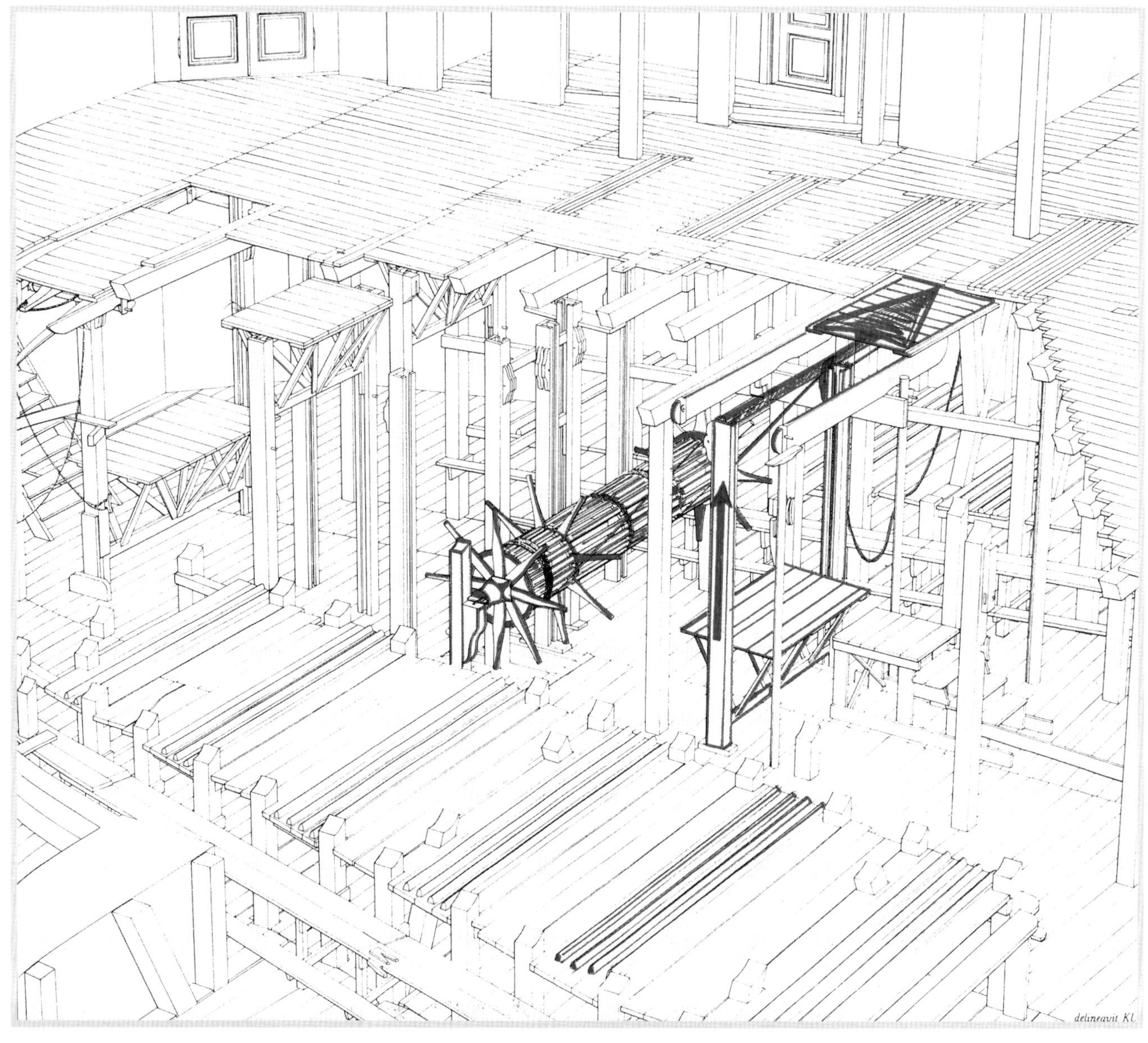

Drottningholm ist mit drei verschiedenen Versenkungen ausgestattet, die durch entsprechende Umlenkrollen mit einer sich unter der Bühne befindlichen großen Welle verbunden sind. Jede Versenkung hat einen verschiebbaren „Deckel“, der sich bei Betätigung der Mechanik automatisch seitlich unter die Bühne schiebt.

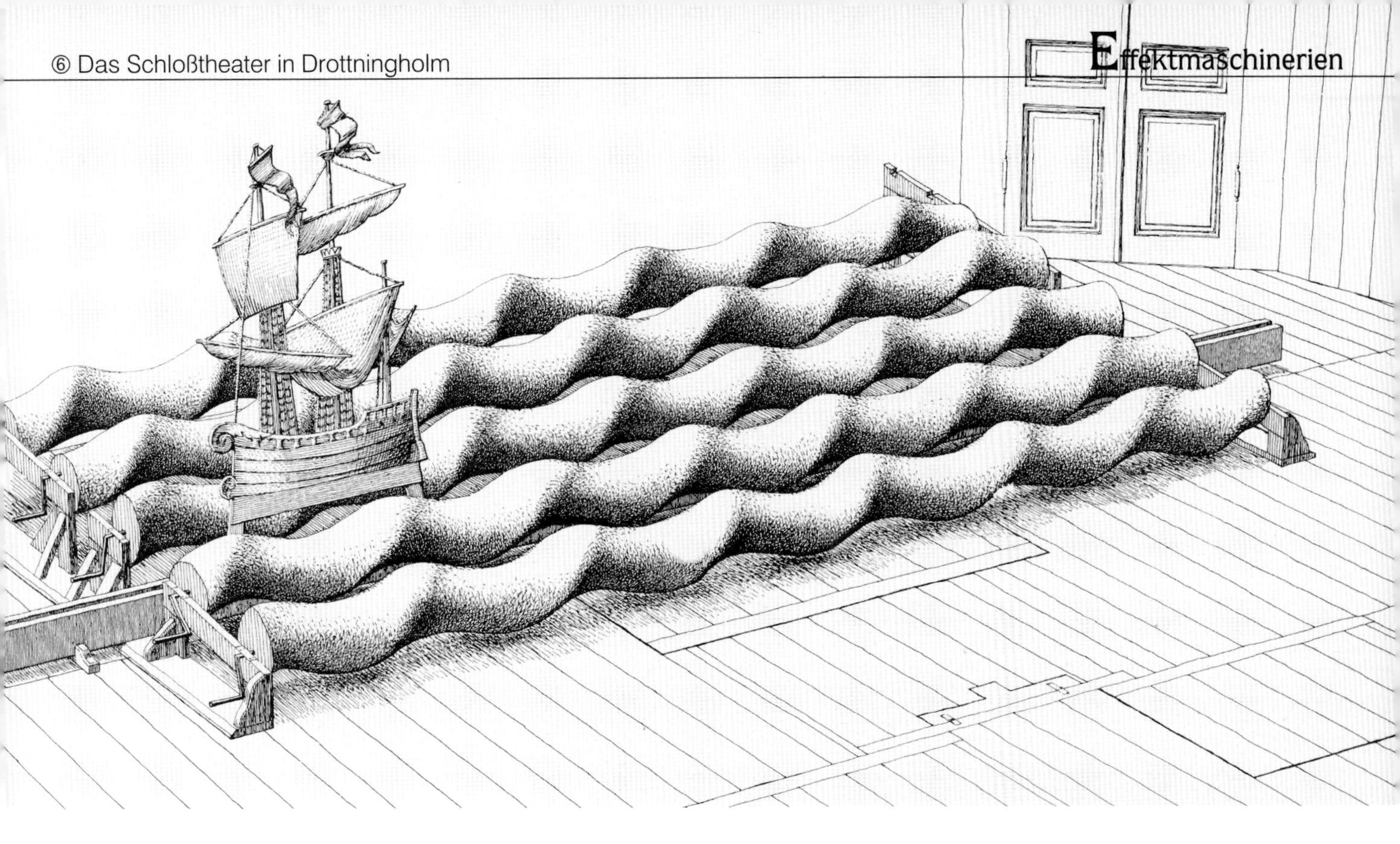

Ganz hinten auf der Bühne ist der Standort für ein weiteres, mobiles Teil der Bühnenmaschinerie: Die Wellenmaschine.

Wenn jeweils fünf Bühnenarbeiter an den Kurbeln an der Seite drehen, bekommt das Publikum den Eindruck, daß sich Wellen auf dem Meer bewegen. Durch Ziehen an einem Seil kann ein sechster Arbeiter ein Schiff auf „hoher See" bewegen.

Bereits 1638 hatte Nicolo Sabbattini in seinem in Ravenna erschienenen Werk „Pratica di fabricar szene e machine ne' teatri" diese Wellenmaschinerie skizziert (s. Abbildung unten links). In Diderots Enzyklopädie (1762-1777) ist eine Verbesserung dieser Technik abgebildet. Zusätzlich können hier die Meereswellen auf- und abbewegt werden (Abbildung unten rechts).

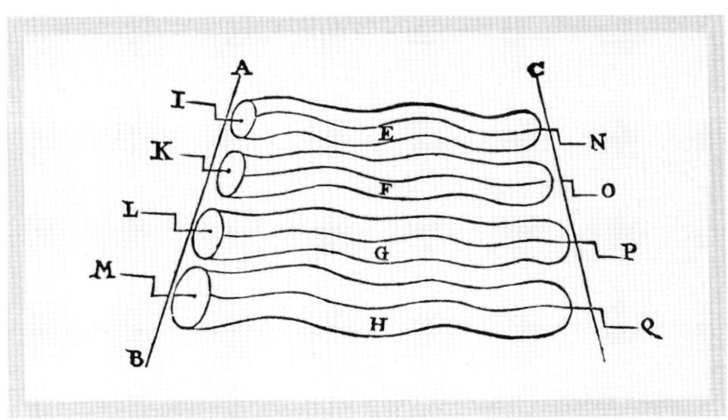

Die Donnermaschine befindet sich über dem Bühnenportal, so daß der Donner über den Köpfen der Zuschauer grollt und seine Wirkung durch das hölzerne Bühnenhaus als Resonanzboden noch verstärkt wird.

Die Donnermaschine ist ein stabiler Holzkasten. Zieht man an den Seilen, dann kippt der Kasten um seine Mittelachse, und Steine erzeugen im Inneren rollend das Donnergeräusch.

Die Windmaschine ist ein aus hölzernen Streben bestehender Zylinder, über den ein Segeltuch gespannt ist. Dreht man den Zylinder, so erzeugt die Reibung der Streben an dem Segeltuch ein windähnliches Geräusch.

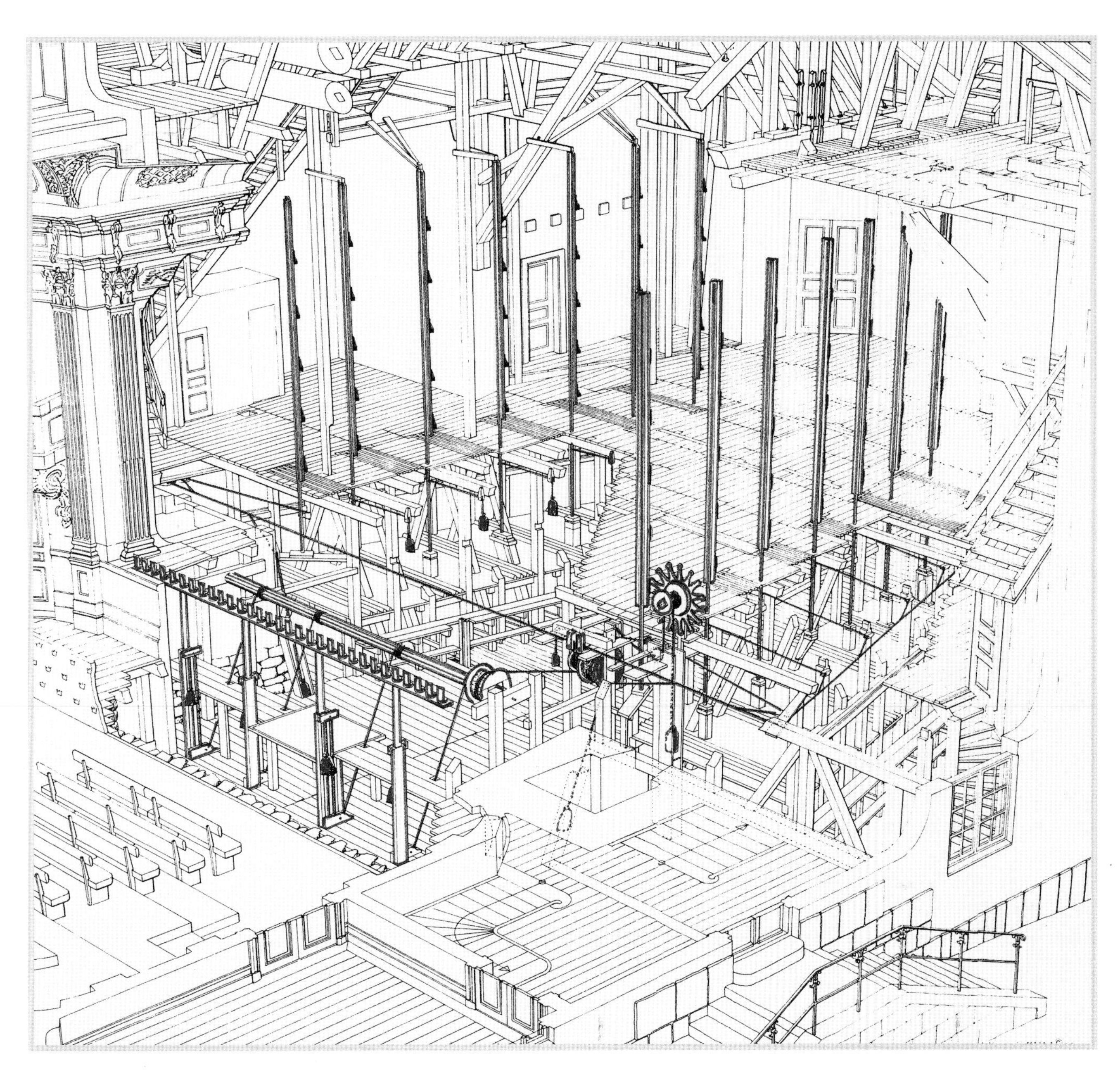

In Drottningholm konnten durch ein ausgefeiltes System von Winden, Wellen, Umlenkrollen und Gegengewichten gleichzeitig die Rampenlichter hochgefahren oder abgesenkt und die Lichterbäume hinter den Kulissen zur Szene hin bzw. von dieser abgewendet werden. Auf diese Weise war eine Veränderung von Helligkeit und Ausleuchtung der Szenerie möglich.

Während der Restaurationsarbeiten wurde wegen der Brandgefahr ein elektrisches Lichtsystem installiert, das bis heute benutzt wird.

Gustaf Kull

Perspektivzeichnungen

Die perspektivischen Schrägzeichnungen der Bühnenmaschinerie auf den Seiten 78 - 87 wurden von *Gustaf Kull* angefertigt. Er war von der Atmosphäre des Theaters so fasziniert, daß er von 1973 an 15 Jahre seines Lebens damit verbrachte, die Bühnenmaschinerie in all ihren Einzelheiten darzustellen. Seinen Zeichnungen verdanken wir ein besseres Verständnis der Funktionsweise dieser großartigen Maschinerie.

Carlo Galli-Bibiena: Ionischer Palast bzw. Tempel

Das Schloßtheater Drottningholm besitzt neben vielen Originalkulissen des 18. Jahrhunderts einen Kulissensatz, der wahrscheinlich von Carlo Galli-Bibiena gemalt wurde. Er besteht aus 7 Kulissenpaaren und einem Hintergrundprospekt mit 4 Rahmenteilen. Stimmt die Zuordnung zu Bibiena, wäre dies die einzige erhaltene Originaldekoration Bibienas.

Belege:

1. Die Forschung weist auf die große Ähnlichkeit des ionischen Palastes mit Radierungen Carlo Galli-Bibienas für eine Aufführung in Neapel im Jahre 1772 hin.

2. Galli-Bibiena wurde 1774 nach Stockholm eingeladen, um die Theaterkulissen für die Aufführungen anläßlich der Hochzeit des Herzogspaares von Södermanland anzufertigen. Alle Belege deuten darauf hin, daß diese Bühnendekoration 1774 für den 3. Akt der Oper SILVIE geschaffen wurde und das Innere des Palastes der Diana evtl. auch des Tempels Amors in der Schlußszene darstellte.

3. Das Inventarverzeichnis des Drottningholmer Schloßtheaters von 1809 weist ausdrücklich auf eine weitere Bühnendekoration eines Palastes durch Bibiena hin: *„... med gammal Paskrift hör till Wibienas Dekorations Palais“.*

Verschiedene Numerierungen auf den Kulissenrahmen und beträchtliche Abweichungen bei den Farben und im Pinselstrich deuten darauf hin, daß die Bibienakulissen ursprünglich nicht für Drottningholm, sondern für das Stockholmer Theater angefertigt wurden. Später jedoch wurden die Kulissen den Notwendigkeiten der Drottningholmer Bühne angepaßt und drei neue Kulissenpaare hinzugefügt (das erste und die beiden letzten).

Modell der Bühnendekoration „Ionischer Palast“

Ulrike Louise – Die Schwester der Markgräfin Wilhelmine

Bedeutend für die Theaterkultur in Europa waren nicht nur die Baumeister und Techniker, die ihr Wissen in andere Länder trugen – man denke dabei an die Familie Galli-Bibiena –, sondern auch die Heiratspolitik des Hochadels; eine Liebhaberin der Muse und der Schauspielkunst im besonderen war die schwedische Königin Ulrika Lovisa, eine von insgesamt fünf Töchtern des preußischen Königs Friedrich I., Schwester Friedrichs des Großen und Wilhelmines.

Ihr Charme und ihr gutes Aussehen machen sie beim ganzen Hof, besonders aber bei ihrem Vater, zum „Liebling" (das Interesse an musischer Betätigung verliert sie jedoch vorerst); stets genießt sie von ihrem Vater eine besondere Behandlung, und kein Bräutigam scheint der richtige zu sein.

Im Jahre 1742 wird für den frischgebackenen schwedischen Thronfolger, Adolf Friedrich, eine Frau gesucht; Ulrike Louise, wie sie in Preußen noch genannt wurde, schien den Gesandten aus Schweden genau die richtige zu sein. Und schon kurz darauf beginnt sie mit einem zweijährigen Ehe-Vorbereitungskurs in Schwedisch und Religion.

1744 feiert man mit aufwendigen Festlichkeiten die Hochzeit in Berlin, wobei der Bräutigam allerdings verhindert ist und einen Stellvertreter entsenden muß. Nach mehrtägigen Festivitäten wird die neue schwedische Prinzessin Richtung Stockholm geschickt, nicht wissend, was sie dort erwarten sollte. Doch alle schlimmen Erwartungen erweisen sich als unberechtigt: Ulrika Lovisa versteht sich auf Anhieb gut mit ihrem Bräutigam, dem sie in Stralsund das erste Mal begegnet. Ihre junge Ehe wird bis an ihr Ende schön und harmonisch bleiben. Ulrika Lovisa lebt sich nach und nach in ihrer neuen Heimat ein, bleibt aber immer in engem brieflichen Kontakt zu ihren Geschwistern.

Im Jahre 1746 dann bringt sie Gustaf zur Welt, den späteren König Gustaf III.; insgesamt hat sie eine Tochter und drei Söhne; nach dem Tod des Königs 1751 tritt das junge Paar die Thronfolge an. Jetzt, als Königin, kann Ulrika Lovisa sich noch viel mehr als zuvor im kulturellen Leben engagieren. Ihr ist es zu verdanken, daß die Idee eines Schloßtheaters, übernommen von ihrer Schwester Wilhelmine, auch in Stockholm in die Tat umgesetzt wurde, achtzehn Jahre nach dem Bayreuther Opernhaus.

Probleme bereitet ihr jedoch das politische Leben in Schweden; hier ist – anders als in Preußen – die Macht des Monarchen nicht absolut, sondern durch die Reichsstände eingeschränkt; mit dieser Situation kommt die Königin nicht zurecht, sie sieht den Einfluß ihres Mannes zu stark beschnitten. So läßt sie Mitglieder der Reichsstände schikanieren, zettelt Verschwörungen an und läßt aus der daraus resultierenden Geldnot heraus sogar die staatseigenen Kronjuwelen verpfänden; als die Reichsstände davon Wind bekommen, verlangen sie urplötzlich von der Königin, die Kronjuwelen vorzuzeigen, was sie

dazu zwingt, ihren Bruder Friedrich, mittlerweile selbst König von Preußen, um Geld zu bitten, um die Juwelen zurückkaufen zu können. Doch damit nicht genug: Wenig später werden die Reichsstände sogar über die Verschwörungspläne der Königin informiert, woraufhin mehrere Anhänger Ulrika Lovisas verhaftet werden. Schlimmeres kann jedoch vermieden werden. Von dieser Zeit an nimmt der Einfluß Ulrika Lovisas immer mehr ab, und die Position der Reichsstände scheint gesichert.

Nach dem Tod ihres Mannes, an dessen Stelle ihr Sohn Gustaf tritt, will sich Ulrika Lovisa, nunmehr Königinmutter, wieder mehr politisch engagieren, dies jedoch gegen den Willen ihres Sohnes. Er schlägt ihr vor, nach 26 Jahren in Stockholm wieder einmal ihre Heimat, den preußischen Königshof in Berlin zu besuchen, was sie auch in die Tat umsetzt; insgesamt verweilt sie rund neun Monate in Berlin.

Die Ehe Gustaf III. bleibt zwölf Jahre lang kinderlos. Als die junge Königin Magdalena doch noch schwanger wird, begeht nun die Königinmutter einen folgenschweren Fehler und behauptet, das Kind sei nicht von ihrem Sohn, sondern vom Hofstallmeister Baron Munck; der hocherzürnte Gustaf zwingt seine Mutter umgehend zum urkundlichen Widerruf. Nach diesem Vorfall sehen die beiden keine Notwendigkeit mehr, sich persönlich zu begegnen, und Ulrika, eigentlich bekannt für ihre Geselligkeit und Leutseligkeit, isoliert sich immer mehr am Hof, konzentriert sich nur noch auf ihre Studien und zieht sich schließlich auf Schloß Svartsjö zurück, wo sie schließlich 1782 – relativ unerwartet – stirbt, ohne ihren Sohn je noch einmal wiedergesehen zu haben. ■

Ulrika Lovisa als Minerva auf dem Theatervorhang des Drottningholmer Schloßtheaters

Das Schlosstheater in Český Krumlov

Die Theaterkultur in Český Krumlov reicht bis ins ausgehende 15. Jahrhundert zurück. Die Geschichte des Schloßtheaters beginnt dagegen erst im 17. Jahrhundert, als der Krumauer Herzog Johann Christian von Eggenberg ein eigenes Theatergebäude im Areal des Schlosses (1680 - 1683) erbauen ließ. Der Herzog beschäftigte eine ständige Schauspielertruppe, die Opern, Komödien, Pantomimen, Musikspiele und Ballettaufführungen von hohem künstlerischen Niveau aufführte.

Nach dem Aussterben des Eggenberger Geschlechts im Jahre 1719 zeigte erst Fürst Josef Adam von Schwarzenberg wieder Interesse am Theater. Er ließ nicht nur das Schloß großzügig in barocker Manier umbauen, sondern zwischen 1765 und 1767 auch das alte „Comedia-Hauß", und es völlig neu ausstatten.

Auf eine besonders qualitätsvolle Ausstattung der Maschinerie, die wohl auf den Wiener Bühnenarchitekten Andreas Altomonte zurückgeht, der Kulissen und der Theaterkostüme und des Kostümzubehörs wurde geachtet. Es ist ein großer Glücksfall, daß der Gesamtkomplex des Schloßtheaters von Český Krumlov mit all seinen Dekorationen, Requisiten, Kostümen, Opernlibretti und seiner riesigen Opernpartituren- und Musikaliensammlung authentisch erhalten ist. Wahrscheinlich weltweit einzig ist das originale, lange zweiseitige Notenpult im Orchesterraum.

Im 19. Jahrhundert wurde das Theater an Wandertruppen und einheimische Amateurtheater vermietet, bis es 1897 aus Sicherheitsgründen geschlossen wurde. Nachdem es im 20. Jahrhundert lediglich in den Jahren 1956 - 1964 im Rahmen des Südböhmischen Theaterfestivals wieder bespielt wurde, begann 1966 eine systematische Restaurierung von Bühne und Theater. Seit 1997 kann man das Schloßtheater wieder besichtigen, und man hofft, es im Jahre 2001 wieder bespielen zu können.

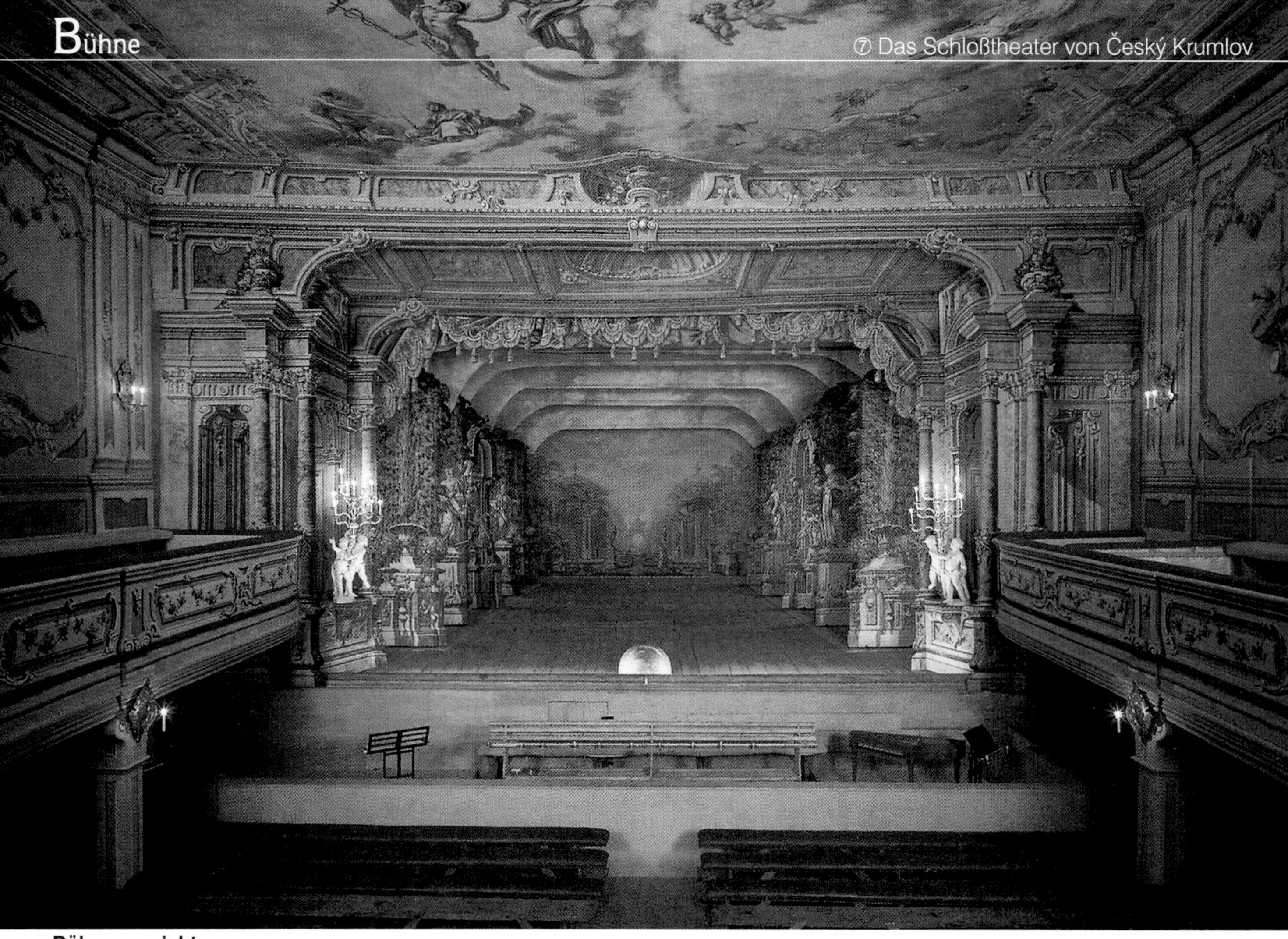

Bühnenansicht

Der Orchesterraum mit dem sog. Liniennotenpult bildet zur Bühne hin den Abschluß des Parketts. Die Bühne selbst ist, wie das übrige Theater, weitgehend original erhalten: 13 vollständige Bühnenbilder, über 250 Stück Kulissen, Soffitten und Prospekte aus den sechziger Jahren des 18. Jahrhunderts bilden ein einmaliges Ensemble barocker Theaterausstattung. Nur wenige erhaltende Eingriffe waren notwendig, um die Kulissengassen, die Effektmaschinen und die ursprüngliche Lichttechnik wieder voll funktionsfähig zu machen, so daß sich der Bühnenraum heute wieder in der kompletten, nahezu originalen Ausstattung darbietet.

Bühnenbreite	– Portal	10 m
	– Prospekt	durchschnittlich 8,8 m
Bühnenportalhöhe		7,4 m
Bühnentiefe		19,25 m
Bühnenfall		2,3 %
Größe Orchestergraben		ca. 30 Musiker
erbaut		1766
Zuschauer		200
Theatergebäude		selbständiges Theatergebäude im Areal des Schlosses
Heutige Nutzung		in Rekonstruktion

Dekoration „Festsaal“ von Guiseppe Galli-Bibiena

Während die Bühne mit einer technisch aufwendigen Maschinerie ausgestattet ist, präsentiert sich der Zuschauerraum zwar in einem prächtigen barocken Kleid, das jedoch mit einfachen Mitteln erreicht wird. Weißgrau herrscht vor, wovon sich akzentuierende Gold-, Blau- und Gelbtöne absetzen. Bemalungen mit Instrumenten, Vasen und Blumengirlanden stimmen den Zuschauer auf die Aufführung ein; das raumfüllende heitere Deckengemälde ist wie die übrigen Wandmalereien ein Werk der aus Wien stammenden Theatermaler Hans Wetschel und Leo Märkl. Nur flache Lisenen kragen vor, alles Übrige – auch die Säulenarchitektur des Bühnenportals, die Bühnenarchitektur der Flachdecke, die Kartuschen an den Wänden, der plastische Schmuck – ist gemalt. Der Besucher erliegt aber völlig der barocken Illusion eines freundlich gestalteten Innenraums.

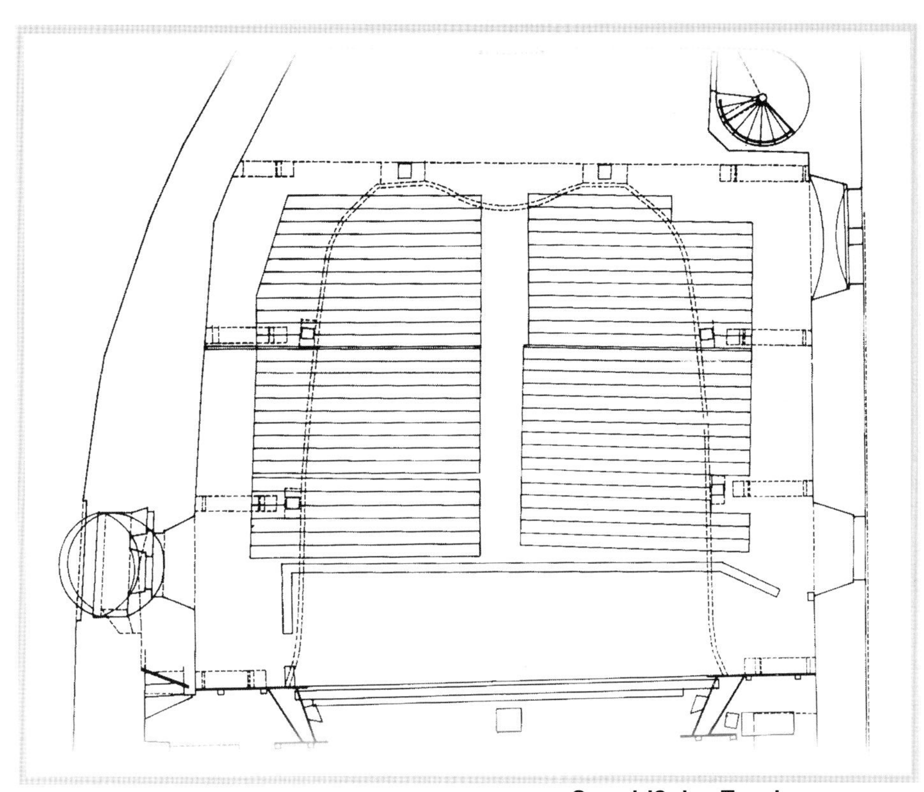

Grundriß des Zuschauerraumes

Sehr einfach, ja spartanisch wirkt das flache Parkett mit seinen nach hinten ansteigenden lehnenlosen Sitzbänken, die nur in den vorderen Reihen gepolstert sind.

Zuschauerraum mit Rang und Fürstenloge

Im Vordergrund links eine einzelne Winde mit zwei Speichenrädern zum Antrieb der 5. Gasse, rechts der große Wellbaum zum Antrieb der vorderen vier Gassen

Die Maschinerie der Unterbühne ist heute vollständig restauriert und bereits wieder funktionstüchtig. Ein großer Wellbaum treibt die Kulissenwagen der ersten vier Gassen an. Bewegt wurde der Wellbaum von einem Speichenkranz in seiner Mitte. Man verwendete für ihn keinen Baumstamm, sondern leimte ihn aus Balken zusammen. Somit erreichte man, daß der Wellbaum in allen Bereichen gleich dick war und daß somit die Bewegung aller Kulissenwagen gleichzeitig erfolgte. Die Kulissenwagen der fünften Gasse werden von einer eigenen Winde mit zwei Speichenrädern angetrieben. So benötigte man in der Unterbühne 2 - 3 Personen. Zum besseren Niveauausgleich, damit sich die Kulissen nicht verkanten, verlaufen die Führungsschienen für die Räder der Kulissenwagen auf Tischen ca. 50 cm über dem Boden. Die ersten drei Gassen verfügen über drei, die letzten beiden Gassen über 4 Kulissen.

Anzahl der Kulissengassen	5
Kulissen pro Gasse	3 in ersten drei Gassen 4 in zwei letzten
Maße der Kulissen (Breite x Höhe)	
1, Gasse	1,60 x 4,43 m
2, Gasse	1,57 x 4,25 m
3. Gasse	1,55 x 4,12 m
4. Gasse	1,52 x 4,00 m
5. Gasse	1,50 x 3,75 m
Notwendige Bühnenarbeiter für den Kulissenwechsel	2 - 3 in der Unterbühne
Zeit für den Kulissenwechsel	6 - 8 sec.
Tiefe der Unterbühne	2,13 m

Zum Niveauausgleich verlaufen die Führungsschienen der Kulissenwagen auf Tischen

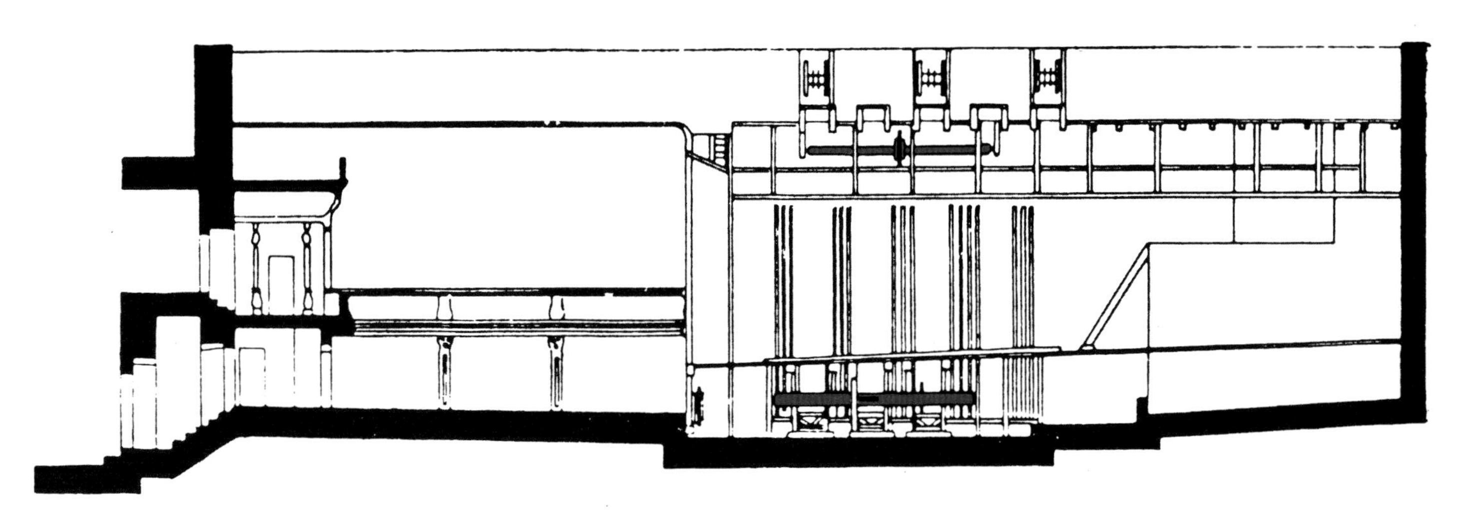

Längsschnitt des Zuschauerraumes und der Bühne

Anzahl der Soffittengassen	5
Soffitten pro Gasse	3
Soffittenwechsel	vom Schnürboden aus, nicht mit der Kulissenmaschinerie gekoppelt, 2 Bühnenarbeiter (auch für Prospekt- und Vorhangwechsel)

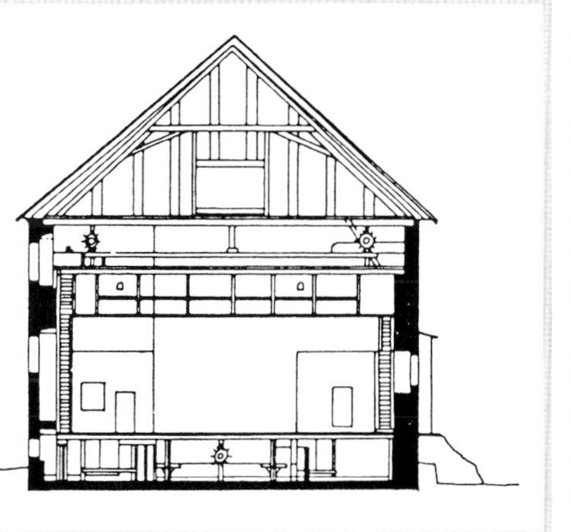

Querschnitt des Theatergebäudes

Die Soffitten werden von zwei Bühnenarbeitern vom Schnürboden aus gewechselt. Winden mit Speichenrädern bewegen je drei Soffitten in den fünf Gassen, den Bühnenvorhang und den Hintergrundprospekt. Darüber befinden sich noch große Trommeln, von denen aus Flugwerke bedient werden konnten. Reste dieser Maschinen sind noch erhalten; es gibt aber keine genauen Überlieferungen, wie sie funktionierten.

Rad eines Kulissenwagens

Winden auf dem Schnürboden zur Bewegung des Bühnenvorhangs, der Soffitten und des Hintergrundprospektes

Speichenrad zum Heben und Senken der Rampenbeleuchtung

Ca. 70 % des Bühnenbodens lassen sich öffnen

Die Bühne verfügt über vier Tischversenkungen mit der Größe von 107 x 68 cm. Daneben existieren aber noch viele Klappen und Öffnungsmöglichkeiten, so daß sich ungefähr 70% des Bühnenbodens öffnen ließen, um Menschen oder Requisiten auf die Bühne zu befördern.

Direktor Pavel Slavko demonstriert ein Modell der Soffittenbeleuchtung

Versenkung mit Gegengewicht

Das Theater besaß eine umfassende Ausstattung an Spezialeffekten. So sind Teile von Wind-, Regen- und Donnermaschinen sowie Wellen, um Meereswellen auf der Bühne zu imitieren, erhalten. ■

THÉÂTRE DE LA REINE (VERSAILLES)

Marie-Antoinette trat in ihrem „Privattheater" selbst auf. Da die katholische Kirche das Theaterspielen **für Frauen verboten** hatte, wurde das **Theater von außen als Fabrik getarnt**

Marie-Antoinette, Erzherzogin von Österreich, ordnete nach ihrer Heirat mit dem französischen König Ludwig XVI. im Jahr 1777 im Zuge der Renovierungs- und Erweiterungsarbeiten an ihrem Schloß, dem „Trianon" in Versailles, den Bau eines Theaters an. Als Architekten beauftragte sie Richard Mique. Eine Vorgabe bestand darin, daß es in der Lage sein mußte, die Kulissen der anderen königlichen Theater ohne vorherige Umbauten aufzunehmen. Hieraus ergaben sich, obwohl das Theater nicht für die Öffentlichkeit bestimmt war, räumliche Festlegung und hohe Ansprüche an die Bühnentechnik. Die Bauarbeiten dauerten bis Juli 1779, allerdings lassen sich keine Bestätigungen für Aufführungen vor dem August 1780 finden.

Marie-Antoinette ließ es sich in ihrer Begeisterung für das Theater nicht nehmen, wiederholt in Gesellschaft anderer Adliger selbst auf der Bühne aufzutreten. Auch bei der ersten Vorstellung in dem neuen Theater am 1. August 1780 spielte sie die Hauptrolle, das Publikum bestand nur aus dem König Ludwig XVI. Da die katholische Kirche Frauen das Theaterspielen nicht gestattete, war das Theater äußerlich nicht als solches erkenn-

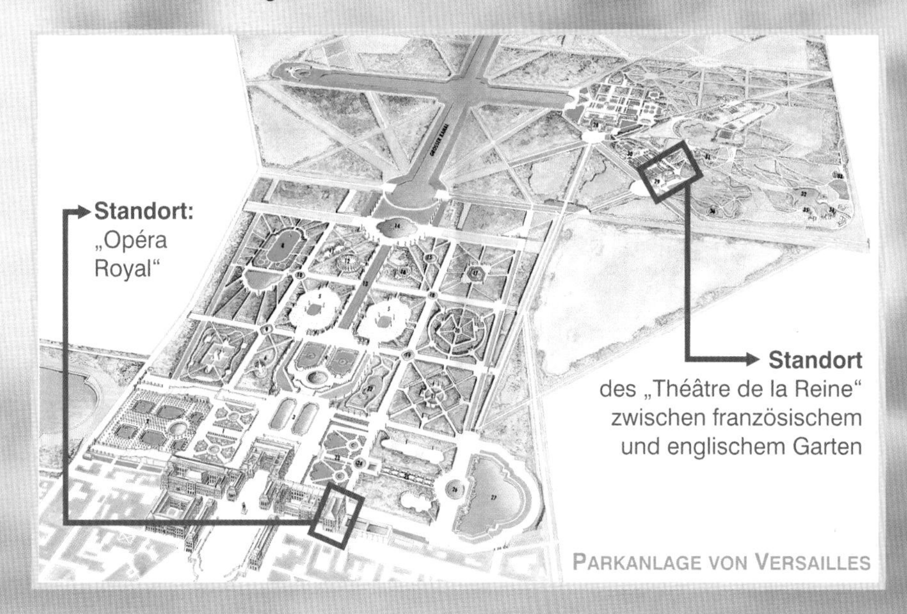

PARKANLAGE VON VERSAILLES

Bühnenansicht

Bühnenbreite	ca. 6 m
Bühnentiefe	ca. 12 m
Bühnenportalhöhe	ca. 4 m
Zuschauer	ca. 120
Größe Orchestergraben	ca. 16 Musiker
7 Kulissengassen mit je 2 Kulissen	
7 Soffittengassen mit je 2 Soffitten	
erbaut	1779

Dekoration: Minerva-Tempel

bar. Eher einer Fabrik gleichend, lag das Theater versteckt in den Parkanlagen des Trianon an der Grenze zwischen den Anlagen im englischen und französischen Stil. Einziger Schmuck dieses unscheinbaren Gebäudes bilden die zwei Säulen des Eingangsportals, die eine Skulptur krönt. Im Gegensatz dazu ist der Innenraum prunkvoll mit Moiré, Vergoldungen und Skulpturen ausgeschmückt.

Die restaurierte Bühne schmückt ein besonders kostbares Bühnenbild. Die Dekoration, ein Minerva-Tempel, wurde von Madame de Pompadour für die Oper „Thésée" von Lully in Auftrag gegeben. Sie wurde ursprünglich für das Theater in Choisy geschaffen und ist wahrscheinlich die älteste noch erhaltene Dekoration in Europa.

Noch gut erhalten präsentiert sich die Bühnenmaschinerie, die von Pierre Boullet konzipiert wurde. Die Unterbühne und die Bühne selbst sind weitgehend im Originalzustand erhalten. Die Obermaschinerie auf dem Schnürboden wäre nach der Rekonstruktion kleiner Teile und dem Einziehen der Seile wohl noch funktionsfähig. Das Besondere an der französischen Bühnentechnik ist, daß die Bühnenarchitekten eine Maschinerie „schlüsselfertig" auf dem Schnürboden errichteten ohne die feste Zuordnung für bestimmte Aufgaben (z. B. eine Welle, die nur für die Verwandlung der Soffitten gebaut ist). Die Regisseure konnten die Maschinen, die längs und quer zur Bühne angeordnet waren, variabel für die unterschiedlichsten Funktionen einsetzen. ■

Obermaschinerie

Untermaschinerie

Opéra Royal in Versailles

10 Jahre vorher war im Schloß Versailles das Opernhaus fertiggestellt worden. Die „Königliche Oper“ in Versailles wurde unter Ludwig XV. (1710-1774) von seinem Baumeister Ange-Jacques Gabriel ab der Mitte des 18. Jahrhunderts errichtet. Da der Bau wegen finanzieller Engpässe mehrmals unterbrochen werden mußte, konnte die Oper schließlich erst am 16. Mai 1770, während der pompösen Feierlichkeiten, die die Hochzeit des Dauphin mit der österreichischen Erzherzogin Marie-Antoinette begleiteten, eingeweiht werden. Der königliche Bühnentechniker Blaise-Henry Arnoult stattete die Oper mit einem Hebemechanismus aus, so daß der Zuschauerraum und der Bühnenraum jederzeit auf dieselbe Höhe gebracht werden konnten, wodurch der Saal außer für Theater- und Opernaufführungen auch für große Bälle und Festessen genutzt werden konnte.

Nach den Hochzeitsfeierlichkeiten wurde die „Königliche Oper“ aufgrund von Geldmangel nur noch bei besonderen Anlässen genutzt und nach der Revolution von 1789 mehrmals umgebaut. Später diente sie als Sitzungssaal des Senats, bevor sie 1952-57, außer der Bühnentechnik, wieder in den ursprünglichen Zustand zurückversetzt wurde, ohne jedoch seitdem eine ihr angemessene Verwendung gefunden zu haben.

Von der ursprünglichen Bühnentechnik ist nur noch die Maschinerie für den Kulissenwechsel erhalten, die aber nicht mehr funktionsfähig und auch nicht mehr wieder herzustellen ist. Die Untermaschinerie besaß – auf vier Stockwerke verteilt – gigantische Ausmaße: Mannshohe Räder, die von tonnenschweren Gewichten angetrieben wurden, sorgten für den Wechsel der je vier Kulissenwagen in den 12 Kulissengassen. ■

Bühnenbreite	12 m
Bühnentiefe	25 m
Bühnenportalhöhe	10 m
Bühnenfall	5 %
Größe Orchestergraben	70 Musiker
12 Kulissengassen mit je 4 Kulissen	
12 Soffittengassen	
erbaut	1770

Das Schlosstheater in Gripsholm

Am Mälarsee, einige Kilometer westlich von Stockholm gelegen, befindet sich das Schloß Gripsholm. Bekannt geworden ist es vor allem durch Kurt Tucholskys heiteren Ferienroman „Schloß Gripsholm". Außerdem befindet sich hier die Porträtsammlung des schwedischen Staates mit über 4000 Gemälden.

In den Jahren 1537-1540 unter Gustaf Vasa erbaut, wurde das Schloß mehrere Male umgebaut und restauriert. Sein heutiges Aussehen ist auf Gustaf III. zurückzuführen, der – bekannt für sein Interesse am Theaterspiel – im Jahre 1772 von Carl Frederik Adelcrantz im 3. Obergeschoß des Kirchenturmes ein Schloßtheater einbauen ließ; dieses Theater erwies sich jedoch als zu klein, so daß Gustaf III. Erik Palmstedt den Auftrag gab, ein neues Theater zu entwerfen und einzubauen.

Bei der Gestaltung des Theaters hatte sich Palmstedt vom Teatro Olimpico in Vicenza inspirieren lassen, das er auf einer Italienreise besucht hatte, kurz bevor er den Auftrag bekam.

Zwar hatte man auch nach der Aufstockung des „Königinflügels" nicht Platz im Überfluß, dennoch gelang es dem Architekten, im Turm ein technisch zeitgemäßes und funktionsfähiges Theater unterzubringen.

Das Theater wird nur noch sehr selten bespielt; es kann, wie auch das gesamte übrige Schloß, als Museum besichtigt werden.

Außenansicht des sich auf obiger Luftaufnahme ganz hinten befindlichen **Theaterturmes**; in seinem 3. Obergeschoß beherbergt er das Theater

Die Bühne von Schloß Gripsholm mit Originalkulissen und -prospekt zum Schauspiel „Königin Christiana“ aus dem Jahre 1785

Da die Bühne des Gripsholmer Schloßtheaters heute nicht mehr bespielt wird, hat sie nur einen gewissen Museumscharakter.

Standardmäßig zeigt sie die Kulisse eines Schlosses; es sind aber auch viele Kulissensätze aus früheren Zeiten erhalten.

Im Vergleich zu anderen Bühnen weist die Bühne in Gripsholm einen relativ großen Bühnenfall auf, was wohl die geringe Größe des Theaters noch etwas kompensieren soll. Ebenfalls auffällig ist das Bühnenportal, das in dem kleinen Zuschauerraum durch seine Höhe noch eindrucksvoller wirkt.

Der Zuschauerraum ist weiß und golden geschmückt; umrahmt wird er von großen ionischen Säulen; sein Dach ist eine mit einer Kassettendecke versehene Halbkuppel.

Bühnenbreite	– Portal	8,2 m
	– Prospekt	5,3 m
Bühnenportalhöhe		6,8 m
Bühnentiefe		14,4 m
Bühnenfall		5,5 %
Zuschauerzahl		110
Größe Orchestergraben		ca. 20 Musiker
Theatergebäude		in einem Schloßturm
erbaut		1781

Im klassizistischen Stil gehalten, gliedert sich der Zuschauerraum in das ansteigende, halbrunde Parkett (nach dem Vorbild des Teatro Olimpico, das sich wiederum an den Amphitheatern der Antike orientiert), die Logen für die Königsfamilie und den Adel, darüber die Logen für das Gefolge und die ausländischen Gesandten und schließlich die sogenannten Lorgnetten, Plätze für die Dienerschaft, die hinter der untersten Ornamentenreihe der Kassettendecke versteckt waren.

Trotz der Erweiterung des Schloßflügels war das Theater immer noch außergewöhnlich klein; durch die geschickte Anbringung von Spiegeln erzeugte der Architekt die Illusion, daß der Raum größer sei.

Der Innenraum orientiert sich am Teatro Olimpico von Vicenca (s. S. 48)

Es ist allgemein anerkannt, daß Palmstedt bei der Gestaltung des Zuschauerraums durch die Verbindung von intimer Stimmung und monumentaler Gestaltung ein Meisterwerk des klassizistischen Stils und der Innenarchitektur gelungen ist.

Zur Zeit des Theaterkönigs Gustaf III. ergänzten sich die Theater von Drottningholm und Gripsholm in idealer Weise. Während das Theater von Drottningholm in seinem barocken Gestaltungsprogramm der Unterhaltung diente, war das klassizistische Theater in Schloß Gripsholm dem Bildungsideal der Aufklärung verpflichtet. In Drottningholm spielte man barocke Opern, in Gripsholm führte man Schauspiele auf. Dementsprechend genügte auch eine bescheidenere Bühnenmaschinerie.

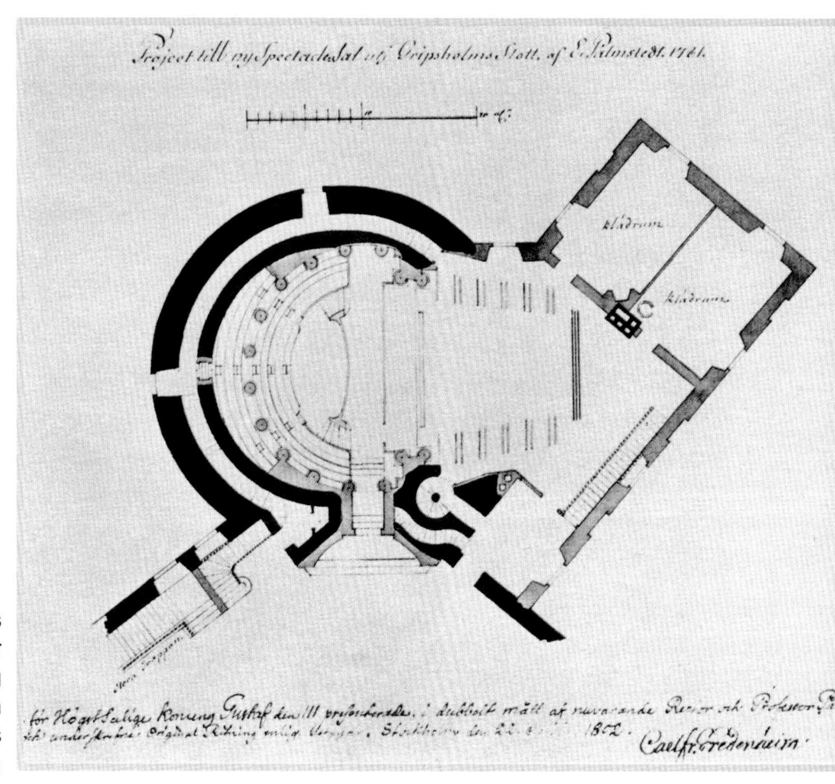

Palmstedts Konzept zur Einrichtung des neuen Theaters (1781)

Unterbühne: links der Wellbaum für den Kulissenantrieb, in der Bildmitte die Kulissenwagen auf Podesten

Das Schloßtheater in Gripsholm besitzt vier Kulissengassen mit je zwei Kulissen. Die gesamte Unterbühnenmachinerie ist noch original aus dem 18. Jahrhundert erhalten.

In der 2,70 - 3 Meter hohen Unterbühne ist ein großer Wellbaum angebracht, der durch Ziehen am jeweiligen Ende eines mehrmals herumgewickelten Seiles in die richtige Richtung gedreht wird. Diese Drehung sorgt dafür, daß die verborgenen Kulissenwagen zu beiden Seiten der Bühne heraus- und die sich gerade im Einsatz befindlichen Kulissenwagen hereingezogen werden, wo man sie bei Bedarf mit neuen Kulissen bestücken kann. Die Kulissen sind allesamt etwa 1,75 m breit, in der vordersten Gasse 4,7 m und in der hintersten 5,5 m hoch.

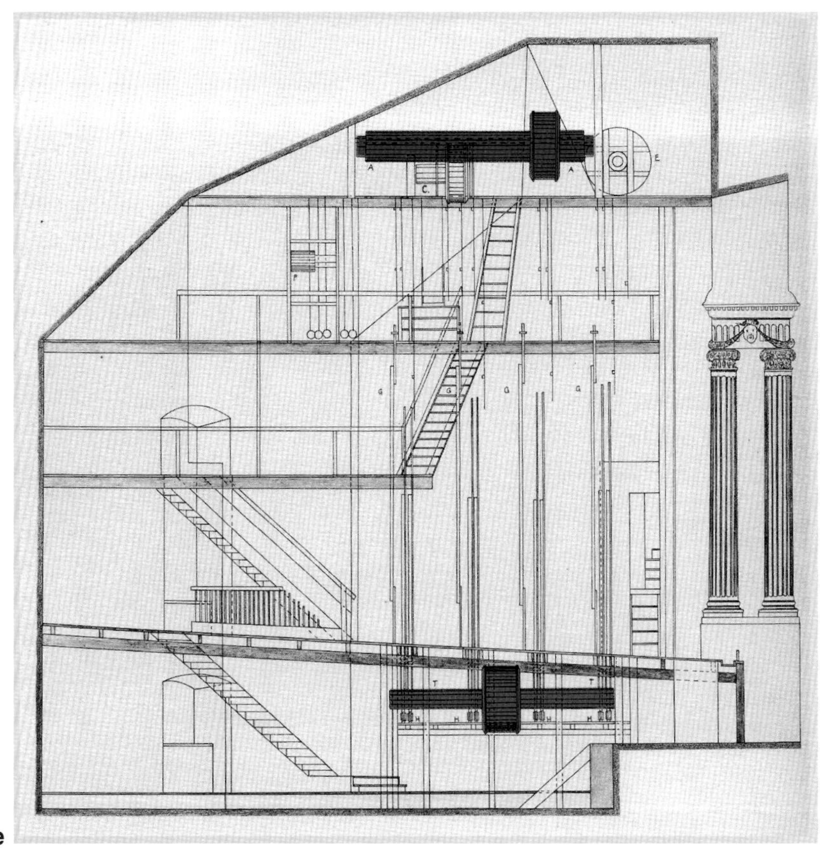

Seitenansicht der Bühne

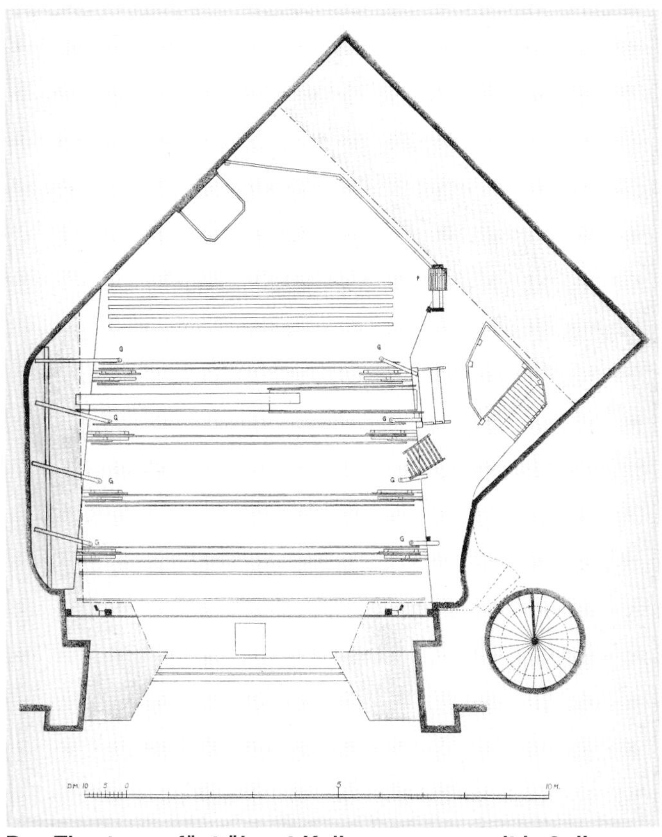

Das Theater verfügt über 4 Kulissengassen mit je 2 die ganze Bühne überspannenden Freifahrten. Dem entsprechen 4 Soffittenpaare

Welle mit den Seilen zur Betätigung des **Bühnenvorhangs**, der noch rechts unten im Bild zu erkennen ist

Blick nach oben in die **Maschinerie der Soffitten**. Zu sehen sind **der große Wellbaum** in der Mitte und ein Teil des Vorhangs

Auf dem obersten Teil der Oberbühne befindet sich, genauso wie auch für die Kulissen in der Unterbühne, ein langer Wellbaum für den Wechsel der insgesamt vier Soffitten, wobei ein bestimmtes Stück einen größeren Durchmesser hat; über dieses Stück laufen die Seile, mit denen man den Wellbaum drehen kann.

Über Umlenkrollen lassen die anderen, am Wellbaum befestigten Seile nach beiden Seiten die Soffitten herab bzw. herauf; das gleiche Prinzip wie bei den Kulissen.

Wie die Kulissen sind auch die Soffitten und deren Maschinerie noch original erhalten.

Der Bühnenvorhang wird ganz einfach durch Ziehen an einem Seil auf einer langen Stange aufgerollt.

Bei der Gestaltung des Theaters hatte man nicht nur Wert auf eine geschmackvolle Einrichtung gelegt, man wollte auch den technischen Ansprüchen der Zeit Rechnung tragen. Also ließ Palmstedt beim Einbau der neuen Maschinerie auch eine Flugmaschine einbauen, mit der man z.B. einen „Deus ex machina" auf die Bühne zaubern konnte. Die Vorrichtung bestand aus einem kleinen Podest, das man mit der Trommel, die neben dem Soffitten-Wellbaum angebracht war, mit Seilen herablassen oder heraufziehen konnte.

Das Theater verfügt noch über sechs vollständige Dekorationen:

– einfacher Saal	– Gefängnis
– Ballsaal	– Marktplatz
– Bauernhütte	– Wald / Garten

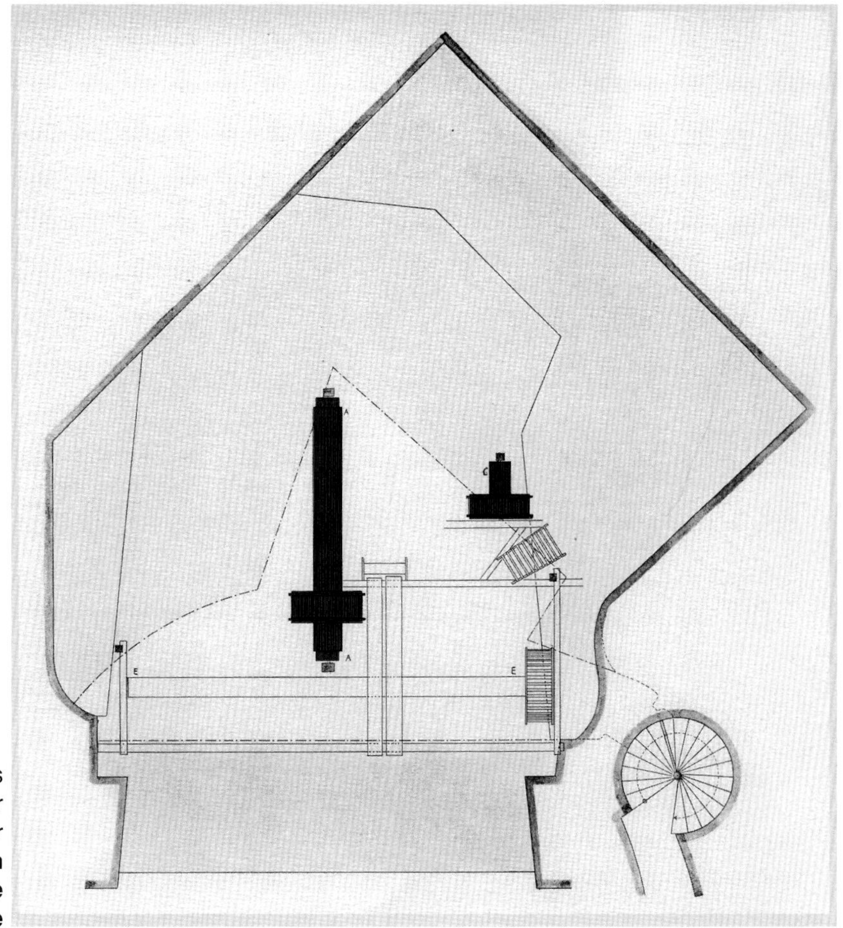

Auf diesem **Grundriß** des obersten Teils der Oberbühne zu erkennen sind der **große Wellbaum** für den Antrieb der Kulissen, die Vorrichtung zum **Aufrollen des Bühnenvorhangs** und die **Welle für die Flugmaschine**

Anzahl der Kulissengassen	4
Kulissen pro Gasse	2
Anzahl der Soffittengassen	4
Soffitten pro Gasse	2

Hinten erkennbar: **Das hölzerne Podest der Versenkung**

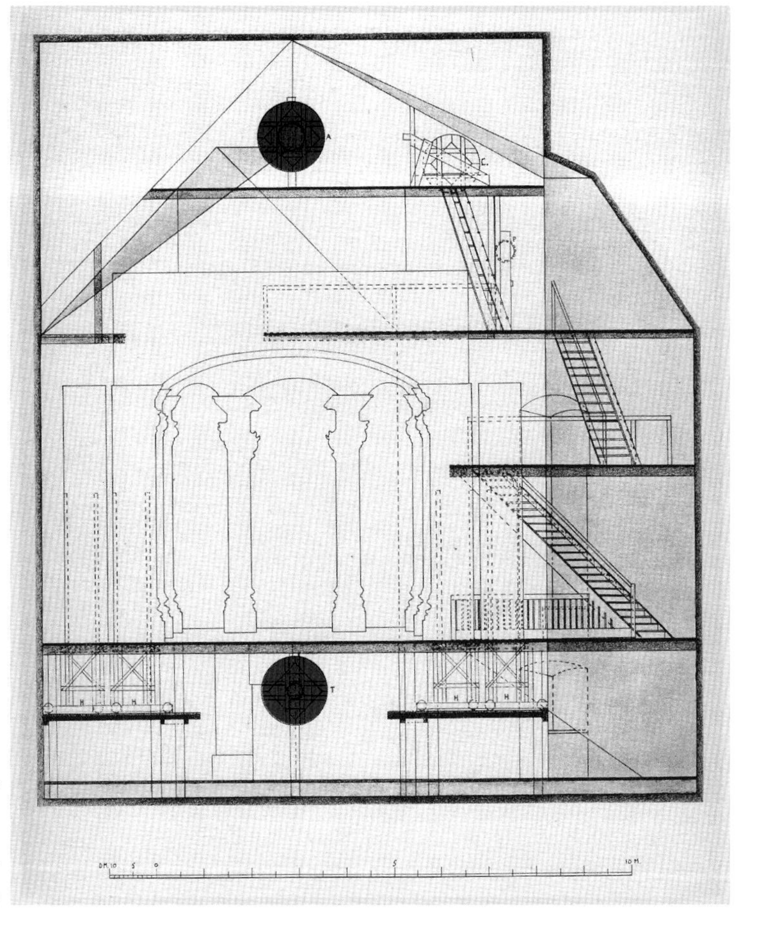

Querschnitt der Bühne: In der Mitte der Unterbühne der Wellbaum für den Kulissenantrieb, rechts und links davon die Kulissenwagen; in der Mitte der Oberbühne der Wellbaum für den Soffittenbetrieb

Das Schlosstheater in Litomyšl

Das repräsentative Renaissance-Schloß von Litomyšl wurde 1568 - 1581 im Auftrag der Familie Perstejn erbaut. Das vierflügelige Gebäude schmücken Sgraffiti und Loggien. Den großen Innenhof umgeben dreigeschossige Arkaden. Wegen finanzieller Schwierigkeiten wechselte das Schloß mehrfach den Besitzer. 1855 kaufte die Familie Thurn und Taxis das Schloß. Nach dem zweiten Weltkrieg übernahm der tschechoslowakische Staat den Besitz.

In der zum Schloß gehörenden Bierbrauerei wurde 1824 der berühmte Komponist Smetana geboren.

Im Erdgeschoß des Westflügels entstand 1796 / 97 im Auftrag der Familie Valdštejn - Vartemberk ein neues Theater, nachdem zwei ältere im Abstand von nur wenigen Jahren durch Feuer vernichtet worden waren.

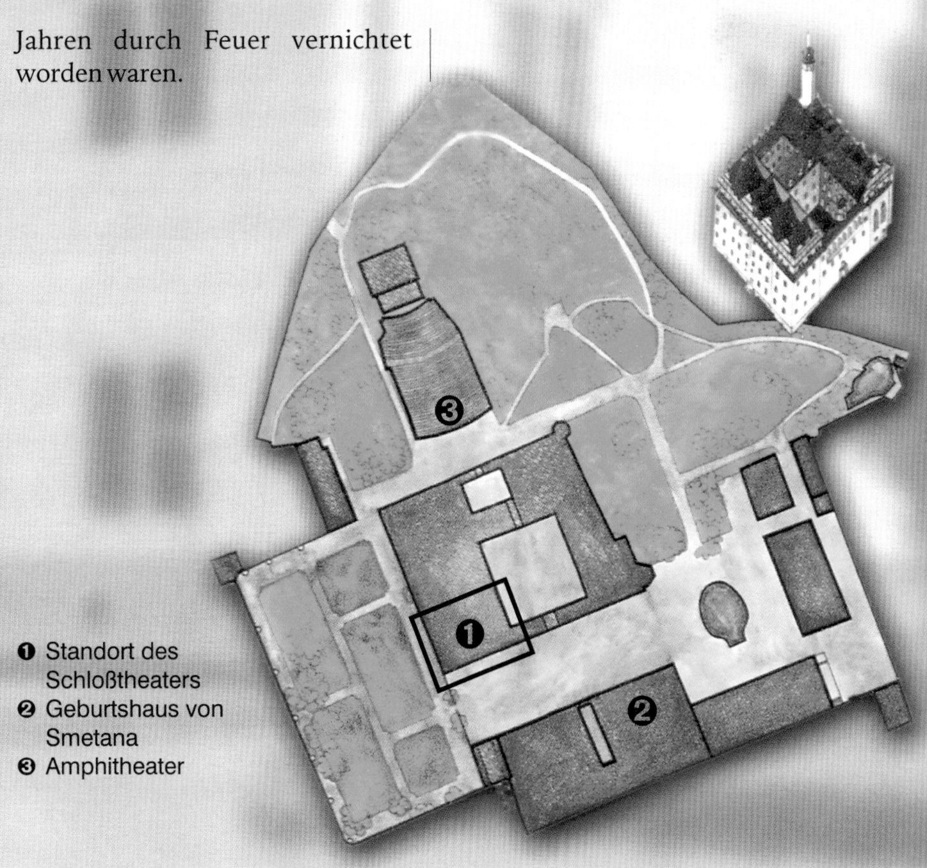

❶ Standort des Schloßtheaters
❷ Geburtshaus von Smetana
❸ Amphitheater

Bühnenansicht

Dominik Dvorák gestaltete die klassizistische Innenausstattung von Zuschauerraum und Bühne. Der berühmteste Theatermaler des Habsburger Reiches, Josef Plazer, Schöpfer der Dekorationen der Prager Uraufführung des „Don Giovanni", entwarf die Kulissen. Alle seine Bühnenbilder für Litomyšl sind noch im Original erhalten, während von seinen Wiener und Prager Arbeiten nur noch die Entwürfe überliefert sind.

Zuschauerraum

Dekoration von Josef Plazer

Bühnenbreite	– Portal	6 m
	– Prospekt	5,8 m
Bühnentiefe		10,5 m
		8,75 m bis Prospekt
Bühnenportalhöhe		4,45 m
Bühnenfall		1 %
Zuschauerzahl		100 - 120
Größe Orchestergraben		unter 20 Musiker
Theatergebäude		ins Schloß integriert
erbaut		1796 / 97

Kulissenwagen

Je zwei **Kulissenwagen** pro Gasse ermöglichen den Wechsel der Kulissen

Wellbaum mit Antriebstrommel

Antriebstrommel des großen Wellbaums

Anzahl Kulissengassen		6
Kulissen pro Gasse		2
Kulissengassen	1. Gasse	4,00 m x 0,83 m
	2. Gasse	3,80 m x 0,83 m
	3. Gasse	3,78 m x 0,83 m
	4. Gasse	3,64 m x 0,83 m
	5. Gasse	3,47 m x 0,83 m
	6. Gasse	3,45 m x 0,83 m
Anzahl Soffittengassen		6
Soffitten pro Gasse		2
Zahl der Bühnenarbeiter bei Kulissen- und Soffittenwechsel		6
Tiefe der Unterbühne		ca. 80 cm
Versenkungen		keine

Die Bühne des Schloßtheaters verfügt über eine einfache, aber wirkungsvolle Bühnenmaschinerie. Auffallend ist die große Anzahl von sechs Gassen für dieses relativ kleine Theater (8,70 m Bühnentiefe bis zum Hintergrundprospekt). Das Theater war sicherlich nicht für die große Oper gedacht und wurde auch mit einem Schauspiel eröffnet.

Ein Wellbaum in der Unterbühne bewegt die jeweils zwei Kulissenwagen pro Gasse. An seinem hinteren Ende findet sich eine Antriebstrommel. Wegen der nur ca. 80 cm hohen Unterbühne bereitet der Antrieb des Wellbaumes Schwierigkeiten. Eine Bewegung mit Hilfe von Gegengewichten scheidet aus, es gibt auch keine Hinweise wie Löcher im Bühnenboden, die für einen Antrieb von der Hinterbühne aus sprechen. Denkbar wäre z. B., daß zwei Bühnenarbeiter, rechts und links neben der Trommel sitzend, diese mit den Füßen getreten haben.

Die Unterbühne befindet sich noch weitgehend im Originalzustand und bedarf der Restaurierung.

Speichenrad zum Hochziehen des Bühnenvorhangs

Antriebsrad für die Soffitten

Die sechs Soffitten-Paare wurden von je einer langen Welle mit einem Antriebsrad am hinteren Ende rechts und links unter der Bühnendecke bewegt. Einen eigenen Schnürboden gibt es nicht. Dadurch verfügt das Theater auch über keine Wolken- oder Flugmaschinen. Die geringe Höhe der Unterbühne läßt auch keine Versenkungen zu. An Effektmaschinerien ist noch ein Balken zur Imitation von Regengeräuschen erhalten. ■

Trommel mit Bühnenvorhang

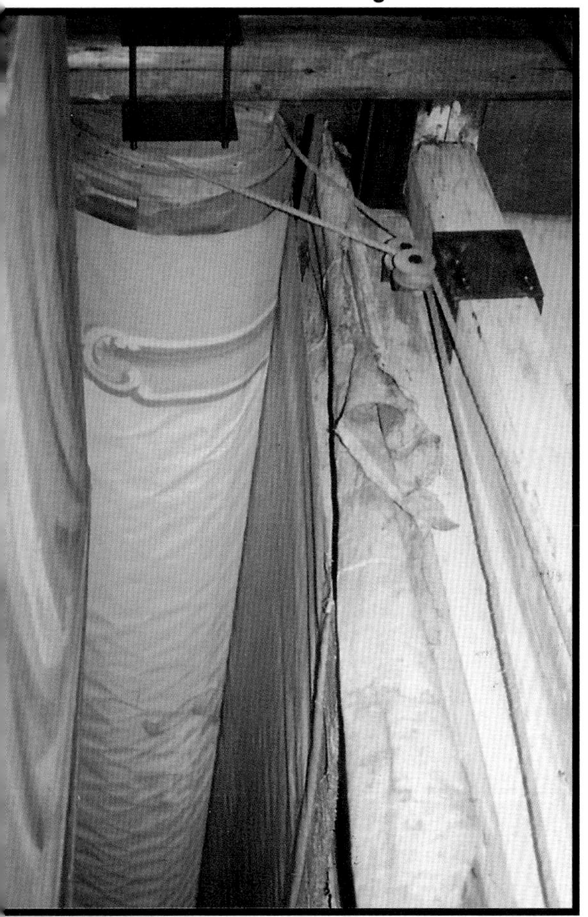

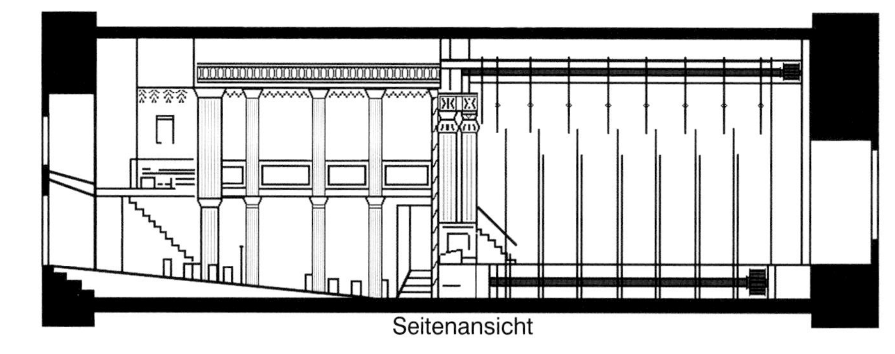

Seitenansicht

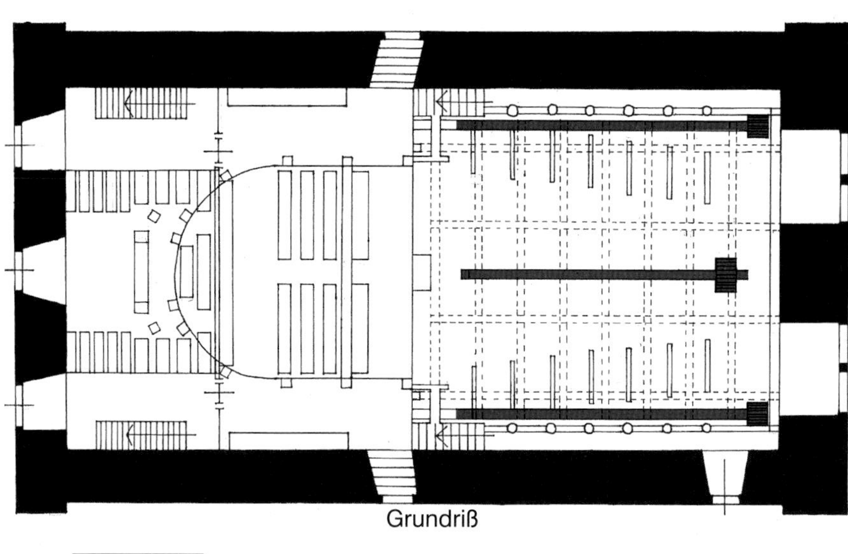

Grundriß

Das Schlosstheater in Ostankino

Die Blütezeit der russischen Theater begann in der 2. Hälfte des 18. Jahrhunderts, als der Adel, entbunden von den Pflichten des Staatsdienstes, Landsitze in der Nähe Moskaus errichtete. Das harmonische Nebeneinander von natürlichem Leben und anspruchsvoller Kunst führte für einige Jahrzehnte zu einem besonders hohen Niveau des Theaterlebens.

Eines der wenigen erhaltenen Beispiele von Schloßtheatern des ausgehenden 18. Jahrhunderts findet man auf dem Gut Ostankino des Grafen Nikolai Scheremetjev. Auf Reisen nach Paris und St. Petersburg hatte er die hohe Theaterkultur europäischer Weltstädte kennengelernt.

In einer neuen Formensprache, einer besonderen Spielart des Klassizismus, ließ er eine Schloßanlage - ganz aus Holz - errichten, in deren Mittelpunkt sich ein Theater für etwa 200 bis 250 Zuschauer befand. Die Arbeiten begannen 1790 und wurden erst 1797 abgeschlossen. Der Gast gelangte über ein weiträumiges Treppenhaus in eine Flucht von Repräsentationsräumen, die durch eine Gemäldegalerie in das Theater führten.

Korinthische Säulen auf hohen Postamenten umgeben die hufeisenförmige Zuschauertribüne. Daran schließt sich der doppelt so große Bühnenraum mit zwei Reihen weißer Säulen an. Das Besondere des Zuschauerraumes bestand in der Möglichkeit, den Raum zusammen mit der Bühne in einen Ballsaal zu verwandeln.

Das „Theaterschloß“ erlebte eine kurze, aber äußerst prachtvolle Blüte, bis es zu Beginn des 19. Jahrhunderts in Vergessenheit geriet. Erst im 20. Jahrhundert entdeckte man die nahezu vollständig erhaltene Innenausstattung aus der Zeit der Erbauung wieder.

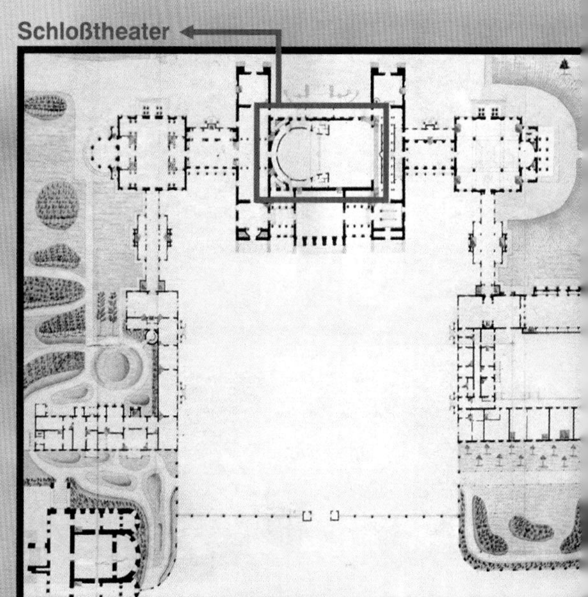

Der 10 m breite und über 20 m tiefe Bühnenraum wird seitlich und rückwärtig von weißen Säulen umgeben. Die Maschinerie der Unterbühne ist nicht original erhalten; jedoch hat ein Teil der seltenen Theatermaschinerie im doppelstöckigen Maschinenraum über der Bühne die Zeit überdauert.

Bühnenbreite	9,39 m
Bühnentiefe	20,65 m
Bühnenportalhöhe	6,96 m
Bühnenfall	keiner
Zuschauerzahl	heute 120, früher bis 200
Größe Orchestergraben	ca. 30 Musiker
Theatergebäude	zentraler Raum des Schlosses
erbaut	1790-1797

Das Theater ist der **zentrale Raum des Schlosses**, umgeben von verschiedenen Galerien und dem Theaterfoyer

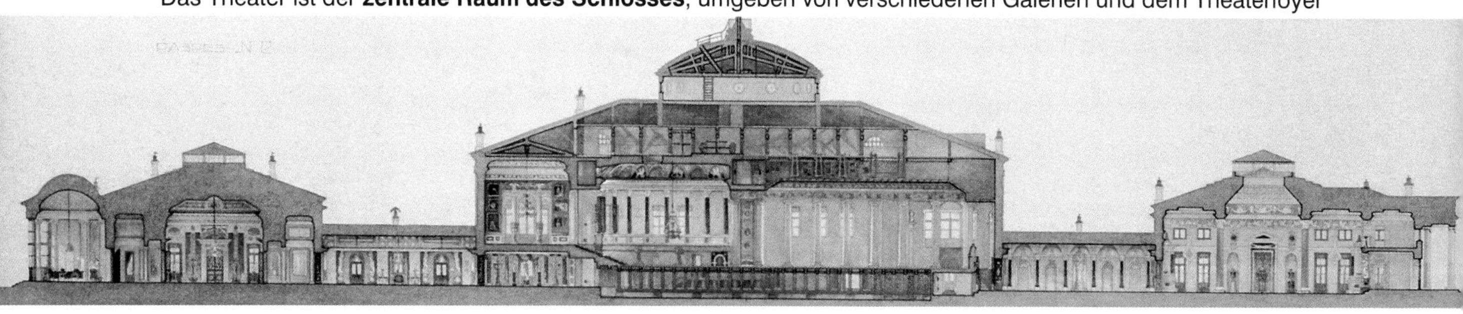

Der hufeisenförmige Zuschauerraum wird von der Bühne durch ein breites säulengestütztes Portal getrennt. Die Sitzbänke und das Orchester befinden sich vor der 1,26 m erhöhten Bühnenrampe.
Während sich nach einer Aufführung die Zuschauer in den mit ausgesuchten Kunstwerken ausgestatteten Vorräumen aufhielten, bauten Bühnenarbeiter innerhalb einer halben Stunde die amphitheatralisch angeordneten Sitzbänke ab und einen zweiten, auf dem Niveau der Bühne befindlichen Fußboden ein.
Nun konnte der sich anschließende Ball beginnen. Der gesamte Raum wirkte nun als ein weiter und sehr tiefer einheitlicher Tanzsaal.

Blick von der Bühne auf den **Zuschauerraum**

Zuschauerraum und Bühne

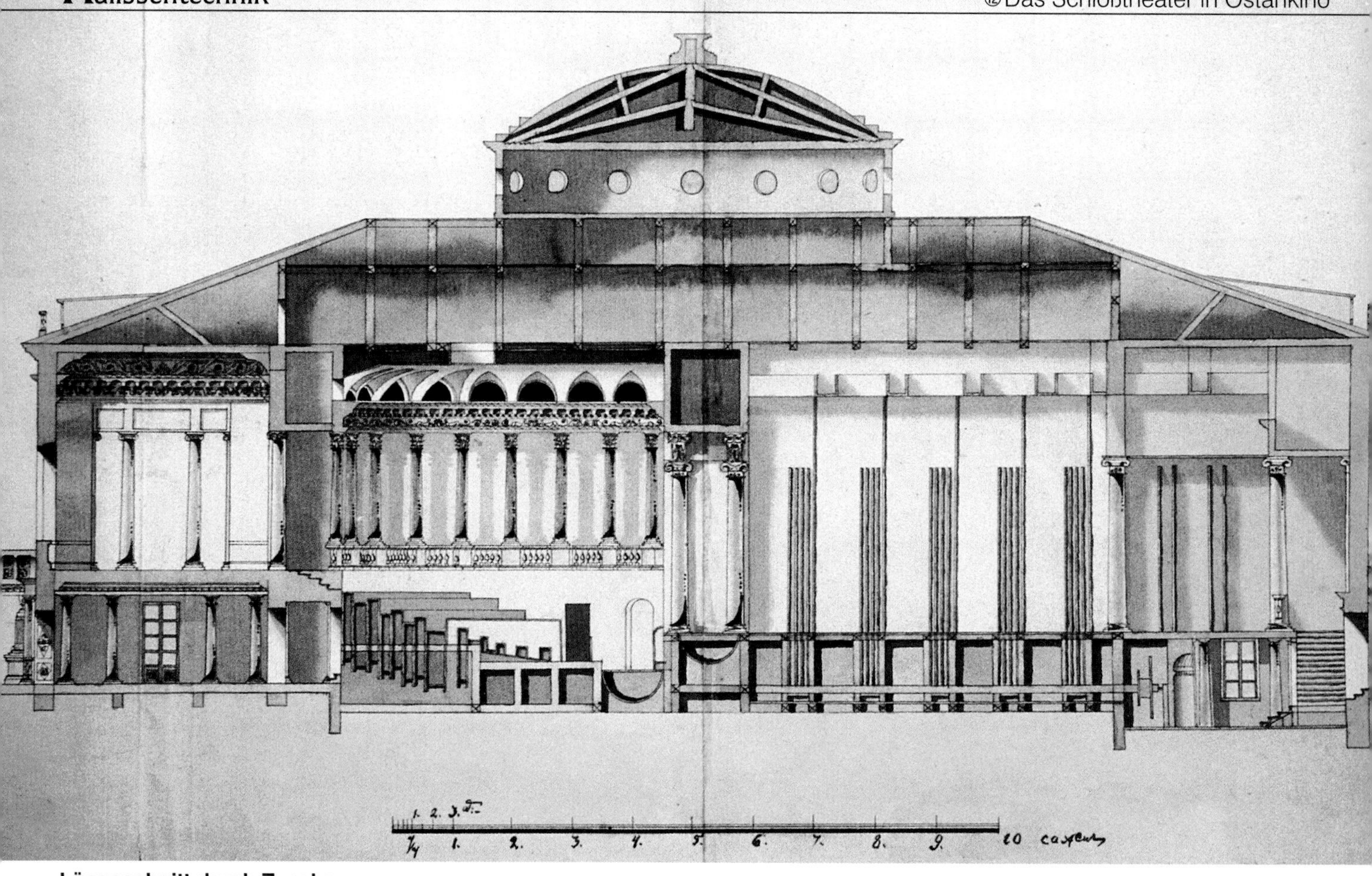

Längsschnitt durch Zuschauerraum und Bühne 1794

Anzahl der Kulissengassen	5
Kulissen pro Gasse	4
Maße der Kulissen	7,78 m (Höhe) 2,65 m (Breite)
Anzahl der Soffittengassen	5
Höhe der Unterbühne	2,26 m
Zahl der benötigten Bühnenarbeiter für eine Aufführung	24
Heutige Nutzung	Museum, nur einzelne Aufführungen

Scheremetjev will die Bühnenmaschinerie nach westeuropäischen Vorbildern gestalten und läßt dazu Pläne und Modelle nach Moskau bringen. Der russische Theaterarchitekt Prjachin entwickelt aber durchaus eigenständige Lösungen, die durch ihre Einfachheit und Funktionalität selbst bei höchst komplizierten Funktionen überraschen. Wie man Archivunterlagen entnehmen kann, waren auf der Ober- und Unterbühne 24 Bühnenarbeiter nötig.

Über die gesamte Länge der Unterbühne reichte ein Wellbaum, der die Kulissenwagen bewegte. Angetrieben wurde er von einem großen Speichenrad an seinem rückwärtigen Ende. Das Theater besaß fünf Kulissengassen mit je vier Kulissenwagen.
Wurde die Bühne als Ballsaal benutzt, so konnte man die Kulissen aushängen und hinter Vorhängen an die Wand gestellt verbergen.
Bei dem Umbau des Theaters in einen Wintergarten wurde 1870 die Kulissenmaschinerie entfernt, so daß heute nur noch die Obermaschinerie erhalten ist. Auch für die Zahl und die Lage der einst vorhandenen Versenkungen gibt es heute keine Anhaltspunkte mehr.

Die Maschinen der Oberbühne verteilen sich auf zwei Ebenen. Die erste Ebene bilden sechs Holzbrücken mit Geländern. Hier befinden sich Reste von Mechanismen, die die Kulissen aushängen konnten und Requisitensäulen auf die Bühne gleiten ließen, die bei einem Ball die Kulissen ersetzten.
Rechts und links der Bühne ermöglichen riesige Trommeln mit unterschiedlichen Durchmessern das Herablassen von Wolkenelementen. Sie wurden wahrscheinlich – wie die Soffittenmaschinen auch – mit Gegengewichten angetrieben.
Auf der zweiten Ebene der Oberbühne können mit je fünf Winden auf beiden Seiten der Bühne die Soffitten gewechselt werden.

Wolkenmaschinerie

Längsschnitt durch die Oberbühne

Querschnitt durch die Oberbühne

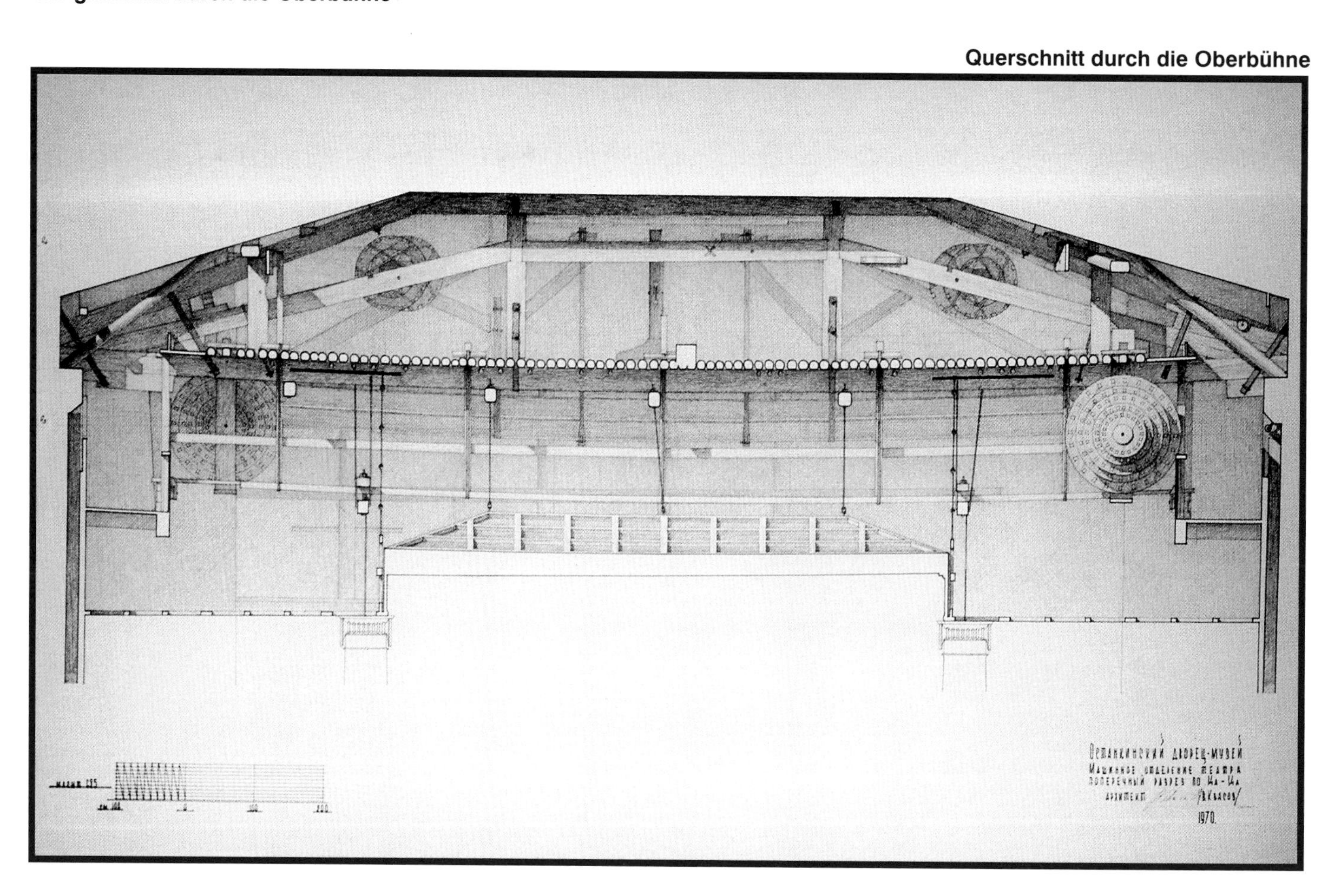

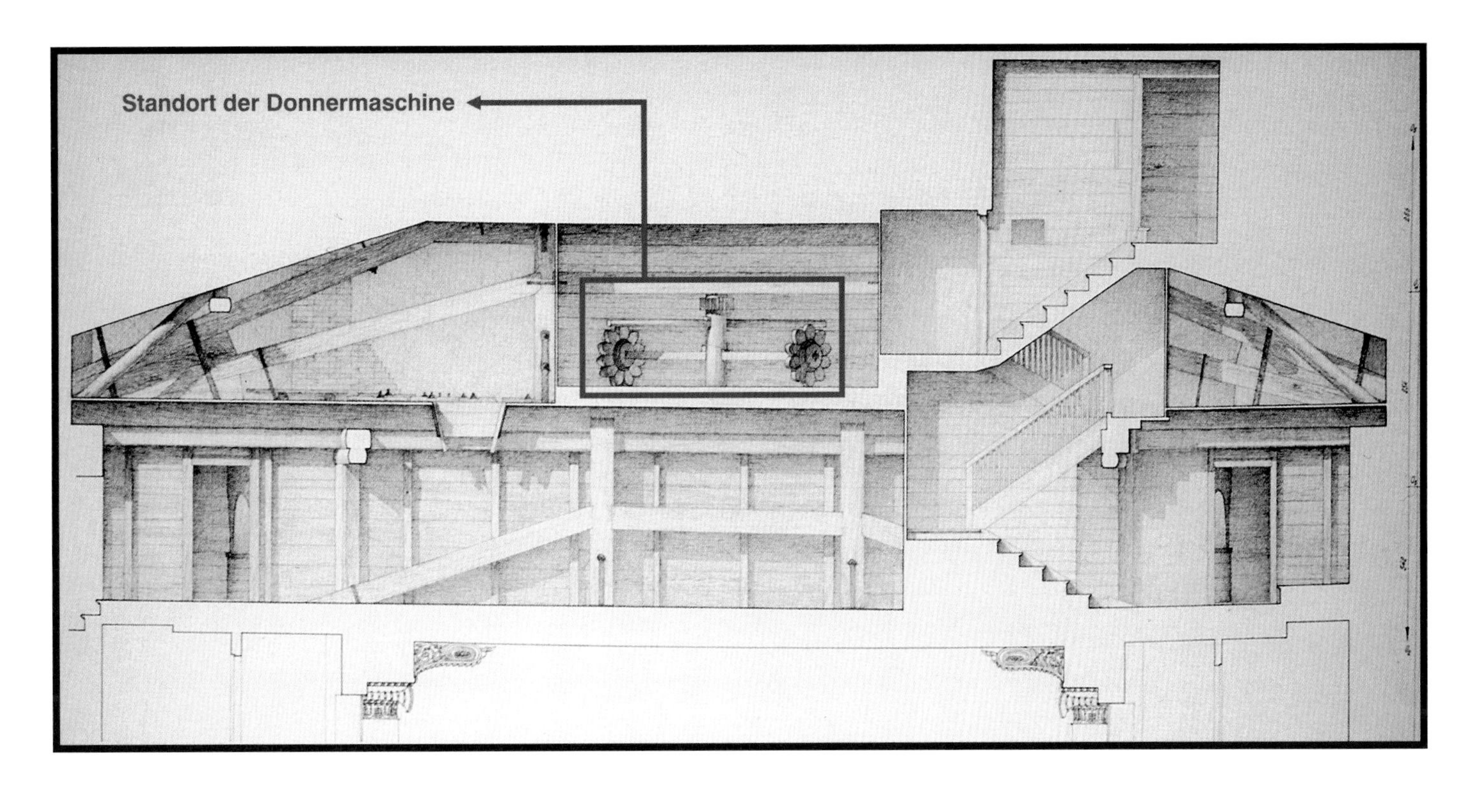

Auf der zweiten Ebene der Oberbühne sind auch die Maschinen für die Geräuscheffekte untergebracht. Unter dem Zuschauerraum vor dem Bühnenportal erzeugt eine höchst originelle Maschine die Illusion von Donnerschlägen. Mit einem Göpel angetrieben, schlagen wuchtige hölzerne Zahnräder auf einen 40 cm tiefen Resonanzkasten aus Holz. Verstärkt wird der Donnerhall durch Metallbleche, mit denen der Boden beschlagen ist. Neben der Donnermaschine ist eine Aussparung erhalten, in der man eine Windmaschine befestigen konnte.

Donnermaschine

Blechlamellen des Regenschachtes

Zur Nachahmung von Regengeräuschen gibt es einen Schacht an der Bühnenwand vom Schnürboden bis zur Unterbühne, in dessen Innerem Blechlamellen versetzt angebracht sind. Erbsen, die oben in den Schacht geschüttet werden, rieseln über die Lamellen und erwecken die Illusion von Regen.
Aufzeichnungen belegen auch die Existenz von Maschinen, um Schauspieler oder Gegenstände über die Bühne fliegen zu lassen.

Regenschacht

Göpel für den Lüster

Der große hölzerne Lüster mit 20 Kerzen, der in der Mitte der Kuppel des Zuschauerraum hängt, konnte mit Hilfe eines Göpels und einer Trommel abgelassen und hochgezogen werden.
Drei Winden über der Bühne konnten Leuchter zur Illumination der Szenerie tragen. ■

Das Goethe-Theater in Bad Lauchstädt

1791 gründete Herzog Karl August zu Weimar ein eigenes Hoftheater für seine Stadt und übertrug die Oberdirektion Johann Wolfgang von Goethe. Die Weimarer Hofschauspielergesellschaft gastierte von nun an in den Sommermonaten in Lauchstädt, wo seit 1776 eine Scheune für Aufführungen genutzt worden war. Goethe war allerdings entsetzt über den Zustand dieses Theaters und bat 1797 den sächsischen Kurfürsten um einen Neubau. Diese Bitte wurde ihm 1802 erfüllt. Goethe konnte nach nur 12 Wochen Bauzeit das neue Theater eröffnen. Bis 1805 weilte er häufig in Lauchstädt wie auch Schiller, der seit 1789 immer wieder das Bad besuchte. Die Stücke von Goethe und Schiller lockten viele Besucher in das Theater. Die Weimarer Schauspielgesellschaft gastierte bis 1811 regelmäßig in dem Kurbad. Danach war die große Glanzzeit des Städtchens vorbei, auch wenn im Jahre 1834 der junge Richard Wagner hier als Kapellmeister debütierte.

In dieser Zeit senkte sich das Dach des Theaters um fast einen halben Meter und drückte die Außenwände auseinander. Seitdem werden die Wände von schweren Widerlagepfeilern gehalten, die dem Theaterbau seine ursprüngliche Leichtigkeit nehmen.

1908 wurde das in Vergessenheit geratene und halb verfallene Theater wiedereröffnet. Nach dem Zweiten Weltkrieg wurde es in den Jahren 1966/68 erneut restauriert.

Historische Kuranlagen und Goethe-Theater

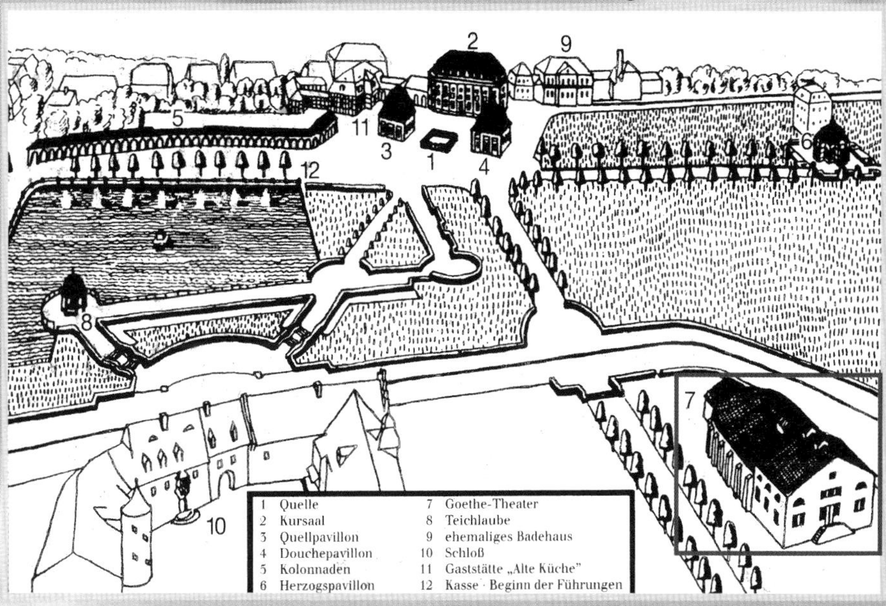

Bühnenbreite	– Portal	7,2 m
	– Prospekt	6,0 m
Bühnenportalhöhe		3,85 m
Bühnentiefe		8,4 m
Bühnenfall		4,5 %

Zuschauerplätze	465
Größe Orchestergraben	25 Musiker
Theatergebäude	freistehend
erbaut	1802

Handskizze Goethes zur Gestaltung der Bühne und des Zuschauerraums in seinem Theater

Goethe bereitete die Gestaltung der Bühne sorgfältig vor und ließ sogar ein Modell dafür anfertigen. Seine Anweisungen zum Theaterbau sind im Goethe- und Schiller-Archiv aufbewahrt. Vor allem drang er darauf, daß die Lauchstädter Bühne die gleichen Abmessungen hatte wie die Weimarer, damit Ausstattungsstücke und Kulissen ohne jede Schwierigkeiten in beiden Theatern benutzt werden konnten. Der Bühnenfußboden steigt im Verhältnis 1:22 nach hinten an. Er hat 6 Tischversenkungen.

Der Zuschauerraum ist einschließlich des Orchestergrabens 20,5 m lang und 12 m breit. Der Fußboden des Zuschauerraumes steigt im Verhältnis 1:25 an. Zwei hölzerne Brüstungen teilen ihn in drei Bereiche. Der erste enthält 15 Bankreihen, der folgende drei und der letzte nur eine, dafür aber eine Anzahl Stehplätze. Die Bänke hatten keine Lehnen, waren aber mit einem flachen, hellroten Polster versehen. Die Treppe zum Rang liegt im Vorraum. Neun mit Stühlen versehene Logen gliedern den Rang, der balkonartig in den Zuschauerraum gebaut ist. Den Logen schließen sich rechts und links über dem Umgang des Erdgeschosses längere Galerien mit Bänken an. Von der linken führte eine Treppe zur Seitenbühne.

Über dem Zuschauerraum wölbt sich nach antikem Vorbild eine zeltartig gespannte und bemalte Leinwanddecke. Die Bemalung des Bühnen- und Zuschauerraums entspricht Goethes Farbenlehre.

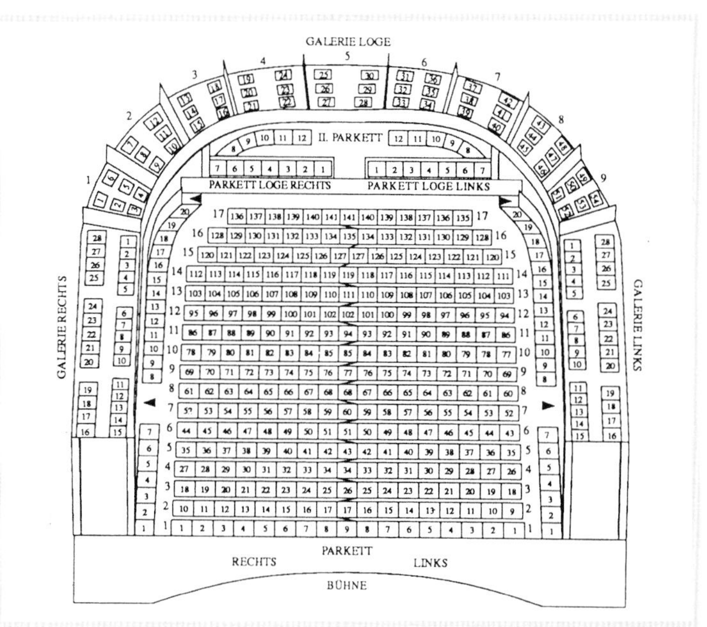

Sitzplan

Um die Verwandlung auf offener Bühne realisieren zu können, laufen Kulissenwagen in der zwei Meter tiefen Unterbühne auf hölzernen Rädern. Sie sind durch ein System von Seilen und Umlenkrollen an einen Wellbaum gekoppelt, der etwas außerhalb der Bühnenmitte (um den Versenkungen nicht im Wege zu sein) durch die Unterbühne führt. Mit heute nicht mehr vorhandenen Speichenrädern wurde der Wellbaum von mehreren Bühnenarbeitern gedreht. Damit wurden gleichzeitig die Kulissen, Soffitten und der Hintergrundprospekt bewegt und innerhalb von 14 Sekunden ein kompletter Bühnenbildwechsel vollzogen.

Von dieser barocken Bühnenmaschinerie war nach 1945 kaum noch etwas vorhanden. Es fehlten der Wellbaum, die Kulissenwagen und die Mechanik, um die Versenkungen zu fahren. Erhalten war nur das originale Tragwerk der Bühne. Seit 1966 arbeiteten begeisterte Handwerker der Stadt Bad Lauchstädt daran, der Bühne wieder ihre volle Funktionalität zurückzugeben.

Die Handwerker waren ausschließlich auf Zeichnungen von Architekten und Historikern angewiesen und hatten nie eine historische Bühnenmaschinerie im Original gesehen.

Sie waren stolz darauf, mit ähnlichem Werkzeug und mit beinahe identischer Technik, wie sie zu Goethes Zeiten üblich war, das Holz zu bearbeiten. Außerdem wurde fast ausschließlich altes Holz verwendet. Zum Beispiel erhielten die Handwerker die Erlaubnis, mehrere „geometrische Punkte“ in der weiteren Umgebung Bad Lauchstädts abbauen zu dürfen, um dieses verwitterte Holz verarbeiten zu können. Handgriffe für die Antriebswellen wurden aus starken Ästen geschnitten. Zur Schmierung der Führungen verwendete man wie in alten Zeiten ein Gemisch aus Öl und Graphit sowie Speckschwarten zur Auskleidung der Lager der Wellen.

Der Wellbaum verjüngte sich auf der doch erheblichen Gesamtlänge in seinem Durchmesser. Diese Differenzen wurden an den Angriffspunkten der Seile durch genau abgestimmte Durchmesser der Seiltrommeln ausgeglichen. Dadurch ist die zeitgleiche Verschiebung aller Kulissenwagen gewährleistet. Der Wellbaum der Unterbühne treibt über eine Seilverbindung auch den Wellbaum im Schnürboden an. Dieser bewegt die Soffitten und den Hintergrundprospekt. Auch diese Bewegung und die zeitgleiche Bewegung der Soffitten fordern eine ausgeklügelte Konstruktion, um den relativ kurzen Weg der Soffitten und den verhältnismäßig langen Weg des Prospektes in derselben Zeit zu überwinden. So wurden auch an diesem Wellbaum im Durchmesser verschieden große Trommeln befestigt.

Kulissenwagen

Kulissentechnik

Anzahl der Kulissengassen
3
Kulissen pro Gasse
3
Maße der Kulissen

1. Gasse	1,10 x 4,20 m
2. Gasse	1,10 x 3,90 m
3. Gasse	1,10 x 3,60 m

Zusätzlich
je ein Kulissenschlitten (nicht mit der Maschinerie gekoppelt)
Notwendige Bühnenarbeiter für den Kulissenwechsel
6
Zeit für den Kulissenwechsel ca. 15 sec.
(heute mit Motorbetrieb)

Im Vordergrund die große Welle zum Antrieb der Kulissen. Die erste Trommel führt über eine Umlenkrolle zu Soffitten und Prospekt

Bühnengrundriß mit Versenkungen; Untermaschinerie

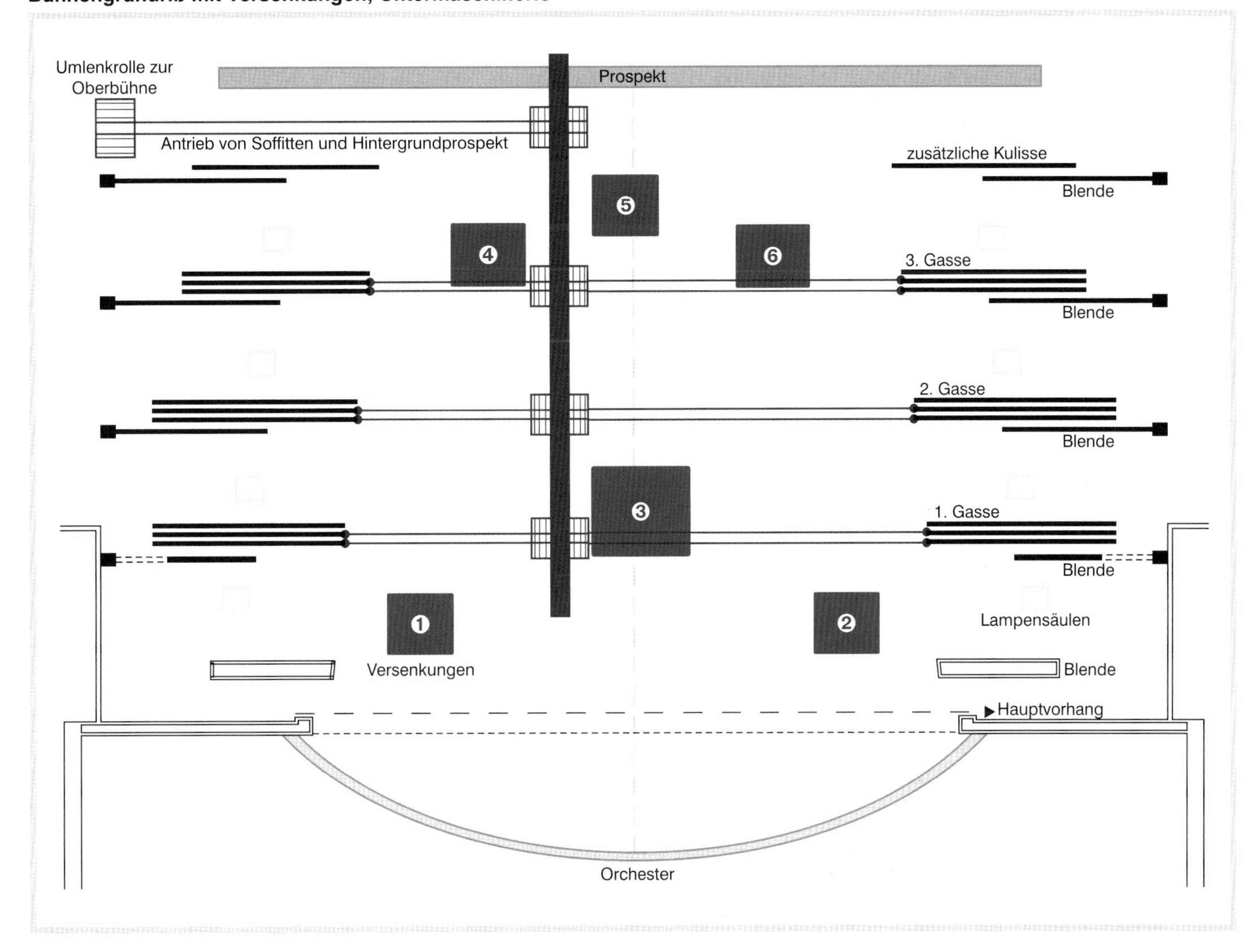

Barocke Maschinerie in der Unterbühne

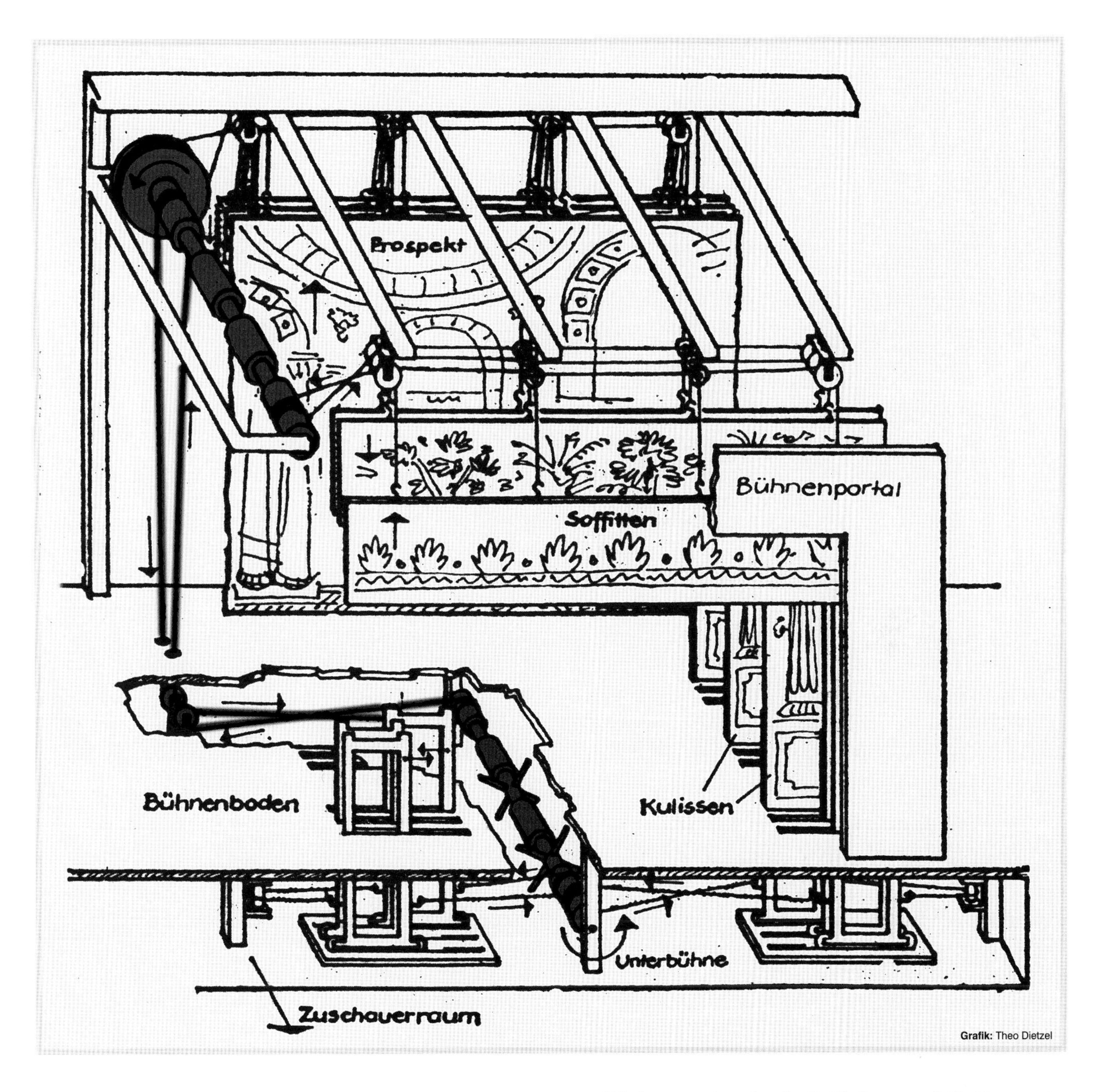

Grafik: Theo Dietzel

Anzahl der Soffittengassen 3

Soffitten pro Gasse 2

Maße der Soffitten
- Höhe 1,10 m
- Breite 9,50 m

Bewegung der Soffitten von der Unterbühne aus

Prospektzüge 2
davon einer gekoppelt mit der Soffitten-/Kulissenmaschinerie

Blick von unten durch die Kulissen auf die Trommeln, mit denen die Soffitten bewegt werden

Der Hintergrundprospekt und die Soffitten sind mit der Hauptachse in der Unterbühne gekoppelt und können somit zeitgleich mit den Kulissen ausgetauscht werden. Die Gesamtfläche des Prospektes beträgt 9 x 5,10 m, wobei die Kulissenbühne nur einen etwa 6 m breiten Blick auf den Hintergrundprospekt zuläßt

Die Konstruktion zur Bedienung des Vorhangs war genauestens bekannt. Mittels einer Holzwalze wurde der rote Vorhang nach oben aufgerollt. Dazu hatte früher eine Person die Leiter neben dem Bühnenportal zu erklimmen und einen in Holzschienen vertikal laufenden Fahrkorb zu besteigen. Über ein Seil wurde die Vorhangwalze gedreht. Durch das Gewicht des Bühnenarbeiters hob sich der Bühnenvorhang. Unten angekommen, durfte der Arbeiter das Brett verlassen, nachdem er es mit einem Sandsack beschwert hatte. Die Führungsschienen dieser Vorrichtung sowie die Aufstiegsleiter waren bereits montiert worden und der Kasten für die Person gebaut. Da stellte sich heraus, daß auch das Vorhanggewicht und das Gegengewicht (Person im Fahrkorb) sehr genau austariert sein mußten, damit der Mechanismus funktionierte. Außerdem verklemmte sich der Kasten ständig in den Schienen. Leider reichten weder Zeit noch Geld mehr aus, um an diesem originellen Mechanismus weiter zu basteln. Ein Sandsack dient heute als Gegengewicht.

Leiter neben dem Bühnenportal, Führungsschienen des Fahrkorbes, Gegengewicht

Winden für die Versenkungen

Versenkungen

eingebaute Tischversenkungen (bedienbar manuell von der Oberbühne)

Lage siehe Bühnengrundriß Seite 123

Maximale Absenktiefe

Versenkung	1 - 2	157 cm
	3	160 cm
	4 - 6	180 cm

Maße der Versenkungen

1.	85 x 87 cm
2.	87 x 87 cm
3.	115 x 115 cm
4.	85 x 84 cm
5.	86 x 76 cm
6.	81 x 87 cm

Heruntergelassene Versenkung

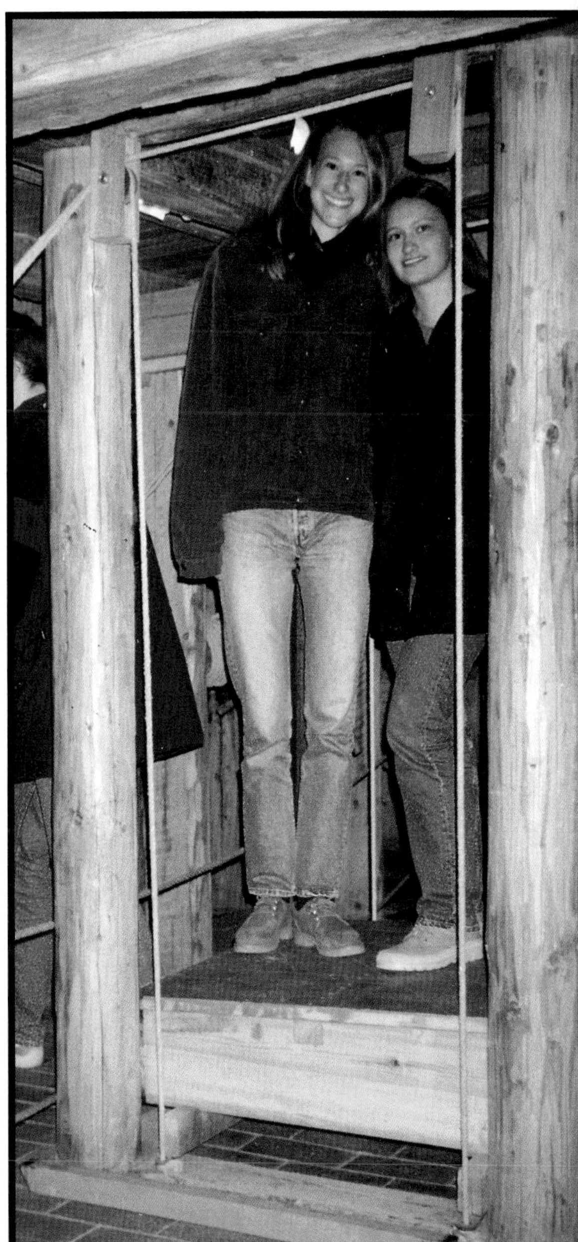

Antriebsschema

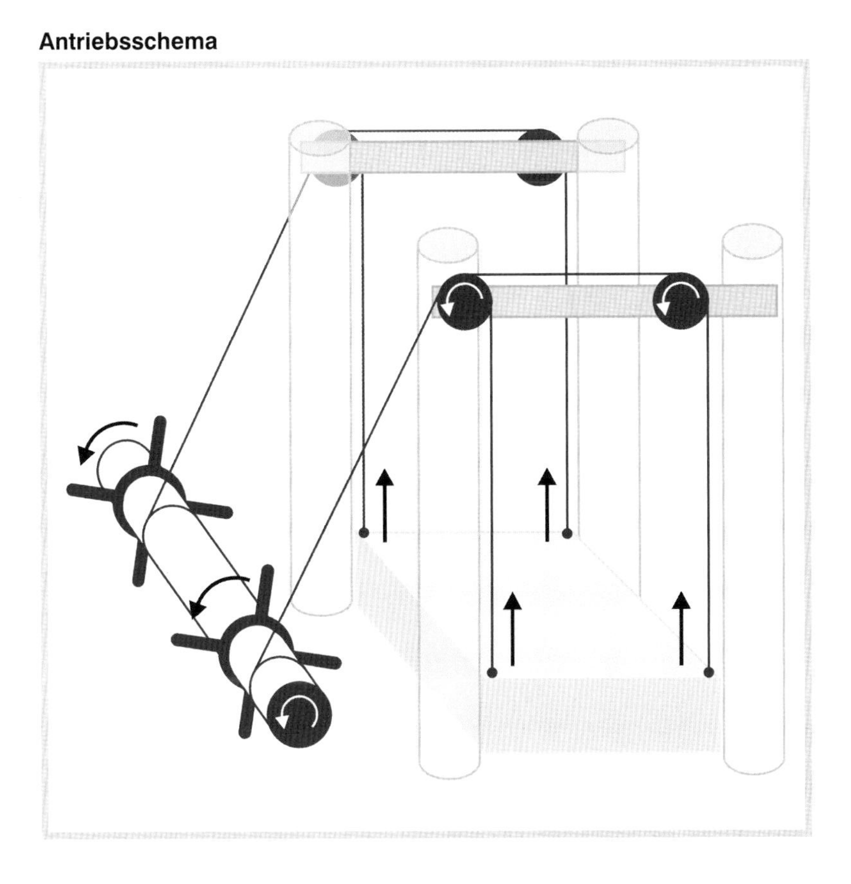

Die Beleuchtung des Zuschauerraumes erfolgte durch einen hölzernen Kronleuchter, der dem Haus festlichen Glanz verlieh, ohne allerdings die für uns heute nötig erscheinende Helligkeit zu geben. Zusätzliche Wandleuchten sollten Abhilfe schaffen. Zu Goethes Zeiten wurden zwischen den Akten die Fensterläden geöffnet, um das Tageslicht hereinzulassen. Öllampen beleuchteten die Bühne, sowohl an der Rampe als auch in den Kulissen. Dabei wurden die von dem französischen Physiker Argand erfundenen Rüböl-Lampen verwendet, die nach dem Brennerprinzip mit Hohldocht und Glaszylinder funktionierten. Damit konnte endlich auf „eine Menge stinkender, die Zuschauer beschmutzender Talglichter" verzichtet werden, die vorher eine arge Belästigung der Theaterbesucher waren.

Heute ersetzen elektrische Lampen, die in ihrer Form den Rüböl-Lampen nachempfunden sind, die alte Beleuchtung.

Alle Lichterbäume zwischen den Seitenkulissen sind auf jeweils einer Seite unter dem Bühnenboden miteinander verbunden, so daß sie mit der Drehung eines Göpels von den Kulissen abgewendet werden können. Damit kann man die Helligkeit der Beleuchtung ab- bzw. aufblenden

Detail von Leinwanddecke und Wandgestaltung mit Rüböl-Lampen

Argandische Lampen, für die ein Vorbild im Tiefenfurter Schlößchen gefunden wurde, erleuchteten einst die Bühne, den Zuschauerraum und die Wandelgänge. Aus Brandschutzgründen mußten die Lampen elektrifiziert werden.

Ein Elektromotor zur Bewegung des Wellbaumes in der Unterbühne ersetzt heute die manuelle Arbeitskraft von sechs Bühnenarbeitern.

Trotz des Einbaus der Elektrik sind, wie schon zu Goethes Zeiten, die über Seilzüge verbundenen Lichterbäume noch manuell drehbar. Auch die Versenkungen werden nach wie vor von Bühnenarbeitern bedient.

Argandische Lampe

Nicht mehr zur Ausführung gelangten Pläne, eine Wellenmaschine, Wolkenmaschinerien und ein Flugwerk im Theater zu installieren. Die Zeichnungen für die Konstruktion dieser für das Barocktheater unentbehrlichen Maschinerien lagen den Handwerkern damals bei der Rekonstruktion des Theaters vor.

Nebenstehende, einer Tageszeitung entnommene Photographie zeigt eine nicht mehr erhaltene Windmaschine, deren Alter nicht bekannt ist. Seit 1995 verfügt das Theater über Nachbauten einer Wind- und einer Donnermaschine nach Drottningholmer Vorbild. ■

Die Theater

Theater	Ekhof-Theater, Gotha	Ludwigsburger Schloßtheater	Drottningholmer Schloßtheater	Schloßtheater von Český Krumlov	Opéra Royal, Versailles
Erbaut	1682 / Rest. 1775	1758 / 59	1766	1766	1770
Theatergebäude	in einem Turm des Schlosses	in das Schloß integriert	freistehend	in das Schloß integriert	in das Schloß integriert
Zuschauerplätze	195 (heute)	306 (heute)	454	200	k.A.
Größe Orchestergraben	Ca. 16 - 20 Musiker	ca. 20 - 25 Musiker	ca. 30 Musiker	ca. 30 Musiker	ca. 70 Musiker
Bühne					
Portalbreite	6 m	9 m	8,80 m	10 m	12,36 m
Portalhöhe	6 m	7 m	6,60 m	7,4 m	10 m
Bühnentiefe	12,5 m	13 m	19,80 m	19,25 m	25 m
Bühnenfall	2,5 %	4 %	4 %	2,3 %	5 %
Höhe Unterbühne	1,50 - 1,80 m	1,50 - 2 m	3 - 3,60 m	2,13 m	4 Stockwerke
Bühnentechnik					
Kulissengassen	6	6	6	5	12
Kulissen pro Gasse	3	2	1-4: 4 / 5: 3 / 6: 2	1-3: 3 / 4-5: 4	4
Kulissenhöhe	2,90 - 2,50 m	5,80 - 4,90 m	5,60 - 4,10 m	4,40 - 3,75 m	11 - 10 m
Soffittengassen	6	6	6	5	12
Soffitten pro Gasse	3	2	2	3	k. A. möglich
Versenkungen	3	5	4	4	k. A. möglich
Effektmaschinerie	– Flugwerk (rek.) – Donnerschacht (rek.) – Windmaschine (rek.)	– Donnerschacht (org.) – Windmaschine (rek.)	– 3 Flugmaschinen (org.) – Wind- u. Donnermaschinen (org.) – Wolkenmaschinerie (org.) – Wellenmaschinerie (org.)	– Regen-, Donner-, Windmaschinen (rek.) – Wellenmaschinerie (rek.)	k. A.
Zustand	Restauration von Zuschauerraum, Bühne und Bühnentechnik 1999 abgeschlossen	Restauration von Zuschauerraum, Bühne und Bühnentechnik 1998 abgeschlossen	Originalzustand, lediglich Seile und Beleuchtung erneuert	in Rekonstruktion	Bühnentechnik nicht mehr rekonstruierbar, Untermaschinerie verbaut, Obermaschinerie existiert nicht mehr
Heutige Nutzung	Museumsbetrieb, Sommerfestspiele mit 20 - 25 Vorstellungen	Museumsbetrieb, Schloßfestspiele im Sommer	Museumsbetrieb, Sommerfestspiele mit ca. 40 Aufführungen	bewußt nur Museumsbetrieb	Museumsbetrieb, ca. 20 Aufführungen im Jahr darunter nur sehr selten eine Oper

IM VERGLEICH

Theater	**Théâtre de la Reine, Versailles**	**Theater im Schloß Gripsholm**	**Schloßtheater in Litomyšl**	**Schloßtheater in Ostankino, Moskau**	**Goethe-Theater, Bad Lauchstädt**
Erbaut	1779	1781	1796/97	1790 - 97	1802
Theatergebäude	freistehend	in einem Turm des Schlosses	in das Schloß integriert	zentraler Raum des Schlosses	freistehend
Zuschauerplätze	120	110	100 - 120	120 (früher bis 200)	456
Größe Orchestergraben	ca. 16 Musiker	ca. 20 Musiker	16 - 20 Musiker	ca. 30 Musiker	25 Musiker
Bühne					
Portalbreite	ca 6 m	8,2 m	6 m	9,40 m	7,2 m
Portalhöhe	ca. 4 m	6,8 m	4,45 m	7 m	3,85 m
Bühnentiefe	ca. 12 m	14,4 m	8,75	20,65 m	8,4 m
Bühnenfall	k. A.	5,5 %	1 %	0 %	4,5 %
Höhe Unterbühne	k. A.	2,70 - 3 m	0,75 m	2,26 m	1,80 m
Bühnentechnik					
Kulissengassen	7	4	6	5	3 + 1
Kulissen pro Gasse	2	2	2	4	3
Kulissenhöhe	k. A.	5,50 - 4,10 m	4 - 3,54 m	7,78 m	4,20 - 3,60 m
Soffittengassen	7	4	6	5	3
Soffitten pro Gasse	2	2	2	k. A. möglich	2
Versenkungen	k. A.			k. A. möglich	6
Effektmaschinerie	k. A.	– Flugmaschine (org.) – Donnermaschine	– Regenmaschine (org.)	– Regen- und Donnermaschine (org.) – Trommeln für Wolkenmaschinen und Flugwerke erhalten	– Wind- und Donnermaschinen (rek.)
Zustand	Bühnentechnik weitgehend im Original erhalten, Zuschauerraum restauriert	Zuschauerraum und Bühne restauriert, Bühnentechnik weitgehend original erhalten, aber nicht funktionsfähig	Zuschauerraum und Bühne restauriert, Bühnenmaschinerie weitgehend original erhalten, bedarf der Restauration	Zuschauerraum und Bühne restauriert, Obermaschinerie teilweise original erhalten, Untermaschinerie irreparabel verbaut	Zuschauerraum und Bühne restauriert, Bühnenmaschinerie nach 1966 rekonstruiert, tragende Balken noch original erhalten
Heutige Nutzung	für die Öffentlichkeit nicht zugänglich	Museumsbetrieb, selten Aufführungen	Museumsbetrieb, Smetana-Sommer-Festspiele	Museumsbetrieb, nur einzelne Aufführungen	Museumsbetrieb, ca. 45 Aufführungen

Antike Bühnentechnik auf einer griechischen Theaterbühne (vgl. S. 50 f.)

MODELLE – SCHÜLERARBEITEN ZUR AUSSTELLUNG

Zahlreiche Ausstellungstafeln gaben Einblick in die politischen, gesellschaftlichen und wirtschaftlichen Verhältnisse der Markgrafenzeit (S. 6 - 35 der vorliegenden Dokumentation), in das Welt- und Menschenbild des Barock (S. 36 - 47) und stellten die Vorbilder unserer Modelle und Rekonstruktionen vor (S. 48 - 128).

Die Ausstellungen präsentierten von Schülern gebaute Modelle zur Entwicklung der Bühnentechnik und zur Darstellung barocker Aufführungspraxis. So waren in Originalgröße und voll funktionsfähig Wind-, Donner- und Regenmaschinen zu besichtigen. Ein großer Wasserfall vermittelte Bühnenillusion. Kleinere Modelle stellten ein antikes Vorbild der Bühnentechnik vor und zeigten die Funktionsweise einer Telari- und einer Kulissenbühne sowie die Imitation von Meereswellen auf der Bühne.

Modell einer Kulissenbühne (Schrägsicht)

Modell der Kulissendekoration „Jonischer Palast“
von Carlo Galli-Bibiena
(vgl. S. 88)

Modell einer Telari-Bühne **(vgl. S. 49)**

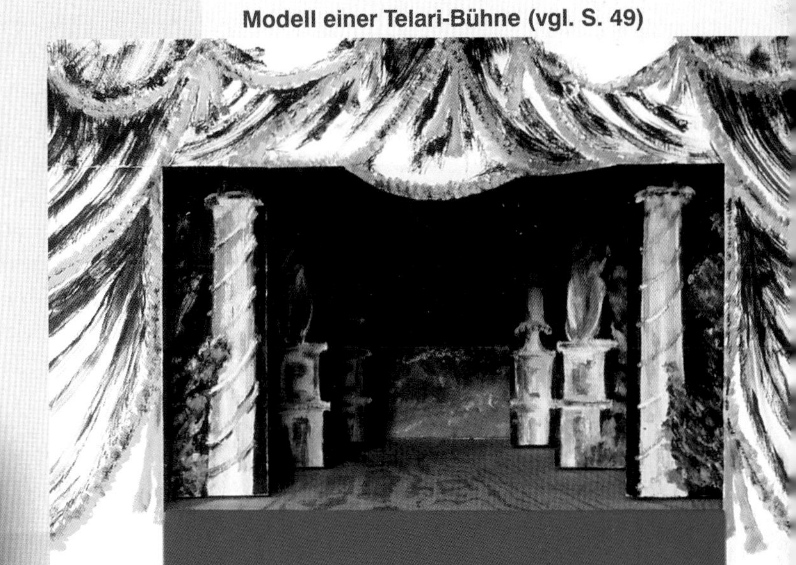

Modell einer Kulissenbühne (Frontalsicht)
mit funktionsfähigem Kulissen- und Soffittensystem
(vgl. S. 52 f.)

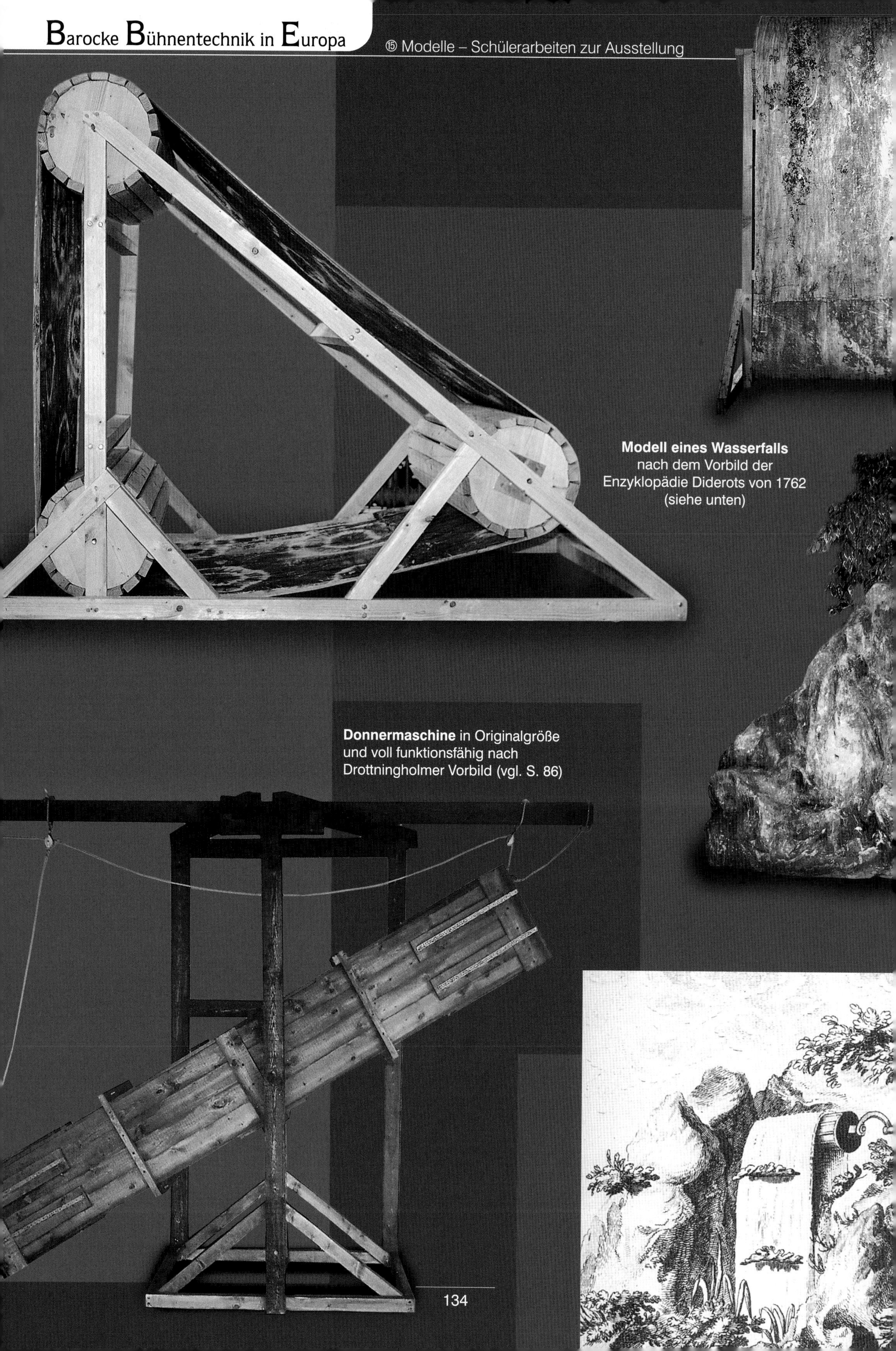

Modell eines Wasserfalls nach dem Vorbild der Enzyklopädie Diderots von 1762 (siehe unten)

Donnermaschine in Originalgröße und voll funktionsfähig nach Drottningholmer Vorbild (vgl. S. 86)

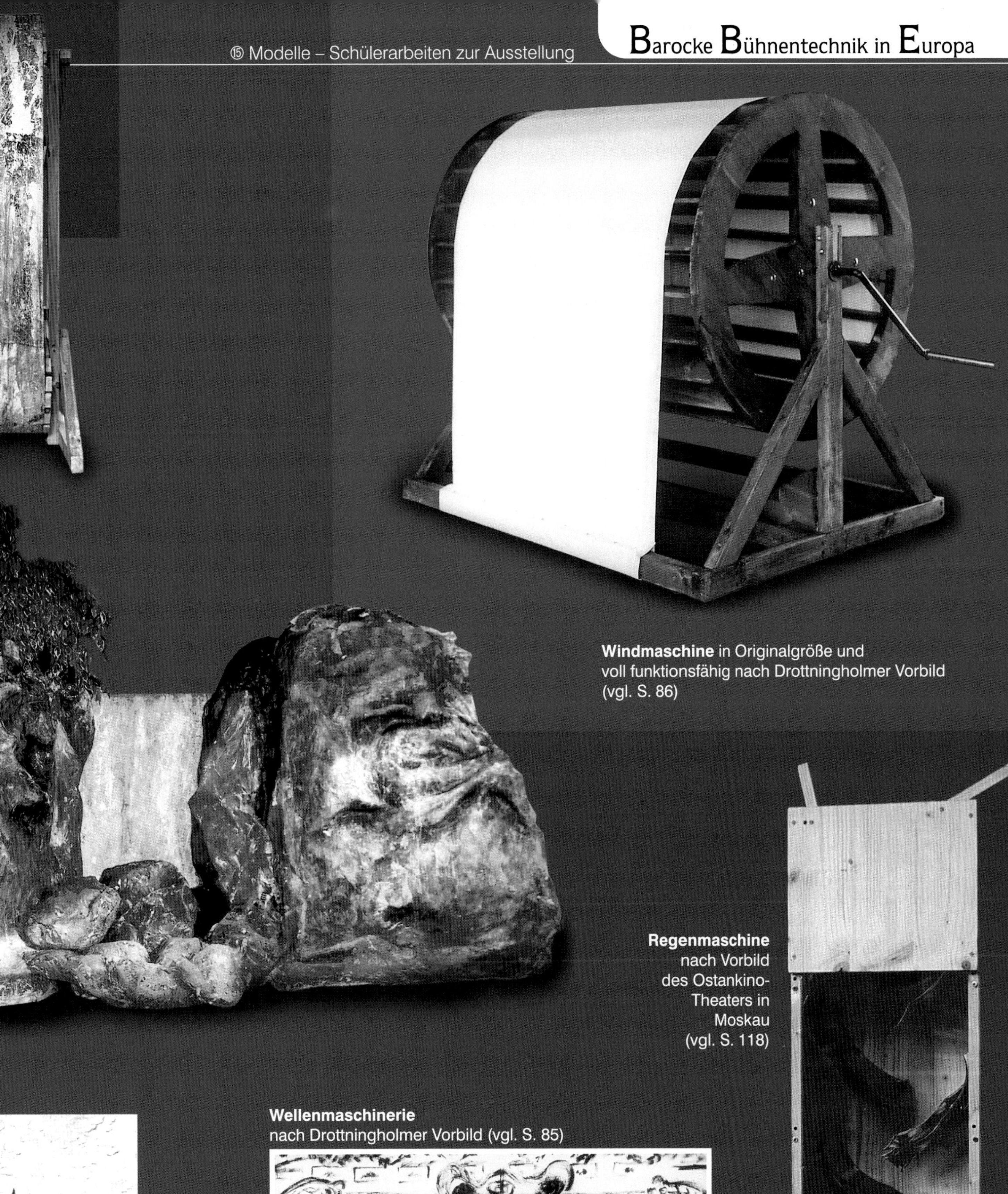

Windmaschine in Originalgröße und voll funktionsfähig nach Drottningholmer Vorbild (vgl. S. 86)

Regenmaschine nach Vorbild des Ostankino-Theaters in Moskau (vgl. S. 118)

Wellenmaschinerie nach Drottningholmer Vorbild (vgl. S. 85)

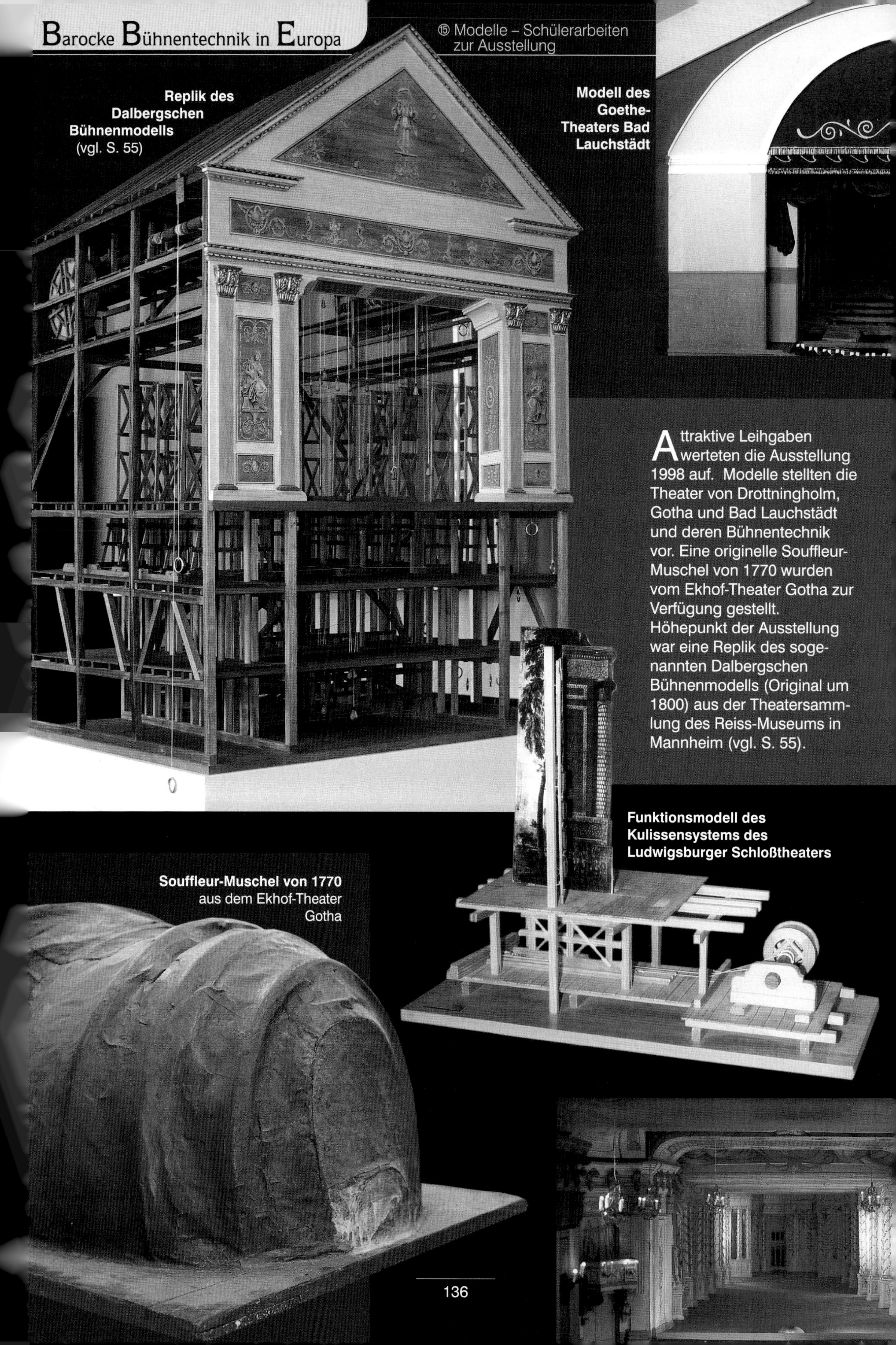

Replik des Dalbergschen Bühnenmodells (vgl. S. 55)

Modell des Goethe-Theaters Bad Lauchstädt

Attraktive Leihgaben werteten die Ausstellung 1998 auf. Modelle stellten die Theater von Drottningholm, Gotha und Bad Lauchstädt und deren Bühnentechnik vor. Eine originelle Souffleur-Muschel von 1770 wurden vom Ekhof-Theater Gotha zur Verfügung gestellt. Höhepunkt der Ausstellung war eine Replik des sogenannten Dalbergschen Bühnenmodells (Original um 1800) aus der Theatersammlung des Reiss-Museums in Mannheim (vgl. S. 55).

Funktionsmodell des Kulissensystems des Ludwigsburger Schloßtheaters

Souffleur-Muschel von 1770 aus dem Ekhof-Theater Gotha

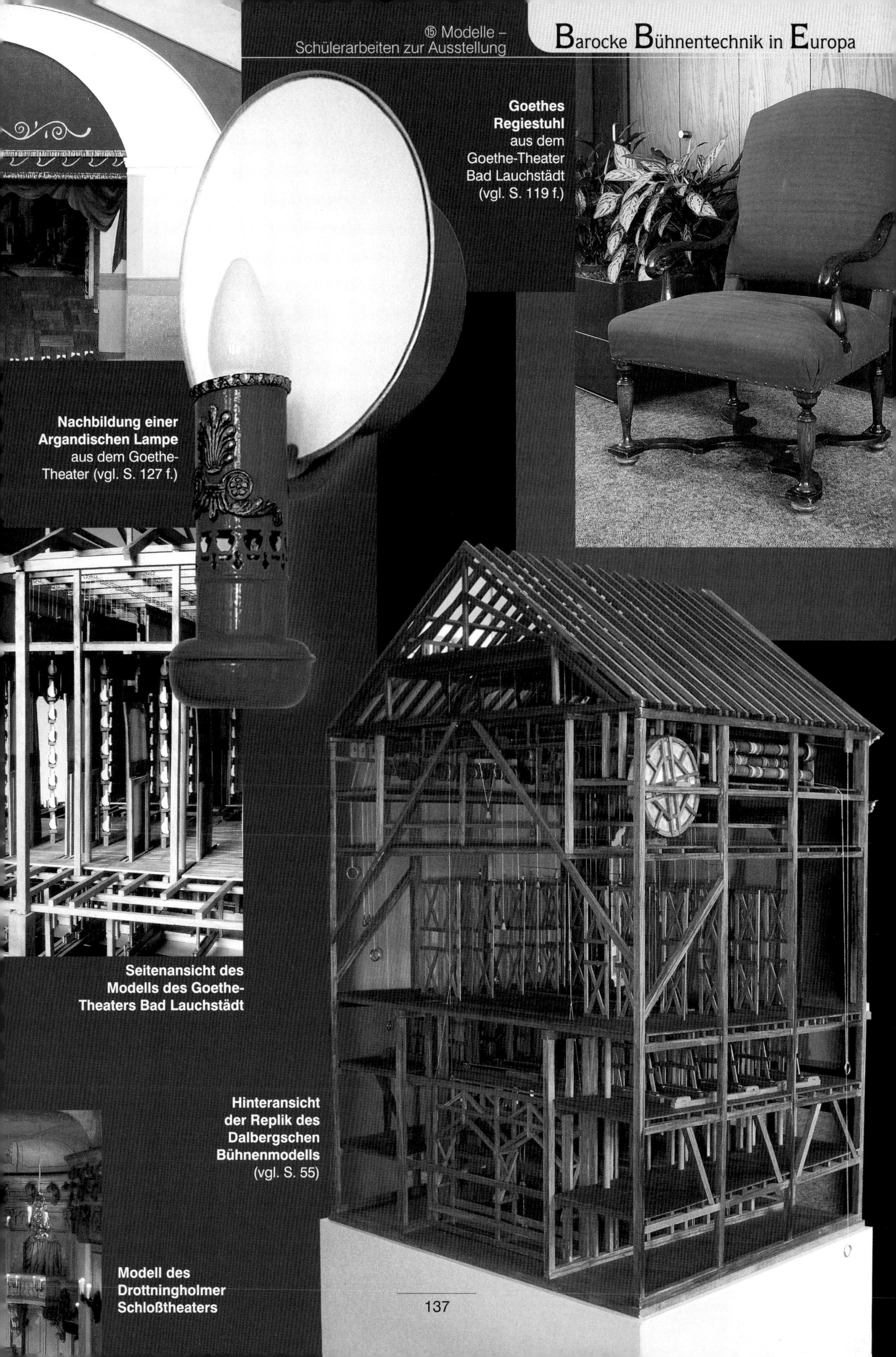

Goethes Regiestuhl aus dem Goethe-Theater Bad Lauchstädt (vgl. S. 119 f.)

Nachbildung einer Argandischen Lampe aus dem Goethe-Theater (vgl. S. 127 f.)

Seitenansicht des Modells des Goethe-Theaters Bad Lauchstädt

Hinteransicht der Replik des Dalbergschen Bühnenmodells (vgl. S. 55)

Modell des Drottningholmer Schloßtheaters

Auch im Kunstunterricht beschäftigten sich S
Mittel- und Unterstufe mit dem Kulissenthea
sich die Kollegiaten der Oberstufe mit dem Bau
Wasserfalls befaßten, widmete sich die Unter- u
Bühnenbildentwürfen.
Die jüngeren Jahrgänge bearbeiteten entsprec
Altersstufe phantastische und barocke Themen
und Hölle. Manche der in Einzel- und Gruppena
entstandenen Modelle gingen sogar noch weite
komplexere Abläufe der Bewegung und Illumin
Oberstufe versuchte farbtheoretische Ansätze i
umzusetzen, um natürliche Raumillusion zu erz

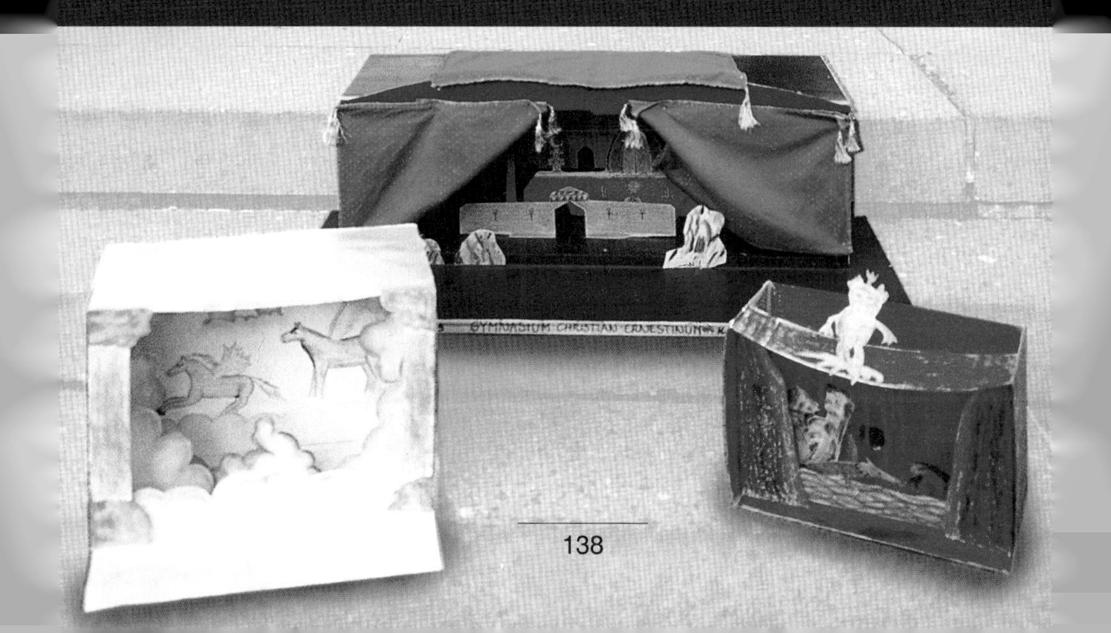

Anmerkungen und Bildquellenverzeichnis

Barockes Welttheater in Bayreuth

1. Bayreuth um 1732 bei der Ankunft Wilhelmines, S. 6 - 7

1) vgl. Weber-Kellermann, S. 302
2) vgl. ebenda, S. 305 f.
3) Nöhbauer, S. 247
4) vgl. Weber-Kellermann, S. 246
5) vgl. ebenda, S. 248

Abb.: Landesbildstelle Nordbayern (LBS Nord) S. 6/7 u. m., S.7 u. r.

2. „Der ideale Hof" – Stadtentwicklung und kultureller Aufschwung, S. 8 - 9

1) vgl. Habermann / Trübsbach, S. 24 ff.
2) Thiel, S. 221
3) Müssel: Bayreuth in acht Jahrhunderten, S. 115
4) Berve, S. 111
5) ebenda, S. 111
6) Habermann / Trübsbach, S. 26
7) Müssel, S. 115

Abb.: Bayerische Verwaltung der Schlösser und Seen (BSV) S. 8 o. und u., S. 9 o.; LBS Nord S. 9 u., S. 8/9 o.; Stadtmuseum S. 8/9 u.

3. Aus der Perspektive der Bauern und Bürger, S. 10 - 11

Facharbeit von Till Fischer: „Wirtschaftliche und strukturelle Auswirkungen absolutistischer Baumaßnahmen auf Staat und Gesellschaft am Beispiel des Bayreuther Opernhauses" (gekürzt und überarbeitet)

1) Wilfert, S. 332
2) ebenda, S. 333
3) Pöhlau, S. 64
4) ebenda, S. 27
5) Wilfert, S. 332
6) ebenda, S. 333 f.
7) Bayerisches Staatsarchiv Bamberg STAB C 9 VI Bd. 4 a
8) ebenda
9) ebenda
10) ebenda
11) ebenda
12) ebenda
13) ebenda
14) ebenda
15) Bauer, S. 185 ff.
16) Trübsbach: Wirtschafts- und Sozialgeschichte Bayreuths, S. 100
17) ebenda, S. 121
18) Trübsbach: Geschichte der Stadt Bayreuth, S. 99

4. Das absolutistische Herrschaftssystem der Markgrafenzeit, S. 12 - 14

Facharbeit von Till Fischer (s. 3. Aus der Perspektive der Bürger und Bauern)

1) Ruffmann, S. 184
2) Pöhlau, S. 22
3) ebenda, S. 23
4) ebenda, S. 23
5) Ruffmann, S. 185
6) Reich, S. 64
7) ebenda, S. 68
8) ebenda, S. 20
9) Pöhlau, S. 38 f.
10) Reich, S. 20
11) nach Ruffmann, S. 186
12) ebenda, S. 186
13) ebenda, S. 186
14) Pöhlau, S. 36
15) Hartung, S. 83
16) Pöhlau, S. 56
17) Walter, S. 328
18) ebenda, S. 328
19) Pöhlau, S. 59
20) Trübsbach: Wirtschafts- und Sozialgeschichte Bayreuths, S. 95
21) Reich, S. 36
22) Trübsbach: Wirtschafts- und Sozialgeschichte Bayreuths, S. 94
23) ebenda, S. 95
24) Reich, S. 26
25) Trübsbach: Wirtschafts-und Sozialgeschichte Bayreuths, S. 91
26) Trübsbach: Geschichte der Stadt Bayreuth, S. 146
27) Reich, S. 35
28) Ruffmann, S. 185
29) Trübsbach: Wirtschafts- und Sozialgeschichte Bayreuths, S. 94
30) Ruffmann, S. 185
31) Trübsbach: Wirtschafts- und Sozialgeschichte Bayreuths, S. 94
32) nach Ruffmann, S. 185

5. Die Entwicklung des Theaterlebens in Bayreuth, S. 15 - 20

Facharbeit von Ralph Händler: „Anfänge und Entwicklung des Theaterlebens in der Residenzstadt Bayreuth während der Markgrafenzeit" (gekürzt und überarbeitet)

1) Rudloff-Hille, S. 82
2) Bauer, S. 52
3) Hartmann, S. 140
4) Bauer, S. 116
5) zitiert nach Bauer, S. 116 ff.
6) Müller, S 38
7) zitiert nach Bauer, S. 130
8) Ertel: Theaterpflege in Bayreuth nach der Residenzzeit, S. 202

Abb.: LBS Nord S. 16/17 o. m., S 19 u.; Historischer Verein von Oberfranken S. 16 u., S. 17 u.; Händler S. 18 u., S. 19 o. l.; Lerner S. 20; Stadtmuseum S. 15 o. und u., S. 16 o. l., S. 17 o. r., S. 18 o. l. und o. r., S. 19 o. r.

6. Das Markgrafentheater Erlangen, S. 21

Nach: Schrader: Architektur der barocken Hoftheater..., S. 137 - 148

Zielske: Deutsche Theaterbauten bis zum 2. Weltkrieg, S. 89 ff.

Kurzdarstellung zum Markgrafentheater, erstellt von der Dramaturgie des Theaters Erlangen 1997

Hiltl,Otto: 250 Jahre Markgrafentheater. In: Kulturreferat Erlangen (Hrsg.): Markgrafentheater Erlangen 1959 - 1969, Erlangen 1969

Hilpert, Wilhelm: Die Erlanger Opernbühne - Romantisches Theater. In: Gemeinnütziger Verein Erlangen (Hrsg.): Markgrafentheater Erlangen 1969 - 1979, Erlangen 1979

Hochbauamt Erlangen: Zusammenstellung der Baumaßnahmen 1980 - 1985

Abb.: Theater Erlangen S. 21 (3)

7. Die Markgräfin Wilhelmine als Komponistin und Intendantin, S. 22

nach:
Bauer: Markgräfin Wilhelmine von Bayreuth als Komponistin und Impressaria in Bayreuth

Seelig: Friedrich und Wilhelmine

Thiel: Wilhelmine von Bayreuth

Abb.: BSV S. 22 o.; Historischer Verein S. 22 u. (2)

8. Die Baugeschichte des Markgräflichen Opernhauses, S. 23 - 25

1) Merten S. 124
2) Hager, S. 8 f.
3) Merten, S. 124
4) ebenda
5) ebenda
6) ebenda
7) ebenda
8) ebenda, S. 125
9) ebenda
10) ebenda
11) Schönhaar, Wilhelm Friedrich: Ausführliche Beschreibung des zu Bayreuth im September 1748 vorgegangenen HochFürstlichen Beylagers. Zitiert nach einem Sonderdruck des Druckhauses Bayreuth mit einem Vorwort von Manfred Eger. o. O. o. J.
12) ebenda, S. 3
13) ebenda, S. 4
14) ebenda, S. 13
15) ebenda, S. 14
16) ebenda, S. 14
17) ebenda, S. 20
18) ebenda, S. 21

19) ebenda, S. 21

Abb.: Stadtmuseum, S. 23 (2); Kreissparkasse Bayreuth-Pegnitz, S. 24/25

9. Die Bühnentechnik des Markgräflichen Opernhauses, S. 26 - 33

1) zitiert nach Eger, S. 86
2) zitiert nach Rudloff-Hille, S. 135
3) zitiert nach Eger, S. 86
4) Ertel, S. 38
5) Hammitzsch, S 157
6) Ertel, S.38 f.
7) Ertel, S 38
8) Scholderer, S 197
9) Hammitzsch, S 164
10) Hammitzsch, S 163
11) Hammitzsch, S 165 ff.
12) Beijer, in Badenhausen / Zilske, S. 88
13) Beijer, in Badenhausen / Zilske, S. 27 - 107
14) Eger, S.82
15) Hammitzsch, S. 168
16) s. Eger, S. 132
17) Eger, S. 87
18) Diderots Enzyklopädie, Band 4, S. 2443
19) Schrader, Abbildungen Nr. 146
20) zitiert nach Eger, S. 88
21) zitiert nach Eger, S. 88
22) Eger, S. 87 und S. 89
23) Ertel, S. 38
24) Rudloff-Hille, S. 119
25) Ertel, S. 37 - 39

Abb.: Ertel S. 26, S. 27 o. r. und u., S. 33 u.; Hammitzsch S.27 o. l., S. 28 (2); Český Krumlov S. 29 o.; Drottningholm S. 30 o.; S. 31, 32 gezeichnet von Georg Fröman, Universitätsbibliothek Uppsala; BSV S. 30 u., S. 33 o.

10. Europa – Einheit und Vielfalt: Europäische Künstler in Bayreuth, S. 34 - 35

Abb.: BSV S. 34 (2), S. 35 (2)

Barockes Welttheater in Europa

1. Das Weltbild der Barockzeit, S. 36 - 41

1) König, Johann Sebastian: Bayreuth. Gebäude. Bd. 1
2) Hager, S 30 ff.
3) Schrader, Architektur der barocken Hoftheater. Abb 156
4) Ortelius, Abraham: Theatrum Orbis Terrarum 1570. Titelblatt
5) Merian-Bibliothek: Abraham Ortelius: Die schönsten Karten aus dem Theatrum Orbis Terrarum 1570. Hamburg 1966. S. XIII
6) Calderon 1645, vgl. Fischer-Lichte, S. 41 f.
7) Schraut, S. 179
8) Mettenleiter, S. 129
9) zitiert nach Mettenleiter, S. 129
10) nach Mettenleiter, S. 129
11) nach Mettenleiter, S 118

Abb.: BSV S. 36, S 37 u.; Ortelius, S. 38; LBS Württemberg, S. 39 u.; Theatermuseum München, S. 41; Schrader, S. 37 o, S. 39 m.; S. 40/41 s. Schraut

2. Die Entwicklung des Logentheaters, S. 42 - 47

Facharbeit von Alexander Rosenschon: „Die Entwicklung des Logentheaters" (gekürzt und überarbeitet)

1) Lykurgos: Verwalter der attischen Finanzen von 338 bis 326 v. Chr.; Berthold, S. 108 f.
2) Nestriepke, S. 37
3) ebenda, S. 44 ff.; Berthold, S. 124 ff.
4) ebenda, S. 44
5) Pompeius, Rivale Caesars; ebenda, S. 51
6) ebenda, S. 51
7) Berthold, S. 141
8) ebenda, S. 166 ff., Nestriepke, S. 68 ff.
9) Nestriepke, S. 58
10) ebenda, S. 73
11) nach Frenzel, S. 9 ff.; Berthold, S. 243 ff.; Nestriepke, S. 100 ff.
12) Berthold, S. 243
13) ebenda, S. 263
14) Medici: reiche italienische Handelsfamilie, 1531 in den Adelsstand erhoben
15) Frenzel, S. 71
16) Molière: französischer Komödiendichter (1622 - 1673)
18) Ludwig XIV.: der „Sonnenkönig" (1638 - 1715), König von Frankreich seit 1643
19) nach Kunisch, S. 54ff.; Blitzer, S. 29 ff.
20) Kunisch, S. 65
21) ebenda, S. 68
22) Blitzer, S. 18
23) nach Fischer-Lichte, S. 40 ff.; Schrader: Architektur des barocken Hoftheaters, S. 28 ff.
24) Fischer-Lichte, S. 40
25) Alewyn, S. 16
26) zitiert nach Alewyn, S. 60
27) Fischer-Lichte, S. 41 f.
28) Schrader, S. 29
29) nach Schrader, S. 3 ff.
30) ebenda, S. 27
31) ebenda, S. 19
32) ebenda, S. 3
33) nach Schrader, S. 162 ff.
34) ebenda, S. 165
35) ebenda, S. 172

Abb.: Theatermuseum München S. 43 o. und u. r., S.45 (3), S. 46; BSV S. 47; S. 42 Cornelsen Geschichte 11

3. Vom antiken Theater zur Kulissenbühne, S. 48 - 49

nach: Schwab: Theaterlexikon

Abb.: Theatermuseum München, S. 48 u., S. 49 o.; Schloßtheater Český Krumlov, S. 49 u.

Barocke Bühnentechnik in Europa

1. Antike Bühnentechnik, S. 50 - 51

nach :
Albrecht, Siegfried: Theaterform und Bühnenbild der Antike. In: Teatro, S. 198 ff.

Pauly - Wissowa: Realencyclopädie der classischen Altertumswissenschaften (R E). Stuttgart 1893 ff.

Abb.: nach Albrecht S. 198, S. 50; Lerner S. 51

2. Grundbegriffe des Kulissentheaters, S. 52 - 55

nach: Schwab: Theaterlexikon

Zum Dalbergschen Bühnenmodell
S. 55.: Liselotte Homering: Modell einer Bühne des 18. Jahrhunderts. In: Reiss Museum der Stadt Mannheim: Sammelleidenschaft, Mäzenatentum und Kunstförderung. Kostbarkeiten aus dem Museum für Kunst-, Stadt- und Theatergeschichte der Stadt Mannheim. Mannheim 1992. S. 98
Abb.: Reiss-Museum Mannheim, Theatersammlung
Abb.: Drottningholmer Theatermuseum S. 52; S. 53, Kull S. 54

3. Barocke Bühnentechnik in Europa – Übersicht, S. 56 - 58

Abb. Schmitt S. 58 u. (2)

4. Das Ekhof-Theater in Gotha, S. 59 - 66

nach:
Dobritzsch, Elisabeth: Die baulichen Veränderungen des Ekhoftheaters – Die Bühne

Abb.: Ekhoftheater S. 59 u., S 60, S. 61 (2), S.62, S. 63 u., S. 64 (2) ; Forschungs- und Landesbibliothek Gotha S. 66 (2)

5. Das Ludwigsburger Schloßtheater, S. 67 - 74

nach: Scholderer: Das Schloßtheater Ludwigsburg

Abb. Landesbildstelle Württemberg S. 68 o., S. 69 o., S. 73 u.; Schloßtheater Ludwigsburg S. 67 u., S. 68 u., S. 69 u., S. 70 u.; Emmanouil S. 71; Lerner S. 67 o., S. 70 o., S. 72 (2), S. 73 o.

6. Das Drottningholmer Schloßtheater, S. 75 - 90

nach: Dymling: The Drottningholm

Court Theatre
Drottningholms teatermuseum:
Drottningholms Slottsteater

Abb.: Drottningholmer Schloßtheater S. 75 u., S. 76, S. 77 o. r., S 77 u., S.97 u. l., S. 80 o. l., S. 84 u. S. 85 o., S.87 u. S. 88 o.; Kull S. 78 o., S. 80 o. r., S. 81, S. 82 o. r. und u. r., S. 83 o. l. und u. l. S.84 o., S. 86 o. l., S. 87 o.; Beijer S. 77 o. l., S. 80 u., S. 79 o. und m.; Sabbattini S. 85 u. l.; Diderots Enzyklopädie u. r.; Lerner S. 88 u.

7. Das Schloßtheater von Český Krumlov, S. 91 - 96

Abb.: Stadtplan der Stadt Český Krumlov S. 91;
Schloßtheater Český Krumlov S. 92 (2), S. 93 (2), S. 94 o., S. 95 o. und m. r.

8. Théâtre de la Reine in Versailles, S. 97 - 99

Abb.: Domaine National de Versailles, Meyer S. 97 u.(bearbeitet); Postkarte S. 98 o.

9. Opéra Royal in Versailles, S. 100

Abb.: Postkarte S. 100 o.

10. Das Theater im Schloß Gripsholm, S. 101 - 106

Abb.: Postkarten S. 101 o.; Schlarb S. 101; Slottsteatern på Gripsholm S. 103 o. u. S. 106 o.; Beijer S. 103 u., S. 104 (2), S. 105 u. l., S. 106 o. r. und u. r.

11. Das Schloßtheater in Litomyšl, S. 107 - 110

Abb.: Postkarte S. 107 o., S. 108 o.; Hilmera: Zámecké divadlo v Litomyšli S. 108 u.;
Schloßtheater Litomyšl S. 110 u.

12. Das Ostankino-Theater in Moskau, S. 111 - 118

Abb.: Ostankino-Theater; Wittmann S. 114 u., S. 118 m.

13. Das Goethe-Theater in Bad Lauchstädt, S. 119 - 130

Abb.: Stekovics S. 119, S. 120, S. 121, S. 124, S. 129; Historische Kuranlagen S. 119, S. 121, S. 129; Handskizze Goethes: Original im Goethe-Museum Düsseldorf; Abb. auf S. 125 aus: Zur Nutzung der Historischen Kuranlagen... für die Schul- und Jugendarbeit, S.16

14. Vergleich der Theater, S. 131 - 132

15. Modelle - Schülerarbeiten zur Ausstellung, S 133 - 138

Abb.: Lerner S. 133 - 137;
Schmidhuber S. 138

LITERATURVERZEICHNIS

Stadtgeschichte Bayreuth, Geschichte des Markgrafentums Bayreuth

Bauer, Hans-Joachim: Markgräfin Wilhelmine von Bayreuth als Komponistin und Impressaria in Bayreuth. In: Schmidt, Roderich (Hrsg.): Bayreuth und die Hohenzollern vom ausgehenden Mittelalter bis zum Ende des Alten Reiches. Ebsdorfergrund 1992, S. 143 ff.

Bayerische Verwaltung der staatl. Schlösser und Seen: Markgräfin Wilhelmine und ihre Welt. Ausstellungskatalog. München 1959

Berve, Raghilt: Stadterweiterungen der fränkischen Residenzstädte Ansbach, Bayreuth und Erlangen im 17. und 18. Jahrhundert. Düsseldorf 1975

Fester, Richard: Die Bayreuther Schwester Friedrichs des Großen. Berlin 1902

Fischer, Horst: Häuserbuch der Stadt Bayreuth. Bayreuth 1991

Habermann, Sylvia u. Trübsbach, Rainer: Bayreuth. Geschichte und Kunst. München und Zürich 1989

Hartmann, Karl: Geschichte der Stadt Bayreuth in der Markgrafenzeit. Bayreuth 1949

Hartmann, Karl: Musikpflege in Alt-Bayreuth. Archiv für Geschichte und Altertumskunde von Oberfranken (AO) Band 33. Bayreuth 1936

Hartung, F.: Hardenberg und die preußische Verwaltung in Ansbach-Bayreuth von 1792 - 1806. Tübingen 1906

Herrmann, Erwin: Höfische Feste und markgräfliche Schiffe in St. Georgen. AO Band 65. Bayreuth 1985

Hofmann: Bayreuth und seine Kunstdenkmale. München 1902

Holle, Johann Wilhelm: Geschichte der Stadt Bayreuth von den ältesten Zeiten bis 1792. Durchgesehen und bis zum Jahre 1900 fortgeführt von seinem Sohn Dr. Gustav Holle. Frankfurt 1981

Kluxen, Andrea M.: Die Ruinen-„Theater" der Wilhelmine von Bayreuth. AO Band 67. Bayreuth 1987

Kröll, Joachim: Bayreuther Barock und frühe Aufklärung. AO Band 55. Bayreuth 1975

Müller, Marieluise: Eremitage Bayreuth. Bindlach 1993

Müller, Wilhelm: Das Stadtbild Bayreuths in alten Ansichten. AO Band 44. Bayreuth 1964

Müssel, Karl: Bayreuth in acht Jahrhunderten – Geschichte der Stadt. Bindlach 1993

Müssel, Karl: Zeitgeist und Tradition in der Bayreuther Barockkunst um 1700. AO Band 56. Bayreuth 1976

Müssel, Karl: Die große Bayreuther Fürstenhochzeit. Vorgeschichte, Vorbereitungen und Verlauf. AO Band 77. Bayreuth 1997

Nöhbauer, Hans F.: Die Chronik Bayerns. Dortmund 1987

Pöhlau, F.: Staat und Wirtschaft im Zeitalter Friedrichs des Großen. Erlangen-Bruck 1934

Rabenstein, Christoph u. Werner, Ronald: Bilder und Geschichte(n) von St. Georgen. Bayreuth 1994

Reich, A.: Finanzen und Landstände unter Markgraf Friedrich von Bayreuth 1735 - 63. Würzburg 1923

Reiche, Jobst Christoph Ernst von: Bayreuth. Nachdruck der Ausgabe 1795. Erlangen 1980

Roth, Elisabeth (Hrsg): Oberfranken in der Neuzeit bis zum Ende des Alten Reiches. Bayreuth 1984

Rückel, Gerd: Stadtführer Bayreuth. Bayreuth 1886

Ruffmann, Karl-Heinz (Hrsg.): Oldenbourg Geschichte für Gymnasien 11, München 1993

Seelig, Lorenz: Friedrich und Wilhelmine. Die Kunst am Bayreuther Hof 1732 - 1763. München - Zürich 1982

Thiel, Heinrich: Wilhelmine von Bayreuth. München 1967

Trübsbach, Rainer: Geschichte der Stadt Bayreuth 1194 - 1994. Bayreuth 1993

Trübsbach, Rainer: Wirtschafts- und Sozialgeschichte Bayreuths im 18. Jahrhundert. Bayreuth 1985

Vollet, Hans: Abriß der Karthographie des Fürstentums Brandenburg, Kulmbach-Bayreuth. Bayreuth 1977

Walter, J.: Wilhelmine von Bayreuth - Lieblingsschwester Friedrichs des Großen. München 1981

Weber-Kellermann, Ingeborg (Hrsg.):

Wilhelmine von Bayreuth. Eine preußische Königstochter. Glanz und Elend am Hofe des Soldatenkönigs in den Memoiren der Markgräfin Wilhelmine von Bayreuth. Frankfurt 1990

Wilfert, J.: Emtmannsberg im Spiegel seiner Geschichte. Bayreuth 1987

Wilhelmine von Bayreuth: Memoiren. München 1987

Markgräfliches Opernhaus Bayreuth

Bauer, Hans-Joachim: Barockoper in Bayreuth. Laaber 1982

Eger, Manfred: Bühnenzauber des Barocktheaters. In: Bayreuther Profile. Bayreuth 1984

Ertel, Arno: Das markgräfliche Opernhaus zu Bayreuth und seine Bühneneinrichtung. In: Frankenheimat. 10.10.1961, S. 37 f.

Ertel, Arno: Theaterpflege in Bayreuth nach der Residenzzeit (1769 - 1806). Zur Entwicklung des fränkischen Theaterwesens im 18. Jahrhundert. AO Band 43. Bayreuth 1963

Gansera-Söffing, Stefanie: Die Schlösser des Markgrafen Georg Wilhelm von Brandenburg-Bayreuth. Bayreuth 1992

Hager, Luisa und Seelig, Lorenz: Markgräfliches Opernhaus Bayreuth. Amtlicher Führer. München 1991

Hammitzsch, Martin: Der moderne Theaterbau. Der höfische Theaterbau. Berlin 1906

König, Johann Sebastian: Bayreuth: Gebäude. Band 1, Das Opernhaus. Bayreuth o. J.

Krückmann, Peter O.: Das Bayreuth der Markgräfin Wilhelmine. München 1998

Krückmann, Peter O.(Hrsg.): Galli Bibiena und der Musenhof der Wilhelmine von Bayreuth. München 1998

Merten, Klaus: Der Bayreuther Hofarchitekt Joseph Saint-Pierre. In: AO Band 44. Bayreuth 1964

Rauh, Wilhelm u. Rappl, Erich: Bühne Bayreuth – Schauplätze und Rollenspiele seiner Geschichte. Bayreuth 1987

Rudloff-Hille, Gertrud: Die Bayreuther Hofbühne im 17. und 18 Jahrhundert. AO Band 33. Bayreuth 1936

Schiedermair, Ludwig: Bayreuther Festspiele im Zeitalter des Absolutismus. Studien zur Geschichte der deutschen Oper. Leipzig 1908

Schönhaar, Wilhelm Friedrich: Ausführliche Beschreibung des zu Bayreuth im September 1748 vorgegangenen HochFürstlichen Beylagers. Stuttgart 1748. Sonderdruck Druckhaus Bayreuth. o. O. o. J.

Schrader, Susanne: Das Markgrafentheater in Bayreuth. Studien zum Hoftheatertypus des 18. Jahrhunderts. München 1985

Theater, Theatergeschichte, Bühnentechnik allgemein

Alewyn, Richard: Das große Welttheater. Die Epoche der höfischen Feste. München 1985

Albrecht, Siegfried u. a.: Teatro. Eine Reise zu den oberitalienischen Theatern des 16. - 19. Jahrhunderts. Marburg 1991

Badenhausen, Rolf u. Zilske, Harald (Hrsg): Bühnenformen – Bühnenräume – Bühnendekorationen. Berlin 1974

Baur-Heinhold, Margarete: Theater des Barock. Festliches Bühnenspiel im 17. und 18. Jahrhundert. München 1966

Berthold, Margot: Weltgeschichte des Theaters. Stuttgart 1968

Beyer, Andreas: Andrea Palladio. Teatro Olimpico. Triumpharchitektur für eine humanistische Gesellschaft. Frankfurt 1994

Brauneck, Manfred: Theaterlexikon. Begriffe und Epochen, Bühnen und Ensembles. Reinbek bei Hamburg 1986

Diderots Enzyklopädie 1762 - 1777. Augsburg 1996

Fischer-Lichte, E.: Kurze Geschichte des deutschen Theaters. Tübingen, Basel 1993

Frenzel, Herbert A.: Geschichte des Theaters. Daten und Dokumente 1740 - 1840. München 1979

Kindermann, Heinz: Theatergeschichte Europas . Bände III u. IV. Salzburg 1972

Merian-Bibliothek: Abraham Ortelius: Die schönsten Karten aus dem Theatrum Orbis Terrarum 1570. Hamburg 1966

Nestriepke, Siegfried: Das Theater im Wandel der Zeiten. Berlin 1928

Schrader, Susanne: Architektur der barocken Hoftheater in Deutschland. München 1988

Pauly - Wissowa: Realencyclopädie der classischen Altertumswissenschaften (R E). Stuttgart 1893 ff.

Pochat, Götz: Theater und bildende Kunst im Mittelalter und in der Renaissance in Italien. Graz 1990

Rigon, Fernando: Das Teatro Olimpico in Vicenca. Milano 1989

Schwab, Lothar u. Weber, Richard: Theaterlexikon. Frankfurt 1991

Stein, Werner: Der Große Kultur Fahrplan. München 1990

Zielske, Harald: Deutsche Theaterbauten bis zum 2. Weltkrieg. Berlin 1971

Zöchling, Dieter: Die Chronik der Oper. Dortmund 1990

Zucker, Paul: Die Theaterdekoration des Barock. Eine Kunstgeschichte des Bühnenbildes. Berlin 1925

Zeitalter des Barock, Absolutismus

Blitzer, Charles: söldner, diener, majestäten: Reinbek 1973

Duchhardt, Heinz: Das Zeitalter des Absolutismus. München 1989

Kunisch, Johannes: Absolutismus. Europäische Geschichte vom Westfälischen Frieden bis zur Krise des Ancien Régime. Tübingen 1986

Mettenleiter, Peter: Barock. In: Blickfeld Deutsch. Oberstufe. Paderborn 1991. S. 112 ff.

Schraut, Sylvia: Absolutismus. In: Berg, Rudolf: Geschichte 11. Berlin 1992. S. 154 ff.

Ekhof-Theater in Gotha

Dobritzsch, Elisabeth: Barocker Bühnenzauber. Das Ekhof-Theater in Gotha. München 1995

Dobritzsch, Elisabeth: Die baulichen Veränderungen des Ekhof-Theaters – Bühne. In: Gothaer Kultur- und Fremdenverkehrsbetrieb: Gothaer Museumsheft ´97. Beiträge zur Regionalgeschichte. Gotha 1997. S. 19 - 38

Schloß Friedenstein. Führer durch die historischen Räume. Gotha 1991

Ludwigsburger Schloßtheater

Breuer, Judith / Esser, Saskia / Scholderer, Hans-Joachim: Das Schloßtheater ist restauriert. Zur Baugeschichte, Denkmalwert und denkmalpflegerischem Konzept. In: Denkmalpflege in Baden-Württemberg. 3 / 1998. S.167 ff.

Finanzministerium Baden-Württemberg: Schloßtheater Ludwigsburg. Zum Abschluß der Restaurierung 1998. o. O. 1998

Lang, Frank Thomas: Höfische Feste und Conversationsstücke. In: Schlösser Baden Württemberg. 1 ´95. S.8 ff.

Merten, Klaus: Schloß Ludwigsburg. München Berlin 1989

Scholderer, Hans-Joachim: Das Schloßtheater Ludwigsburg. Berlin 1994

Scholderer, Hans-Joachim: Die barocke Bühnenmaschinerie. Herzstück des 1998 wieder bespielbaren Ludwigsburger Schloßtheaters. In: Schlösser Baden-Württemberg. 4 ´97. S. 20 ff.

Scholderer, Hans-Joachim: In der barocken Oper ist die Maschinerie der „Dramaturg". In: Schlösser Baden-Württemberg 1 ´97. S. 28 ff.

Scholderer, Hans-Joachim: Johann Christian Keim, „Theatral-Maschinist" am Württembergischen Hof im 18. Jahrhundert. In: Schlösser Baden-Württemberg 3 ´95. S. 18 ff.

Drottningholmer Schloßtheater:

Beijer, Agne: Theaterzeichnungen im Reisejournal des Schloßbaumeisters Georg Fröman von seiner Reise nach Dresden und Wien im Jahre 1755. In: Badenhausen, Rolf u. Zilske, Harald: Bühnenformen - Bühnenräume - Bühnendekorationen. 1974 S. 77 - 107

Drottningholms teatermuseum, Per Forsström: Drottningholms Slottsteater. 1985

Dymling, Claes: The Drottningholm Court Theatre. Its advent, fate and preservation. Stockholm 1993

Edström, Simon: Die Bedeutung des deutschen Maschinenmeisters Christian Gottlob Reuss für das Aussehen der maschinellen Bühneneinrichtungen im Drottningholmer Schloßtheater. (unveröffentlicht) 1998

Kroon, John (Hrsg): Beijer, Agne: Slottsteatrarna på Drottningholm och Gripsholm. Planschbeskriving. Malmö 1933

Lindqvist, Herman: Drottningholms Slottsteater. o. O. o. J.

Striboldt, Barbro: Das Theatermuseum Drottningholm. o. O. 1984

Schloßtheater von Český Krumlov

Hejnic, Josef und Záloha Jiří: Český Krumlov und die Theatertradition. In: Theatralia. Zámecké Knihovny v Českém Krumlové. Národní muzeum v Praze. 1976. Bd 1 S. 37 - 63

Hejnic, Josef und Záloha Jiří: Die Sammlung von Theatralia in der Schloßbibliothek von Český Krumlov. In: Theatralia: Zámecké v Českém Krumlové. Národní muzeum v Praze. 1976. Bd 2 S. 25 - 39

Ptáková, Věra (Hrsg.): The Baroque Theatre in the Château of Český Krumlov. Miscellany of Papers for a Special Seminar, 27.9. - 30.9.1993. České Budějovice 1993

Slavko, Pavel: Das Barocktheater in Schloß Český Krumlov. 1996; neue Auflage 1997

Hilmera, Jiří: The Château Theatre in Český Krumlov. In: théâtre czech. 7 / 1994: Castle Theatres in Bohemia and Moravia S. 12 - 26

Adamczyk, Vladimír: The Magic of the Baroque Stage, in: théâtre czech. 7 / 1994. S. 32 - 42

Théâtre de la Reine in Versailles

Domaine National de Versailles: Trianon. Théâtre de la Reine. Materialien für ein Symposion in Drottningholm 1997

Meyer, Daniel: Versailles. Wegweiser. Deutsche Ausgabe. Turin 1997

Opéra Royal in Versailles

Musée National du Château de Versailles: Opéra Royal. Materialien für ein Symposion in Drottningholm 1997

Theater in Schloß Gripsholm

Bjurström, Per: Slottsteatern på Gripsholm. Uddevalla 1982

Kroon, John (Hrsg): Beijer, Agne: Slottsteatrarna på Drottningholm och Gripsholm. Planschbeskriving. Malmö 1933

Schloßtheater in Litomyšl

Hilmera, Jiří: Zámecké divadlo v Litomyšli. 1968

Hilmera, Jiří: From the Baroque to the Romantic. In: théâtre czech 7 / 1994. Castle Theatres in Bohemia and Moravia

Národní Kulturní Památka: Litomyšl. Československo

Ostankino-Theater in Moskau

Wdowin, Gennadij W. u.a.: Ostankino Palast Theater. Moskau 1994

Wdowin, Gennadij W.: Der Mythos von Ostankino. Adelskultur in Rußland zur Zeit Katharinas II. In: Katalog zur Ausstellung: Katharina die Große. Kassel 1997

Ostankino Palace-Theatre. Materialien für ein Symposion in Drottningholm 1997

Goethe-Theater Bad Lauchstädt

Ehrlich, Willi: Bad Lauchstädt. Historische Kuranlagen und Goethe-Theater. Bad Lauchstädt 1992

Heimühle, Bernd: Historische Kuranlagen und Goethe-Theater Bad Lauchstädt. Halle 1996

Historische Kuranlagen und Goethe-Theater Bad Lauchstädt in Verbindung mit den Abteilungen Volksbildung und Jugendfragen beim Rat des Kreises Merseburg (Hrsg):
Zur Nutzung der Historischen Kuranlagen und des Goethe-Theaters in Bad Lauchstädt für die Schul- und Jugendarbeit. Merseburg 1972